35.00

CW01081647

Cymru Fydd

Seminar Hanes Undeb Rhydychen 1884 (trwy ganiatâd Llyfrgell Genedlaethol Cymru). T. E. Ellis, un o sylfaenwyr Cymru Fydd yn 1886, yw'r trydydd o'r chwith yn yr ail res o'r cefn.

Cymru Fydd

DEWI ROWLAND HUGHES

GWASG PRIFYSGOL CYMRU
CAERDYDD
2006

www.cymru.ac.uk/gwasg

ISBN-10 0-7083-1986-6
ISBN-13 978-0-7083-1986-4

Mae cofnod catalogio'r gyfrol hon ar gael gan y Llyfrgell Brydeinig.

Dataganwyd gan Dewi Rowland Hughes ei hawl foesol i gael ei gydnabod yn awdur y gwaith hwn yn unol ag adrannau 77 a 78 o'r Ddeddf Hawlfraint, Dyluniadau a Phatentau 1988.

Argraffwyd gan Cambridge Printing, Caergrawnt

Cyflwynedig i'm rhieni, Rowland Hughes (1914–1988)
a Morfudd, gyda diolch iddynt am drosglwyddo imi
werthoedd Cymru Fydd.

Cynnwys

Rhagair

Mae'r llyfr hwn yn ffrwyth ugain mlynedd o ymchwil. Ymgais ydyw i wneud tri pheth: yn gyntaf, i ysgrifennu hanes cynhwysfawr cyntaf mudiad Cymru Fydd; yn ail, i ddefnyddio'r dull prosopograffi, sef bywgraffiad gymharol: cymharu, cyferbynnu a dadansoddi bywgraffiadau niferus; yn drydedd, i ddangos cyd-effaith y personol, y diwylliannol, y gwleidyddol a'r economaidd mewn hanes cenedl.

Rwyf yn ddiolchgar i'r canlynol am ysbrydoliaeth a chefnogaeth: John Roberts, cyn-bennaeth Adran Hanes, Ysgol Uwchradd Glan Clwyd, Llanelwy; y diweddar Athro Rees Davies (1919–2005), gynt ym Mhrifysgol Rhydychen, a oedd yn bennaeth ysbrydolgar ar yr Adran Hanes yn Aberystwyth yn yr wythdegau; mae ei farwolaeth cynnar yn golled enfawr i hanesyddiaeth Gymreig. Yr Athro Deian Hopkin, a oruchwyliodd yr ymchwil gwreiddiol yng Ngholeg Prifysgol Cymru, Aberystwyth; yr Athro Aled G. Jones, tiwtor personol mewn Hanes a chyd-lywydd Cymdeithas Hanes yr Adran pan oeddwn yn Llywydd Myfyrwyr yn 1982–3; a'r Athro Howard Williams, darlithydd mewn Gwleidyddiaeth Fodern, Prifysgol Cymru, Aberystwyth a'm cyflwynodd i athroniaeth wleidyddol.

Diolchaf i Ruth Dennis-Jones a Dafydd Jones, fy ngolygyddion, ac Ashley Drake, Cyfarwyddwr Gwasg Prifysgol Cymru, am weld yr angen am y llyfr ac am fy nghefnogi drwy'r broses cyhoeddi. Diolch hefyd i Elen Glynne Jones, am y teipio amyneddgar a chywir, ac i staff y Llyfrgell Genedlaethol, Aberystwyth. Diolch yn olaf, ond nid y lleiaf, i Sheela a'r plant, Lara a Nia.

DEWI ROWLAND HUGHES
Llanfyllin, 2006

Rhestr o Dablau

Byrfoddau

AS	Aelod Seneddol
BAC	Baner ac Amserau Cymru
DNB	Dictionary of National Biography (1959)
LlGC	Llyfrgell Genedlaethol Cymru
QC	Cwnsler y Frenhines
SWDN	South Wales Daily News
THSC	Trafodion Anrhydeddus Gymdeithas y Cymmrodorion
UH	Ustus Heddwch
WHR	Welsh History Review/Cylchgrawn Hanes Cymru

1

Y *Risorgimento* Cymreig

(1832–1885)

Rhaid mynd yn ôl hanner canrif i olrhain cefndir yr ymfflachiad gwleidyddol hwnnw a adnabyddir dan yr enw 'Cymru Fydd'.[1] Am dair canrif, o Ddeddf Uno 1536 hyd Ddeddf Diwygio 1832, roedd Cymru wedi bod yn drefedigaeth mewnol o'r wladwriaeth Seisnig.[2] Mae'n wir bod y mudiad Methodistaidd, a gododd ganrif yn gynharach, yn 1735, wedi dod â bywyd newydd i'r wlad – ond bywyd crefyddol, nid bywyd gwleidyddol oedd hynny. Y cyfnod cyn 1832 oedd yr *ancien régime* Cymreig. Y pendefigion Eingl-Gymreig oedd yn rheoli ac roedd y Methodistiaid, am ganrif gyfan, yn negyddol dros ben yn eu hymarweddiad a'u hagwedd tuag at wleidyddiaeth – yn enwedig felly John Elias (1774–1841), 'Y Pab Methodistaidd' a John Davies (1781–1848), 'Y Cardinal'.[3] Yn wir, yn y cyswllt hwn, ychydig o wahaniaeth oedd rhwng y Methodistiaid a'r hen Anghydffurfwyr: y Bedyddwyr dan arweiniad Christmas Evans (1766–1838) neu hyd yn oed yr Annibynwyr. Ysgrifennodd Christmas Evans lythyr at *Seren Gomer* yn 1814 dan y teitl: 'Perygl Ysbryd Terfysglyd a Chylchdroawl mewn Gwladwriaeth', yn gorffen gyda'r frawddeg: 'Odidoced yw y geiriau hyn: ofnwch Duw, anrhydeddwch y Brenin!'[4] Araf deg oedd y broses o radicaleiddio Anghydffurfiaeth. Yn ystod yr Adwaith Mawr (1815–30), ar ôl y Rhyfeloedd Napoleonaidd, roedd y rhan fwyaf o Ewrop wedi symud yn bell i'r dde. Araf deg yn arbennig oedd datblygiad gwleidyddol y Methodistiaid tuag at Ryddfrydiaeth yng nghyfnod John Elias, 'y pregethwr mawr a'r dyn cul hwnnw'.[5] Efallai y byddai 'Metternich Methodistiaeth' yn ddisgrifiad gwell fyth ohono, ar ôl Canghellor haearnaidd Awstria, y Tywysog Metternich (1773–1859).

Yn raddol, fodd bynnag, o 1832 ymlaen, newidiodd safbwynt y Methodistiaid yn gyfochrog â'r Anghydffurfwyr eraill. Yn y flwyddyn honno, pasiwyd Deddf Diwygio'r Senedd, yn codi cynrychiolaeth seneddol Cymru o 27 i 32. Rhoddwyd un Aelod Seneddol i Abertawe a Merthyr ac Aelod ychwanegol i siroedd Dinbych, Caerfyrddin a Morgannwg. Estynwyd y bleidlais i bob trethdalwr £10 y flwyddyn – y Deiliaid Decpunt. Pan basiwyd y Mesur,

> Dywedir nad oedd fwthyn yn Abertawe heb oleuo'i ffenestri, a bod ugain mil o bobl yn y strydoedd yn gorfoleddu . . . Nid oedd Cymru, drwyddi draw, erioed wedi teimlo cymaint diddordeb mewn gwleidyddiaeth ag a ddangosodd y tro hwn.[6]

Yn etholiad cyffredinol 1832, etholwyd diwydiannwr lleol, Lewis Dillwyn, yn Aelod Seneddol Rhyddfrydol cyntaf Morgannwg.[7] Yn 1835, ef oedd un o brif sylfaenwyr Sefydliad Brenhinol De Cymru (Royal Institution of South Wales), yn Abertawe. Roedd Deddf Diwygio 1832 a Deddf Corfforaethau Lleol 1835 yn dangos grym a dylanwad cynyddol y dosbarth canol ac yn hwb i ymwybyddiaeth wleidyddol yng Nghymru.

Yn y flwyddyn ar ôl Diwygiad 1832, ac yn rhannol fel ymateb iddo, dechreuwyd Mudiad Rhydychen, dan arweiniad John Keble, J. H. Newman ac E. B. Pusey a oedd yn ceisio symud Eglwys Loegr at safle Eingl-Gatholig. Achosodd y Mudiad hwn gryn ddychryn i Anghydffurfwyr Cymru, gan arwain at lacio ymhellach eu cysylltiad ag Eglwys Loegr. Ymosodwyd ar 'Puseyaeth' a 'Newmaniaeth' yn y rhan fwyaf o'r cylchgronau Anghydffurfiol.[8]

Sefydlwyd y papur gwleidyddol cyntaf yn yr iaith Gymraeg i bara am fwy na blwyddyn, *Cronicl yr Oes*, yn yr Wyddgrug yn 1835. Hwn oedd y papur anenwadol cyntaf (heblaw *Cylchgrawn Cymraeg* Morgan John Rhys yn 1793), i ymdrin â gwleidyddiaeth yn agored a beirniadol ac i argymell diwygiadau megis Datgysylltu'r Eglwys a'r tugel (y bleidlais gudd).[9] Golygwyd *Cronicl yr Oes* gan weinidog Methodistaidd, y Parch. Roger Edwards (1811–86) ac ymddangosodd yr wythnosolyn rhwng Ionawr 1835 ac Ionawr 1839. Ganwyd Roger Edwards yn y Bala yn y flwyddyn pan ymwahanodd y Methodistiaid oddi wrth yr Eglwys Anglicanaidd (1811) a bu farw yn y flwyddyn pan sefydlwyd Cymru Fydd (1886). Roedd y golygydd arloesol hwn dan yr anghenraid o fathu 'llawer o eiriau a brawddegau gwleidyddol, gan mor brinion oeddynt y pryd hwnnw'.[10] Y mae cyfraniad Roger Edwards wedi ei esgeuluso hyd yn hyn: ef yn anad neb oedd tad y wasg wleidyddol Gymreig.[11] Ymosododd John Elias yn chwyrn arno am ei feiddgarwch, ond fe fu farw'r 'Pab' yn 1841 gan ryddhau y meddwl Cymreig ymhellach.

Roedd papurau cenedlaethol yn ffenomen Ewropeaidd yn ail chwarter y ganrif: cyhoeddwyd *Pesti Hirlap* (1840) yn Hwngari dan olygyddiaeth Lajos Kossuth (1802–94);[12] y *Nation* (1842) yn Iwerddon gan Thomas Davis (1814–45);[13] *La Giovine Italia* (1832), *La Giovine Europa* (1834) a *La Jeune Suisse* (1835) gan Giuseppe Mazzini (1805–72); ac *Il Risorgimento* (1847) a sefydlwyd gan Camillo Cavour (1810–61).[15] Dylanwadodd y pedwar golygydd hyn ar ddyn a ddatblygodd waith Roger Edwards – William Rees, 'Gwilym Hiraethog' (1802–83), gŵr a oedd i gael effaith ffurfiannol ar hanes y genedl Gymreig yn y bedwaredd ganrif ar bymtheg.[16] Roedd Rees yn un o gyd-olygyddion *Tarian Rhyddid* (1839–40) ac ef a sefydlodd yr wythnosolyn pwysicaf yn hanes Cymru, *Yr Amserau*, yn Lerpwl ar 23 Awst 1843. Cyfarfu a chyfathrebodd Hiraethog â Mazzini, a gyrrodd Kossuth ei ysgrifennydd personol i Gymru i ddiolch iddo am ei gefnogaeth i'r Hwngariaid. Roedd darlithoedd cyhoeddus Dr Rees yn ffactorau pwysig yn natblygiad diwylliannol a gwleidyddol Cymru fel cenedl.[17] Cyn gynted â 1846, roedd yn galw am Blaid Seneddol Gymreig,[18] a chyhoeddodd *Aelwyd F'Ewythr Robert* (1853) yn seiliedig ar *Uncle Tom's Cabin* (1852) yn mynnu rhyddhau'r caethweision yn Unol Daleithiau America.

Yn 1857 sefydlwyd *Baner Cymru* yn Ninbych gan Thomas Gee (1815–98), cyhoeddwr pwysicaf y ganrif, a chyfunwyd *Baner Cymru* a'r *Amserau* yn 1859 i ffurfio'r 'taranwr' Cymreig: *Baner ac Amserau Cymru*, gyda Rees ac yna Gee yn olygyddion.[19] Yn 1845 roedd Gee wedi cyhoeddi rhifyn cyntaf *Y Traethodydd*, gyda Roger a Lewis Edwards (1809–87) yn olygyddion. Hwn oedd yr *Edinburgh Review* Cymreig, yn trin pynciau o bob math yn ddeallus o safbwynt rhyddfrydol. Atgyfnerthodd y cylchgronau hyn dueddiad yr Anghydffurfwyr tuag at asgell ryddfrydol gwleidyddiaeth yn sgil Mudiad Eingl-Gatholig Rhydychen o 1833 ymlaen. Fel mae R. T. Jenkins wedi ysgrifennu, 'gellir dweud i Fudiad Rhydychen droi'r Methodistiaid yn Anghydffurfwyr gwleidyddol'.[20] Roeddent nawr yn dechrau meddwl o ddifrif am ddatgysylltiad.[21]

Yn dilyn sialens Mudiad Rhydychen daeth sarhad Adroddiad y Comisiynwyr ar Addysg yng Nghymru (1847) – y 'Llyfrau Gleision'. Achosodd yr adroddiad hiliol hwn gynddaredd cenedlaethol.[22] Yr oedd yn ymosodiad cyfan gwbl ar y cymeriad Cymreig, wedi ei seilio ar dystiolaeth 'Bradwyr', hynny yw, yr Eglwyswyr Cymreig. Fel y dywed Coupland: 'The Commissioners swept aside the ancient language of Wales as ruthlessly as Macaulay, a decade earlier, had swept aside the ancient languages of India.'[23]

Yn olaf, rhag ofn nad oedd hyn yn ddigon, ymosododd y Comisiynwyr ar grefydd mwyafrif y Cymry: Anghydffurfiaeth. Cafodd yr adroddiad yn y 'Llyfrau Gleision' effaith drydanol. Gorfodwyd y Methodistiaid mwyaf ceidwadol i amddiffyn eu crefydd yn y pulpudau. Ysgrifennodd llu o barchedigion a deall-usion Cymreig at y papurau yn condemnio 'Brad y Llyfrau Gleision'.[24] Amddiffynwyd Cymru yn erbyn yr enllib cenedlaethol gan Dr Lewis Edwards, Gwilym Hiraethog, Thomas Phillips, Henry Richard, R. J. Derfel ac Ieuan Gwynedd, ymysg eraill.[25]

I ganol y berw ynglŷn â'r Llyfrau Gleision, daeth y newydd am chwyldroadau Ewropeaidd 1848 ym mhrifddinasoedd Paris, Berlin, Fienna, Rhufain, Fenis, Milano, Napoli, Prâg a Bwdapest, yn ogystal â gwrthryfel aflwyddiannus Young Ireland yn Iwerddon.[26] Nid oedd chwyldro yng Nghymru, ond roedd cydymdeimlad a llawenydd ymysg y Radicaliaid,[27] ac roedd 'Gwanwyn' 1848 yn atgyfnerthu 'Gaeaf' 1847 yn yr ystyr ei fod yn cadarnhau teimlad y Methodistiaid bod rhywbeth o'i le ar y Sefydliad. Ysgrifennodd Hiraethog lyfryn yn Saesneg sydd â theitl nodweddiadol oherwydd ei fod yn dangos asio Anghydffurfiaeth a Rhyddfrydiaeth: *Providence and Prophecy or God's Hand Fulfilling His Word in the Revolutions of 1848* (Lerpwl a Llundain, 1851).[28] Gwelodd Hiraethog law Duw yn chwyldroadau 1848 fel roedd Cromwell wedi gweld Rhagluniaeth yn Chwyldro Seisnig 1648. Mae hyn yn un o enghreifftiau cynharaf 'diwinyddiaeth rhyddhad'. Cefnogwyd y chwyldroadau hefyd gan Michael D. Jones (1822–98);[29] fe fyddai ef, un o apostolion Cymru Fydd, yn cofio yn 1890, pa mor drawiadol oedd effaith y chwyldroadau hyn:

Yr oedd y gwladgarwr Hwngaraidd byd-enwog, Kossuth, fel seren olau yn ffurfafen Ewrop, wedi tanio llawer enaid â'r athroniaeth anfarwol o 'hawl bob cenedl i lywodraethu ei hunan' a rhwng dylanwadau chwyldroadau mawrion 1848, ac addysg Kossuth, nid yw cenhedloedd goresgynedig Ewrop wedi ymdawelu hyd heddiw, ond edrychant yn obeithiol ymlaen at Jiwbili pobloedd a chenhedloedd gorthrymedig.[30]

Ni ellir gorbwysleisio pwysigrwydd 'ysgariad Methodistiaeth a Thoriaeth'[31] yn yr 1840au. Hwn oedd y digwyddiad mawr yn hanes gwleidyddiaeth Cymru yn hanner cyntaf y bedwaredd ganrif ar bymtheg. O 1850 ymlaen roedd 'y peiriant cyfundebol cryf a'i drefn a'i ddisgyblaeth, at wasanaeth yr arweinwyr Radicalaidd'.[32]

Wrth gwrs, ni newidiodd cynrychiolaeth Cymru yn Nhŷ'r Cyffredin dros nos. Rhwng 1832 ac 1867 roedd ei chynrychiolaeth – boed Rhyddfrydol neu Geidwadol, bron yn gyfan gwbl aristocrataidd a thirfeddiannol. Nid yn unig oedd cymeriad y gynrychiolaeth seneddol yn araf i newid ond, hefyd, gan nad oedd tugel hyd 1872, hir oedd y newid pleidleisiol o'r Blaid Geidwadol i'r Blaid Ryddfrydol, fel y dengys tabl 1.1.

Tabl 1.1

**Aelodaeth Seneddol Cymru mewn Etholiadau Cyffredinol
rhwng 1852 a 1885**

ETHOLIAD	RHYDDFRYDWYR	CEIDWADWYR
1852	12	20
1857	15	17
1859	15	17
1865	18	14
1868	23	10
1874	19	14
1880	29	4
1885	30	4

Ffynhonnell: Arnold James a John Thomas, *Wales at Westminster* (Llandysul, 1981).

Yn 1852, ysgrifennodd Josiah Thomas (22 oed), un o Gymry Lerpwl, lythyr pwysig at ei ffrind John Ogwen Jones (23 oed) yn Llundain, yn dangos teithi meddwl Cymry ieuainc, alltud y 1850au:

Oh, there is plenty of work even independently of going to Parliament, but that must follow in the train. I want to stir up and do my best to get a Welsh association of liberal men to carry out reforms and measures for the good of Wales: they may call the movement 'Young Wales' if they like, the Italians have their 'Young Italy': there is a 'Young Ireland'.

One object would be to have an organisation to carry out liberal plans, – to carry on liberal registration, say; suppose there had been such an organisation formed years ago, – we could have had new men to propose for all the Welsh boroughs and counties in place of the donkeys that now represent us.[33]

Hwn yw'r tro cyntaf i'r term 'Young Wales' gael ei ddefnyddio – term a oedd i gael ei arfer yn Gymraeg fel 'Cymru Fydd'.

Yn 1865, blwyddyn mudiad Patagonia a buddugoliaeth y Gogledd yn Rhyfel Cartref yr Unol Daleithiau, enillodd y Rhydd-frydwyr fwyafrif yng Nghymru am y tro cyntaf. Y flwyddyn ganlynol, yn Rhuthun, cyhoeddwyd pamffled treiddgar gan y Parch. Edward Jones, gweinidog Anghydffurfiol lleol, yn dad-ansoddi 'Cynrychiolaeth Cymru yn y Senedd, Fel y Mae ac Fel y Dylai Fod'.[34] Wedi diffinio hunanreolaeth fel 'y gallu i ddewis y rhai sydd yn ein rheoli', mae'r awdur yn rhestru chwe diwygiad angenrheidiol yng ngwleidyddiaeth Cymru:

- Dylai Cymru gael ychwaneg o Gynrychiolwyr yn y Senedd nac mae yn meddu yn bresennol.
- Dylai mwyafrif mawr o Gynrychiolwyr Cymru fod yn Rhydd-frydwyr trwyadl.
- Dylai mwyafrif mawr o Gynrychiolwyr Cymru fod yn Anghyd-ffurfwyr mewn pethau crefyddol.
- Dylai Cynrychiolaeth Cymru feddu ychwaneg o amrywiaeth.
- Dylai Cymru gael ei chynrychioli gan Gymry.
- Dylai Cynrychiolaeth Cymru feddu safle uwch mewn gallu a medrusrwydd meddyliol ac areithyddol.

Pa fodd i gael cynrychiolaeth Cymru fel y dylai fod? Trwy'r tugel ac 'estyniad yr etholfraint i'r gweithwyr cyfrifol a gofalus'.[35] Yn fewnol, roedd Cymru yn dal, yng ngeiriau Henry Richard (1812–88), 'yn wlad ffiwdal'.[36] Rhoddodd yr Ail Ddeddf Diwygio (1867) y bleidlais i'r gweithwyr trefol a rhoddwyd Aelod ychwanegol i

Ferthyr. Cipiwyd y sedd yn 'Etholiad Mawr' 1868 gan Henry Richard, 'yr Aelod Seneddol tros Gymru'.[37] Canlyniad cyffredinol yr etholiad oedd bod 23 Rhyddfrydwr yn erbyn 10 Ceidwadwr. Fodd bynnag, roedd y rhan fwyaf o'r 'Rhyddfrydwyr' hyn yn Chwigiaid.

William Ewart Gladstone oedd y Prif Weinidog cyntaf i gydnabod bodolaeth Cymru. Yn 1869 penododd ef y Cymro cyntaf i fod yn Ysgrifennydd Cartref ac yn 1870 apwyntiodd Cymro yn esgob am y tro cyntaf ers tair canrif. Yn 1873 roedd ei araith lywyddol yn Eisteddfod yr Wyddgrug yn ymddiheuriad am ei gynanwybodaeth o genedligrwydd Cymreig ac yn gydnabyddiaeth swyddogol ohono.[38]

Wedi llwyddiant Datgysylltu'r Eglwys Anglicanaidd yn yr Iwerddon yn 1869, cyflwynodd Watkin Williams QC (AS Rhanbarth Dinbych) gynnig o blaid Datgysylltiad yng Nghymru yn Senedd 1870. Eiliwyd ef gan George Osborne Morgan QC (AS Dinbych).[39] Collwyd y bleidlais o 211 i 47 gyda dim ond 7 o'r 23 AS Cymreig yn pleidleisio o blaid y cynnig. Fodd bynnag, hwn oedd y frwydr gyntaf mewn rhyfel hir: fe fyddai'r *Kulturkampf* Cymreig yn erbyn yr Eglwys Sefydledig yn parhau am hanner canrif.[40]

Rhyddfrydiaeth Brydeinig oedd Rhyddfrydiaeth y rhan fwyaf o Aelodau Cymru hyd at 1886. Hynny yw, cefnogaeth i syniadau megis Ysgol Manceinion Richard Cobden (1804–65)[41] a John Bright (1811–89) ynghyd ag Unigolyddiaeth John Stuart Mill (1806–73). Roeddent yn cefnogi masnach rydd a *laissez-faire* cyfalafol. Yn cyfateb i Ysgol Manceinion yn y dimensiwn economaidd roedd y Gymdeithas er Rhyddhad (Liberation Society) yn y dimensiwn diwylliannol; roedd y Gymdeithas, a sefydlwyd yn 1844, yn ymgyrchu am Ddatgysylltu Prydeinig yn hytrach na Datgysylltu Cymreig.

Beth oedd y dimensiwn Ewropeaidd yn natblygiad Rhyddfrydiaeth Anghydffurfiol? Os daeth eu syniadau economaidd o Fanceinion, cawsant eu syniadau gwleidyddol o Genefa. Roedd crefydd Calvin yn fwy agored i ddehongliadau democrataidd nag oedd un Luther. Cydnabyddai Calvin hawl swyddogion etholedig i wrthsefyll 'gormesu'r bobl'.[42] Mudiad rhyngwladol oedd Rhyddfrydiaeth Galfinaidd:

Yr oedd y Mudiad Rhyddfrydig yn Ewrop yn ddwyochrog. Hawliai'r rhyddfrydwyr i'r genedl y rhyddid i'w llywodraethu ei hun, ac i'r unigolyn yr hawl i gymryd rhan yn llywodraeth ei wlad . . . Yr oedd cenedlaetholdeb yn gyfaill i ryddid yr unigolyn.[43]

Mae Gwilym O. Griffiths wedi rhoi darlun gwych o sefyllfa'r byd ar farwolaeth Mazzini (1805–72):

Pa mor wahanol, yr Ewrop 1872 o'i gymharu ag Ewrop 1805! Roedd Marx yn barod wedi ysgrifennu cyfrol gyntaf *Das Kapital*; roedd Tolstoy wedi ysgrifennu *Rhyfel a Heddwch* ac yn breuddwydio am Grefydd Byd; Edison ar waith ar ei arbrofion newydd. Roedd Junker ieuanc, Paul von Hindenberg, yn hen-law dau ryfel. Yn America roedd llanc addawol, Tom (Woodrow) Wilson yn paratoi at yrfa academaidd; yng Nghymru roedd bachgen bach o'r enw David Lloyd George yn torri ei enw hwnt ac yma ar gerrig Llanystumdwy; yn Ne Tsieina roedd bachgen llai o'r enw Sun-Yat-Sen yn dysgu ei lythrennau; yn Ne Rwsia roedd Vladimir Ilyich Ulyanov yn torri ei ddannedd cyntaf; yn Porbandar yng Ngogledd Orllewin India, roedd M. K. Gandhi yn dysgu ei destunau Vishnu.[44]

O 1875 ymlaen, roedd newid dosbarthiadol i'w weld yng nghefndir Aelodau Seneddol Prydain a Chymru ac mae ystadegau'r Senedd yn adlewyrchu hyn (Tabl 1.2).[45]

Tabl 1.2

**Cefndir Aelodau Seneddol Prydeining,
1874–1885**

CEFNDIR	1874		1880		1885	
	Nifer	%	Nifer	%	Nifer	%
Tirfeddianwyr	209	32	125	19	78	16
Proffesiynol	157	24	167	26	154	32
Masnach/Diwydiant	157	24	259	40	186	38

Gwelir o Dabl 1.2 mai'r Tirfeddianwyr oedd y brif garfan yn 1874 yn cynrychioli traean o Aelodaeth Tŷ'r Cyffredin; ond erbyn 1880 roeddent mewn lleiafrif, yn cynrychioli llai nag un rhan o bump o'r aelodaeth Brydeinig. Adlewyrchwyd yr un darlun yng Nghymru: mwyafrif tirfeddiannol yn 1874 yn pasio i fwyafrif dosbarth-canol yn 1880 (9 diwydiannwr, 11 cyfreithiwr).

Yn cyfateb i'r cynnydd Rhyddfrydol yng Nghymru roedd y cynnydd yn nifer y cyfnodolion: o 18 yn 1856, i 53 yn 1871, a 83 yn 1886 – pedryblu mewn tri degawd. Gellir awgrymu bod cyd-effaith yn bodoli rhwng twf y wasg Gymreig a thwf Rhyddfrydiaeth Gymreig: roedd un yn bwydo oddi ar y llall.[46]

Ehangwyd yr etholfraint a rhoddwyd sedd ychwanegol i Gymru yn Neddfau Diwygio ac Aildrefniad Etholaethau 1884–5. Ychwanegwyd bleidlais y gwladwyr at bleidlais y bwrgeiswyr[47] ac yn Etholiad Cyffredinol Tachwedd–Rhagfyr 1885, gwelwyd arwydd pellach o newid cynrychiolaethol yng Nghymru pan etholwyd William Abraham, 'Mabon' (1842–1922) yn AS Rhondda.[48] Ef oedd cynrychiolydd undeb glowyr y Cambrian a disgrifiodd ei safle gwleidyddol fel 'Lib–Lab'. Roedd hyn yn arwydd seneddol bod posibilrwydd cynghrair rhwng y dosbarth canol a'r dosbarth gweithiol yng ngwleidyddiaeth Cymru. Fel y dywedodd William Cadwaladr Davies (1849–1905), Cofrestrydd cyntaf coleg newydd y Gogledd, ym Mangor yn 1885:

> Yng Nghymru mae y dosbarth canol ei hun, ac yn ddiamau y chwarelwyr a'r dosbarth gweithiol, yn dechrau sylweddoli eu bod ar fin goruchwyliaeth newydd. Mae y Cymry yn dangos arwyddion eu bod yn awyddus i ddechrau meddwl drostynt eu hunain.[49]

Y ffordd orau o edrych ar Ryddfrydiaeth yn yr oes hon yw ar fodel cynghrair o wahanol garfanau a grwpiau.[50] Gellir gweld pedwar carfan yn Rhyddfrydiaeth Cymru ar ddiwedd 1885. Yn gyntaf, y Datgysylltwyr (hynny yw y Rhyddfrydwyr Crefyddol a oedd yn cynnwys yr Addysgwyr) a oedd eisiau Datgysylltu'r Eglwys o'r Ysgol a'r Wladwriaeth; roedd y garfan hon yn cynnwys Rhyddfrydwyr megis Thomas Gee a Stuart Rendel. Yn ail, y Manceinwyr (Cobdenwyr), y Rhyddfrydwyr Unigolaidd, Marchnad Rydd, Dirwestol, yn cynnwys Henry Richard, Bryn Roberts (AS Eifion) a William Rathbone (AS Arfon). Yn drydydd, y Radicaliaid Tirol, yn ymwneud â Phwnc y Tir, y Degwm a Thirfeddiannaeth – radicaliaid fel Michael D. Jones ac E. 'Pan' Jones a oedd yn bleidiol dros genedlaetholi'r tir. Yn bedwerydd, carfan y Rhyddfrydwyr Cymdeithasol, y 'Lib–Lab'; Mabon oedd y cyntaf o'r rhain. Wrth gwrs, i raddau, roedd y pedwar carfan yn cyd-blethu, ond roeddent hefyd yn tynnu yn erbyn ei gilydd.

Yn 1886, roedd carfan newydd i godi – carfan a fyddai'n ceisio uno'r pedwar carfan arall i fod yn Rhyddfrydiaeth Genedlaethol. Hwy oedd y Datganolwyr, y ffederalwyr a oedd am Ddatgysylltu nid yn unig yr Eglwys Anglicanaidd ond hefyd y Wladwriaeth Seisnig ei hun yng Nghymru. Yr enw a gymerodd eu carfan hwy oedd 'Cymru Fydd'.

Nodiadau

1. Gweler Henry Richard, AS, 'Cymru Fu: a Retrospect', *Cymru Fydd* (Chwefror 1888), 65–77: 'Wordsworth says, 'The child is father of the man': so the past is father of the present.'
2. Gweler Michael Hechter, *Internal Colonialism* (Llundain, 1975).
3. Gweler J. Pritchard, *John Elias a'i Oes* (Caernarfon, 1911).
4. Dyfynnwyd yn R. T. Jenkins, *Hanes Cymru yn y Bedwaredd Ganrif ar Bymtheg* (Aberystwyth, 1933), t. 56. Dywedodd John Elias wrth Lewis Edwards, 'fod Grey a Brougham yn gyrru y wlad yn gyflym tua dinistr' – oherwydd eu cefnogaeth i Ddiwygio'r Senedd; ibid., t. 50.
5. A. H. Williams, *Cymru Ddoe* (Lerpwl, 1944) t. 51. Cf. Llewelyn Williams, 'Sixty Years of Welsh Politics', *Young Wales* (Awst 1897), 159.
6. R. T. Jenkins, *Hanes Cymru*, tt. 90–4. Gweler Michael Brock, *The Great Reform Act* (Llundain, 1973); E. J. Evans, *The Great Reform Act* (Llundain, 1983) a *The Forging of the Modern State* (Llundain, 1983).
7. Lewis Weston Dillwyn (1778–1855), o deulu Crynwrol, perchennog Crochendy Cambrian, Abertawe o 1802; FRS (1804); AS Morgannwg (1832–7); maer Abertawe (1839); awdur *A History of Swansea* (Abertawe, 1840); ym mlwyddyn ei farwolaeth, 1855, etholwyd ei fab, Lewis Llewelyn Dillwyn (1814–92) yn AS Abertawe.
8. Gweler Dr Owen Thomas (Lerpwl), 'Diwynyddiaeth Rhydychen', *Y Traethodydd*, (Ebrill–Hydref 1845), Charles Dickens, 'Report of the Commissioners Appointed to Inquire into the Condition of the Persons Variously Engaged in the University of Oxford', *The Examiner*, 3 Mehefin 1843; George Borrow, *Lavengro* (Llundain, 1851). Gweler hefyd A. Tudno Williams, *Mudiad Rhydychen a Chymru* (Dinbych, 1983, pennod 5) ac F. R. Salter 'Political Nonconformity in the 1830s', *Transactions of the Royal Historical Society* (1953), 125–43.
9. Gweler Edward Abadam, *Y Tugel* (Caerfyrddin, 1835).
10. T. M. Jones, *Cofiant Roger Edwards* (Wrecsam, 1908), t. 224.
11. Daeth cyfraniad Roger Edwards cyn gwaith William Rees yn *Yr Amserau* (1843); fel y dywed T. M. Jones, roedd *Cronicl yr Oes*, 'wedi braenaru llawer ar y tir cyn hynny, ac wedi paratoi, ac aeddfedu llawer ar y wlad i allu gwerthfawrogi y gwasanaeth a gyflawnwyd gan *Yr Amserau*.' *Cofiant Roger Edwards*, t. 206.
12. Gweler Marian Henry Jones, 'Wales and Hungary', *THSC* (1968).

13 J. Arthur Price, 'Thomas Davis' yn J. V. Morgan (gol.), *Welsh Political and Educational Leaders in the Victorian Era* (Llundain, 1908), tt. 353–72.
14 Gweler Gwilym O. Griffith, *Mazzini: Prophet of Modern Europe* (Llundain, 1932), t. 330; hefyd T. Gwynfor Griffiths, 'Italy and Wales', *THSC* (1966), tt. 281–98 a *Garibaldi, 'Cymru Fydd' a Dante* (Abertawe, 1985).
15 D. Mack Smith, *Cavour* (Llundain, 1985).
16 Gweler D. Roberts a T. Roberts, *Cofiant William Rees* (Dolgellau, 1893), ac E. Rees, *William Rees (Hiraethog)* (Lerpwl, 1915).
17 William Rees, *Darlithiau Hiraethog* (Dinbych, 1907). Gweler hefyd *Llythyrau'r Hen Ffarmwr* (Dinbych, 1878 a 1939).
18 *Yr Amserau*, 26 Mawrth 1846. Cf. *The Welshman*, 20 Mawrth 1846.
19 Gweler bywgraffiad clasurol T. Gwynn Jones, *Thomas Gee* (2 gyf.) (Dinbych, 1913).
20 R. T. Jenkins, *Hanes Cymru*, t. 121.
21 Gweler traethawd Lewis Edwards ar 'Edward Miall a'i Ysgrifeniadau', *Y Traethodydd*, (Hydref 1847), 447–65: 'Efe yn ddiamau, ydyw Rabbi Anghydffurfiaeth Ieuanc (Young Dissent) mewn materion gwladwriaethol ac eglwysig.' Edward Miall (1809–81) oedd sylfaenydd y cylchgrawn *Nonconformist* a'r Gymdeithas er Rhyddhad (Liberation Society, 1844).
22 Gweler Frank Price Jones, 'Effaith Brad y Llyfrau Gleision', *Y Traethodydd*, (Ebrill 1963), 49–65.
23 Gweler Reginald Coupland, *Welsh and Scottish Nationalism* (Llundain, 1954), t. 193. Roedd y tri chomisiynydd yn fargyfreithwyr o Saeson. Meddai John Vincent am agwedd y Saeson at Gymru a'r Cymry: 'they were treated like an inconvenient West African colony.' *The Formation of the British Liberal Party* (Hassocks, 1976), t. 50. Gweler hefyd Dr Lewis Edwards, 'Addysg yng Nghymru', *Y Traethodydd* (Ionawr 1848); ac 'Adroddiadau y Dirprwywyr', ibid. (Ebrill 1848).
24 Dyfeisiwyd y term hwn gan y bardd sosialaidd, R. J. Derfel (1824–1905) – teitl oedd i gerdd hir a gyhoeddodd yn Rhuthun, 1854. Ef hefyd a boblogeiddiodd y term 'Cymru Fydd'.
25 Gweler Evan Jones (Ieuan Gwynedd), *The Dissent and Morality of Wales* (Llundain, 1847); *idem, A Vindication of the Educational and Moral Conditions of Wales* (Llandovery, 1848); R. J. Derfel, 'Enllibwyr Ein Gwlad', yn *idem, Traethodau ac Areithiau* (Bangor, 1864).
26 Gweler M. J. MacManus (gol.) *Thomas Davis and Young Ireland* (Dulyn, 1945); Charles Gavan Duffy, *Young Ireland* (2 gyf.) (Llundain, 1880); *idem, Four Years of Irish History* (Llundain, 1883); A. M. Sullivan, *New Ireland* (Llundain, 1877); a T. F. O'Sullivan, *The Young Irelanders* (Tralee, 1944).
27 William Rees, 'Chwyldroadau y Flwyddyn 1848', *Y Traethodydd* (Gorffennaf, 1849).
28 Gweler Hiraethog, 'Cyflawniad Proffwydoliaethau yn yr Amser Presennol', *Y Traethodydd* (Ionawr 1850); gweler hefyd Harri Williams, 'Diwinyddiaeth Chwyldro', *Y Traethodydd* (Gorffennaf 1978), 151.
29 E. Pan Jones, *Oes a Gwaith Michael Daniel Jones* (Y Bala, 1903); gweler hefyd K. O. Morgan, *Wales in British Politics* (Caerdydd, 1980), t. 19:

'Michael Daniel Jones, in particular, the early apostle of land national-ization and of Welsh Home Rule, became the spokesman of a distinctively Welsh cultural radicalism that links the days of the *Llyfrau Gleision* with the campaigns of Tom Ellis and *Cymru Fydd* in later years.'

[30] Michael D. Jones, 'Ymreolaeth', *Y Celt*, 7 Mawrth 1890. Ymwelodd Kossuth â Phrydain yn 1851 a gyrrodd ei ysgrifennydd at William Rees i ddiolch i Gymru am ei chefnogaeth. Gweler E. Davies a G. Humphreys, *Hanes Lewis Kossuth* (Y Bala, 1852).

[31] R. T. Jenkins, *Hanes Cymru*, t. 51.

[32] Ibid. Sylwer ar deitl erthygl yn *Y Cymro*, 29 Ionawr 1850: 'Y Methodist-iaid yn Bolitical Dissenters'; hynny yw, 'Anghydffurfwyr Gwleidyddol'.

[33] Josiah Thomas at John Ogwen Jones, 10–14 Mehefin 1852 (Papurau Dr Owen Thomas, brawd Josiah: LlGC, 3 FN 10/1/4:11a). Cf. araith Hiraethog yn Lerpwl, *Yr Amserau*, 23 Mehefin 1852.

[34] Parch. E. Jones, *Cynrychiolaeth Cymru yn y Senedd* (Rhuthun, 1866). Mae copi ar gael yn Adran Llyfrau, LlGC, Bocs XJN 273.J77.

[35] Ibid.

[36] Henry Richard, *Letters on the Social and Political Condition of Wales* (Llundain, 1867), t. 80.

[37] *Aberdare Times*, 14 Tachwedd 1868. Gweler I. G. Jones, 'The Election of 1868 in Merthyr Tydfil', *Journal of Modern History* (Medi 1961).

[38] John Vincent, *Formation of the British Liberal Party*, t. 50.

[39] Gweler P. M. H. Bell, *Disestablishment in Ireland and Wales* (Llundain, 1969); R. Tudur Jones, 'Origins of the Disestablishment Campaign', *Journal of the Historical Society of the Church in Wales*, XX (1970). Am fywgraffiadau C. J. Watkin Williams (1828–84) a G. O. Morgan (1826–97), gweler y *Bywgraffiadur Cymreig* (Llundain, 1953). Am y ddadl, gweler Hansard, Parl. Debs. (cyfres 3) cyfrol 201, colofnau 1274–1300 (1870). Gweler hefyd *BAC*, 1 Mehefin 1870.

[40] Yn ôl Augustine Birrell, roedd y rhwyg grefyddol gymdeithasol fel 'Clawdd Offa'. Gweler A. Birrell, *Things Past Redress* (Llundain, 1937), t. 38.

[41] Lewis Edwards, 'Richard Cobden', *Y Traethodydd* (1865), 371–87; D. Rowlands, 'John Bright', ibid. (Mai 1889), 256–67. Gweler Ieuan G. Jones, 'The Liberation Society and Welsh Politics', *WHR*, 1, rhif 2 (1961).

[42] Gweler O. M. Edwards, 'Geneva: Ei Dylanwad ar Gymru', *Cymru Fydd* (Ionawr 1888), tt. 280–32. Cf. K. O. Morgan, 'Democratic Politics in Glamorgan', *Morgannwg* (1960), t. 16; Menna Prestwich (gol.), *International Calvinism* (Rhydychen, 1985); Keith Randell, *John Calvin and the Later Reformation* (Llundain, 1990), t. 65.

[43] Hywel D. Lewis a J. Alun Thomas, *Y Wladwriaeth* (Caerdydd, 1943), t. 97.

[44] G. O. Griffith, *Mazzini: Prophet of Modern Europe* (Llundain, 1932), t. 350; gweler hefyd H. J. Laski, *The Rise of European Liberalism* (Llundain, 1936).

[45] Ffynhonnell: Wilhelm Guttsman, Tabl IV, 'Occupations of MPs', *The British Political Elite* (Llundain, 1963), t. 82. Gweler hefyd Trevor O. Lloyd, *The General Election of 1880* (Llundain, 1968).

[46] H. Whorlow, *The Provincial Newspaper Society, 1836–1886* (1886), t. 37; John Vincent, *The Formation of the British Liberal Party* (Hassocks, 1976), t. 65. Gweler A. G. Jones, *Press, Politics and Society* (Caerdydd, 1993).

[47] Gweler Andrew Jones, *The Politics of Reform, 1884* (Llundain, 1972).

[48] Gweler Eric Wyn Evans, *Mabon* (Caerdydd, 1959).

[49] Cadwaladr Davies, 'Yr Oruchwyliaeth Wleidyddol Newydd yng Nghymru', *Y Geninen* (Hydref 1885), 288.

[50] Mae'r ddamcaniaeth sylfaenol yn cael triniaeth athronyddol gan Moisei Ostrogorski, *Democracy and the Organization of Political Parties* (Llundain, 1902) a thriniaeth Brydeinig gan D. A. Hamer, *Liberalism in the Age of Gladstone and Rosebery* (Llundain, 1972), t. 23: 'In the 1880s, secular Liberal organisations were set up in Wales, and the Welsh were now regarded as a distinct section in the parliamentary party.'

2

Cymdeithasau Cymru Fydd

(1886–1892)

Y mae'r alltud wedi chwarae rhan allweddol yn hanes nifer o genhedloedd ac mae hynny yn sicr yn wir am hanes Cymru. Oherwydd rhesymau economaidd yn bennaf, o amser y Tuduriaid ymlaen, roedd miloedd o Gymry wedi ymfudo i ddinasoedd Lloegr – yn enwedig Lerpwl, Manceinion a Llundain – lle ffurfiasant gymunedau ethnig Cymreig.[1] Ers y ddeunawfed ganrif, roedd Cymry Llundain wedi trefnu eu hunain yn grwpiau diwylliannol: sefydlwyd Anrhydeddus Gymdeithas y Cymmrodorion yn Llundain yn 1751 a Chymdeithas y Gwyneddigion yn 1771. Erbyn y 1880au, roedd nifer o Gymry ieuainc, dosbarth canol, wedi ymgasglu ym mhrifddinas Prydain ac wedi dechrau ymffurfio yn gymdeithasau diwylliannol Gymreig, dan wahanol enwau rhamantus.

Yn Rhagfyr 1884, sefydlwyd Cymdeithas y Brythonwys (Cambro-Briton Society) gan grŵp o Gymry Llundain. Y Pwyllgor cyntaf oedd: llywydd, Morgan Davies (MD); is-lywydd, Robert Parry (BA); ysgrifennydd, T. G. Davies (BA); trysorydd, Maurice Williams; aelodau'r pwyllgor: Erasmus Jones, Rowland Rees, John Burrell a T. Woodward Owen. Cymdeithas ddiwylliannol oedd y Brythonwys, yn cyfarfod yn wythnosol ac yn cyhoeddi rhaglen-drafod ar gyfer pob tymor.[2] Byddai un ohonynt yn darllen papur ar bwnc penodol, yna ceid trafodaeth gyffredinol.

Ym Mehefin 1885, sefydlwyd Clwb Rygbi Cymry Llundain gan ddau feddyg: Dr T. J. P. Jenkins (1864–1922) a Dr Rowley Thomas (1863–1949).[3] Roedd y tîm cyntaf yn cynnwys mwyafrif o Gymry Cymraeg a chwarewyd eu gêm gyntaf ar 21 Hydref 1885, yn erbyn Albanwyr Llundain. Roedd sefydlu'r clwb enwog hwn yn enghraifft arall o sut roedd Cymry Llundain yn gymuned ethnig a oedd yn ymgyrraedd at undeb ynghanol y 1880au.[4]

Yn Ionawr 1886 daeth Meirionwr ieuanc i Lundain ac ymunodd â Chymdeithas y Brythonwys cyn diwedd y mis; ei enw oedd Thomas Edward Ellis. Ganwyd ef ar 16 Chwefror 1859 yn fab i dyddynnwr yn 'Cynlas', Cefnddwysarn, ger y Bala.[5] Roedd teulu Ellis yn Radicaliaid rhonc – erlidiwyd ei ewythr oddiar ei dir gan y tirfeddiannwr lleol am bleidleisio i'r Rhyddfrydwyr yn 1859.[6] Trwy aberth ei rieni, aeth Tom Ellis i Goleg y Brifysgol, Aberystwyth[7] yn Ionawr 1875, lle y bu, ymysg y berw cenedlaethol, tan 1879. Yn 1880 aeth i Goleg Newydd Rhydychen i astudio hanes; cafodd anrhydedd ailddosbarth yn arholiadau 1884 a chymerodd ran lawn ym mywyd cymdeithasol y Brifysgol, fel y gwelir o'r llythyr canlynol oddi wrth O. M. Edwards (1858–1920) at D. R. Daniel (1859–1931):

> Just a word to say where Ellis and I were thinking of you last evening, – in a Socialist meeting, hearing William Morris and Dr Edward Aveling. We had a chat with them afterwards . . . I got Aveling to a corner at his Hotel, having a talk concerning Socialism. I told him I was a Welshman, – 'Oh we'll get on . . . I am an Irishman and William yonder (meaning Morris) is a Welshman'.[8]

Apwyntiwyd Ellis yn ysgrifennydd personol y diwydiannwr J. T. Brunner (1842–1919) yn Ebrill 1885. Roedd Brunner yn hanu o'r Swistir[9] ac wedi sefydlu cwmni cemegol, Brunner-Mond, yng ngogledd Lloegr, lle y daeth yn AS Northwich yn Etholiad Cyffredinol Rhagfyr 1885. Roedd gan Brunner – fel Swistirwr – agwedd ffafriol tuag at y cenhedloedd Celtig yn gyffredinol. Fel dau alltud Protestannaidd, daeth Ellis a Brunner i fod yn ffrindiau da, yn tueddu i edrych ar y Sefydliad Seisnig o'r tu allan – o leiaf, felly, yn yr wythdegau. Aeth Ellis i Lundain gyda'r AS newydd, yn y flwyddyn newydd, 1886, ond sicrhaodd ei fod yn cadw mewn cysylltiad clos â Chymru. Darllenai a chyfranai at nifer o'r papurau Cymreig ac ysgrifennai adref yn rheolaidd at ei hen ffrind radicalaidd, D. R. Daniel.[10] Ysgrifennodd Ellis gerdyn at Daniel o Sgwâr Traffalgar yn fuan ar ôl cyrraedd Llundain: 'I am going to take rooms in Palace Chambers just opposite Palace Yard, which will be convenient.'[11] Symudodd i mewn i'w lety newydd yn 132 Palace Chambers, Westminster, yn wythnos gyntaf Chwefror – yr wythnos y daeth Gladstone yn Brif Weinidog am y trydydd tro (1 Chwefror 1886). Yn ogystal â Chymdeithas y Brythonwys, ymunodd (yn arwyddocaol ar gyfer y dyfodol) â'r Clwb Rhyddfrydol, lle'r oedd yn llygad-dyst i derfysg 8 Chwefror 1886. Ysgrifennodd o'r Clwb Rhyddfrydol: 'in full view of the tremendous demonstration of unemployed and fair traders and Social Democrats . . . to the number of about ten thousand'.[12] Hwn oedd gwrthdystiad cyntaf y di-waith yn Llundain yn ystod dirwasgiad yr wythdegau: 'it is rather a disturbing sign. The Socialist orators were loudly calling for revolution'.[13] Onid oes rhywbeth symbolaidd yn y darlun hwn o'r Rhyddfrydwr ieuanc yn edrych allan ar brotest sosialaidd o foethusrwydd y Clwb Rhyddfrydol Brydeinig? Yr oedd Rhyddfrydiaeth dan sialens.[14] Mae'n debyg bod Cymdeithas y Brythonwys wedi trafod terfysg Traffalgar ar 12 Chwefror pan ddarllenwyd papur ar 'Sosialaeth' gan N. J. Evans.[15] Beth fyddai ymateb Rhyddfrydiaeth i'r sialens hwn?

Cyfeiriodd Ellis at gyfarfodydd rhyng-Geltaidd yn Fflint a Ffestiniog mewn llythyr arall at Daniel[16] yn Chwefror 1886. Cyfarfodydd oedd rhain yn deillio o wahoddiad Michael D. Jones a 'Pan' Jones i'r Gwyddel cythryblus Michael Davitt (1846–1906) ddod drosodd i ogledd Cymru i siarad am Bwnc y Tir. Roedd cyfarfod Fflint ar y cyd â Dr G. B. Clarke, AS y Crofftwyr a Miss Helen Taylor, llysferch John Stuart Mill. Davitt oedd sylfaenydd ac arweinydd y 'Cynghrair Tir Gwyddelig' ('Irish Land League') – sef mudiad a sefydlwyd yn 1879 i amddiffyn tenantiaid Gwyddelig rhag trachwant y tirfeddianwyr absennol.[17] Roedd Davitt wedi treulio blynyddoedd mewn carchar yn Lloegr.

Collfarnwyd y gwahoddiad iddo ddod i ogledd Gymru gan y Rhyddfrydwyr ceidwadol. Fodd bynnag, nid dynion i blygu oedd y rhain, ac aeth y cyfarfodydd ymlaen yn Chwefror 1886. Yn Fflint cyflwynwyd tysteb i Davitt gan y gymuned Wyddelig leol. Cafodd Davitt gynulleidfa brwdfrydig o ddau fil ym Mlaenau Ffestiniog ar 12 Chwefror.[18] Ar ddiwedd araith danllyd Davitt, galwodd y cadeirydd ar gyfreithiwr ifanc o Gricieth, o'r enw David Lloyd George, i gynnig y diolch. Hwn oedd ei araith gyhoeddus gyntaf ac roedd yn addawol iawn. Canmolodd 'y ddau Fichael' ar eu safiad 'yn erbyn gorthrwm' ac edrychodd ymlaen at sefydlu 'Cynghrair Tir Cymreig'.[19] 'Ymdrech y gwrthryfelwr oedd fy ymdrech i o'r cychwyn', meddai Lloyd George, 'ac ychydig iawn o gefnogaeth a gefais gan Sêt Fawr Rhyddfrydiaeth.'[20] Awgrymodd Davitt wrtho mai ei briodle oedd yn San Steffan: 'Dyma'r math o ddyn ifanc yr ydym ni yn ei anfon i'r Senedd o Iwerddon yn awr'.[21] Ond ni ddaeth ei amser eto. Cafodd Tom Ellis, yn Llundain, adroddiad llawn ar gyfarfodydd Davitt ac ysgrifennodd ato yn argymell 'cydweithrediad Celtaidd', a chafodd lythyr cadarnhaol yn ôl.[22]

Mae dwy ddogfen bwysig o law Ellis yn Chwefror 1886 yn dangos ei deithi meddwl ychydig wythnosau cyn sefydlu y Gymdeithas Cymru Fydd gyntaf. Erthygl a ysgrifennodd at y papur rhyddfrydol, *South Wales Daily News*, dan y ffugenw, 'Cuneglas' yw'r ddogfen gyntaf. Ymddangosodd 'A Tide in the Affairs of Wales' ar ei ben blwydd yn 27 oed:

> The most prevalent feeling in Welsh politics is the growing discontent with the representation of Wales. [Ymosoda ar Aelodau Seneddol Cymreig.] In the House of Commons they are dumb dogs. They have neither influence nor energy nor unity of purpose. For their constituents and their countrymen they are neither leaders nor educators . . . Wales and its many wants will never have the attention she deserves till its representatives have capability, unity, and courage enough to act independently of the two rival English Parties . . . We would be the last wantonly to frustrate the aims of Mr. Gladstone, and we are not unmindful of the wrongs of Ireland. But our first duty is to Wales. [Mae'n rhestru anghenion Cymru.] And now that Ireland is about to secure Home Rule, is it not high time that Wales should have the power to manage its own affairs?[23]

Hwn oedd un o'r datganiadau cyntaf yn y wasg Gymreig yn galw am hunanreolaeth i Gymru. Mae Ellis yn gorffen gyda galwad am agwedd fwy annibynnol ar ran Aelodau Seneddol Cymreig: 'Cannot therefore the granting of the reasonable claims of Wales be made the condition precedent of the support of the Welsh members to the Liberal Government?'[24] Yr hyn yr oedd yn awrgymu, mewn gwirionedd, oedd dilyn tactegau Gwyddelig. Cadarnheir y meddylfryd hwn mewn llythyr, drannoeth, at D. R. Daniel:

> The social question and the future of Wales are in my thoughts from noon till night . . . It is true that the people are not organised,

and that the work of organising them (I mean in Wales) for a really great movement is very difficult, but these beginnings of farmers' leagues are valuable and they will lead to greater things . . .[25]

Gwelir dechreuad ymgais cynnar yma i uno Rhyddfrydiaeth Gymdeithasol â Rhyddfrydiaeth Genedlaethol.

Roedd symudiad cadarnhaol i'w weld ymysg yr Aelodau Seneddol Cymreig y mis canlynol, pan drafodwyd cynnig Lewis Dillwyn am Ddatgysylltu'r Eglwys Anglicanaidd yng Nghymru:

That, as the Church of England in Wales has failed to fulfil its professed object as a means of promoting the religious interests of the Welsh people, and ministers to only a small minority of the population, that its continuance as an Established Church in the Principality is an anomaly and an injustice, which ought no longer to exist.[26]

Yn arwyddocaol iawn, y tro hwn, dadleuodd Dillwyn (a oedd wedi cefnogi cynnig Watkin Williams yn 1870) ar sail genedlaethol Gymreig, yn hytrach nag o safbwynt enwadol, yn erbyn yr Eglwys Sefydliedig. Eiliwyd ef gan Henry Richard, a ddangosodd fod yr Eglwys wedi ymddieithrio oddi wrth y genedl Gymreig ac, yn wir, wedi ceisio dileu bodolaeth y genedl honno. Dangosir y pleidleisio yn nhabl 2.1, a gwelir bod mwyafrif o Aelodau Seneddol Rhyddfrydol Cymreig wedi pleidleisio o blaid Datgysylltu yn 1886 o'i gymharu â lleiafrif yn 1870. Roedd cyfanswm y bleidlais gadarnhaol hefyd yn frasgam ymlaen, er i Gladstone, y Prif Weinidog, ymatal rhag pleidleisio y naill ffordd na'r llall. Efallai ei fod yn teimlo bod ganddo ddigon o broblemau gyda'r Celtiaid eraill dros y dŵr.

Ymddiswyddodd Joseph Chamberlain a Syr George Otto Trevelyan o'r Cabinet ar 26 Mawrth mewn protest yn erbyn cynlluniau Gladstone i roi hunanreolaeth i'r Iwerddon. Ymddangosai fel pe bai rhwyg yn debygol yn y Blaid Ryddfrydol. Ond nid oedd hyn yn poeni Cymry Llundain; pan gyflwynwyd mesur cyntaf hunanreolaeth i Iwerddon ar 8 Ebrill, sylw Ellis oedd: 'O glorious day for Celtic peoples!'[28]

Tabl 2.1

Cymhariaeth o'r Pleidleisiau ar Gwestiwn Datgysylltu'r Eglwys yng Nghymru, 1870–1886

Blwyddyn y Cynnig	AS Prydeinig		AS Rhyddfrydol Cymreig	
	O blaid	Yn erbyn	O blaid	Yn erbyn
Watkin Williams, QC (1870)	47	211	7	8
Lewis Dillwyn, QC (1886)	229	241	27	3

Cymdeithas Cymru Fydd Llundain

Yn y cyfamser, daeth gwyliau'r Pasg a chyfarfod dirwestol yn Ffestiniog, lle cyfarfu dau arweinydd Cymru Fydd am y tro cyntaf: Tom Ellis a Lloyd George, yr arloeswr a'r croesgadwr, 'dyn y golau' a 'dyn y tân'.[29] Roedd Ellis yn 27 oed a Lloyd George yn 23. Mewn llythyr at eu cyd-ffrind, D. R. Daniel, cyfeiriodd Ellis at gamp eu cyfaill O. M. Edwards yn ennill Gwobr Stanhope yn Rhydychen, am draethawd hanesyddol ar 'Machiavelli'.[30] Ysgolhaig cymdeithasol oedd y myfyriwr o Lanuwchllyn; ac yn ei ystafelloedd ef, yn 15 Museum Terrace, Rhydychen ar 6 Mai 1886, y sefydlwyd Cymdeithas Dafydd ap Gwilym:

> ymunodd saith yn ystafell Owen Edwards am wyth o'r gloch i sefydlu Cymdeithas i ymddiddan am lenyddiaeth Cymru, a'i hanes ac i ganu ei halawon: John Puleston Jones, David Morgan Jones, John Morris Jones, D. Lleufer Thomas, John Owen Thomas, Edward Anwyl, Owen Edwards . . . Ar awgrym Owen Edwards galwyd y Gymdeithas wrth yr enw Dafydd ap Gwilym a chyn hir aeth sôn amdani drwy'r Dywysogaeth.[31]

Ymddengys fod sefydlu Cymdeithas Dafydd ap Gwilym gan Gymry Rhydychen wedi bod yn sbardun ac yn ysgogiad i sefydlu y Gymdeithas Cymru Fydd gyntaf yn Llundain yn yr un mis, yn ystafelloedd Tom Ellis, 132 Palace Chambers, Westminster.

Cadarnheir y gosodiad bod Cymdeithas Cymru Fydd wedi tyfu allan o Gymdeithas y Brythonwys gan y ffaith bod y triwyr a ddechreuodd Cymru Fydd yn aelodau o'r Brythonwys: y tri sylfaenydd oedd Tom Ellis (1859–99), John Burrell (1859–1943)[32] a T. Woodward Owen (1864–1934). Sylwer bod y tri yn enedigol yng ngorllewin Cymru a'u bod yn eu hugeiniau yn 1886. Mae tair ffynhonnell sydd, trwy eu cyfuno, yn dangos pryd ac yn lle y dechreuodd Cymru Fydd.

Y ffynhonnell gyntaf yw anerchiad John Burrell yng ngwasanaeth coffa Tom Ellis yng nghapel Charing Cross, 11 Ebrill 1899:

> Daeth Mr. Ellis i Lundain tua dechrau 1886, ac mae'n gofus gennyf fy nghyfarfyddiad cyntaf ag ef yn y Cannon St. Hotel mewn cyfarfod o aelodau yr hen gymdeithas annwyl Cymdeithas y Brythonwys – pan ddarllenai Mr. Woodward Owen ei bapur ar 'Goronwy Owen' (22 Mai 1886). Un o'r achlysuron cyntaf wyf yn awr yn eu cofio yw cerdded gydag ef ar hyd Sgwâr Traffalgar pan y dywedai wrthyf yn ei ddull argyhoeddiadol: 'Burrell, mae yna lawer iawn o waith i'w wneud yng Nghymru a thros Gymru. Mae'n rhaid inni fynd ati o ddifrif i geisio *gwneud* peth ohonno.'
>
> Heb nemawr o oedi, gan fod Mr. Ellis ar y pryd yn adnabyddus i Gymry Llundain, fe gefais i yr anrhydedd o fod yn offeryn i alw ynghyd rhyw ddwsin neu ychwaneg o Gymry ieuanc mwyaf eiddgar y brifddinas, i weithio fel y mynnai Mr Ellis i ni wneud. Mewn ychydig fisoedd fe wnaeth y nifer bychan hwnnw lawer o waith sylweddol ac fe ddatblygodd syniadau y cwmni bychan fel y torrodd allan yn Gymdeithas 'Cymru Fydd' yn y man.[34]

Yr ail ffynhonnell yw atgofion Woodward Owen (a gyfeirir ato yn anerchiad Burrell) yng nghyfarfod coffa Cymdeithas Cymru Fydd Llundain:

> Cofus gennyf pan ddaeth y ddau air ('Cymru Fydd') i fodolaeth gyntaf yn yr ystyr y defnyddir hwy heddiw. Yr oedd hynny'n gynnar yn 1886, ac yn ystafell y diweddar Aelod dros Feirion y'u llafarwyd. Yr oedd cwmni bychan yn arfer cyfarfod yn 132, Palace Chambers, ac yno cynlluniwyd llawer mudiad ac y breuddwydiwyd llawer breuddwyd ynglŷn â Cymru . . . Cyn pen chwe mis ar ôl y cyfarfodydd hynny yr oedd Ellis yn y Senedd fel blaenffrwyth y mudiad newydd a oedd yn torri dros Gymry ieuanc y dyddiau hynny.[35]

Woodward Owen fyddai Ysgrifennydd Cyffredinol cyntaf Cymru Fydd wedi ffurfio Cyfansoddiad 1887.

Y drydedd ffynhonnell yw cerdyn aelodaeth Cymdeithas y Brythonwys am dymor y gwanwyn 1886 sydd yn dangos ar ba ddiwrnod y cyfarfu'r tri am y tro cyntaf: 22 Mai 1886, sef y diwrnod pan ddarlithiodd Woodward Owen ar 'Goronwy Owen'.[36] Trwy gyfuno'r tair ffynhonnell uchod, gellir am y tro cyntaf, enwi'r mis pan ddechreuodd Cymru Fydd: Mai 1886. Fel y mae T. Gwynfor Griffith wedi dweud:

> Peth hollol briodol, wrth gwrs, oedd sefydlu Cymru Fydd, mudiad a oedd mor ddyledus i *La Giovine Italia* a Young Ireland yn llety Tom Ellis, y mwyaf Mazzinaidd o holl wleidyddion Cymru, gŵr a enwodd Thomas Davis a Giuseppe Mazzini fel 'fy nau athraw gwleidyddol'.

Mae'r dyfyniadau uchod yn rhoi naws o'r awyrgylch cyffrous, trydanol a berthynai i'r grŵp bach o wladgarwyr alltud a gyfarfyddai, megis, mewn cell chwyldroadol. Yn wir, chwyldro oedd eu bwriad: chwyldro Cymreig. Nid oedd amcanion diwylliannol Cymdeithas y Brythonwys yn ddigon i'r rhain. Yn y pen draw, roeddent am fudiad gwleidyddol yn arwain at drawsnewidiad cymdeithasol.

Dangoswyd pa mor anodd oedd cael trawsnewidiad o'r fath, fodd bynnag, yn y mis canlynol, pan drechwyd Mesur Hunan-reolaeth Gladstone ar 7 Mehefin o 343 i 313, gyda John Bright, Joseph Chamberlain a'r Chwigiaid dan Arglwydd Hartington yn pleidleisio gyda'r wrthblaid, fel Rhyddfrydwyr Unoliaethol. Pleidleisiodd 22 Rhyddfrydwr Cymreig o blaid y mesur a 7 yn erbyn. Ymysg y rhai a bleidleisiodd yn erbyn y mesur oedd AS Meirionnydd, Henry Robertson (1816–88). Drannoeth, gyrrodd ef lythyr ymddiswyddo at Gymdeithas Ryddfrydol Meirionnydd. Drannoeth wedyn, cafodd un o ddetholaeth ('selectorate') Meirion lythyr oddi wrth Tom Ellis ynglŷn â'r sedd:

> Representation of Meirionethshire has become a burning question. For dissolution will most certainly come soon. Your question as to my standing or rather of allowing my name to be put forward is more serious than I felt it to be when you mentioned it to me some time ago . . .The only great difficulty is Election Expenses. You know my circumstances. I deliberately spent my patrimony on my education.[38]

Cafodd Ellis atebion cadarnhaol i'w gwestiynau oddi wrth swyddogion Rhyddfrydol Meirionnydd, a chefnogaeth bersonol oddi wrth David Lloyd George: 'I am thoroughly convinced from reading your very able and trenchant articles in the *C & D Herald* that you are destined to rescue Wales from the grip of respectable dummyism.'[39]

Cynhaliwyd cynhadledd Rhyddfrydwyr Meirionnydd i lunio rhestr fer yn Nolgellau ddydd Sadwrn, 19 Mehefin. Wedi hir ymryson, dewiswyd saith: T. E. Ellis, A. M. Dunlop, Clement Higgins, D. Lloyd George, Morgan Lloyd, John Roberts a Syr Richard Wyatt.[40] Penderfynwyd cyfarfod eto, wythnos yn ddiweddarach, ar ddydd Sadwrn, 26 Mehefin i gynnal cyfarfod dewis eu hymgeisydd seneddol.[42] Tynnodd bump eu henwau o'r rhestr fer gan adael dau yn wynebu ei gilydd: Tom Ellis a Morgan Lloyd, QC. Gofynnwyd dau gwestiwn swyddogol iddynt: (a) A fyddent yn cefnogi gyda'u pleidleisio bob cynnig o eiddo Mr Gladstone ynglŷn ag Iwerddon? (b) A fodlonent ar benderfyniad y Gymdeithas Ryddfrydol os dewiswyd y llall yn ymgeisydd? Atebwyd y ddau gwestiwn yn gadarnhaol ac yna clywyd anerchiadau yr ymgeiswyr. Croesawyd Ellis 'gyda chymeradwyaeth fyddarol'. Siaradodd am Iwerddon a'i hangen am ymreolaeth; yna trodd at Gymru a'i hanghenion am addysg, mesur tir, datgysylltiad ac ymreolaeth. Ceisiai gael y Llywodraeth i ystyried problemau Cymru, 'nid fel rhai Seisnig ond fel rhai Cymreig'.[43] Pan gyhoeddwyd y bleidlais, y canlyniad oedd: T. E. Ellis 91, Morgan Lloyd 82, sef mwyafrif o 9.

Etholiad Cyntaf Cymru Fydd

Ni wastraffodd Ellis funud wedi iddo gael ei ddewis. Y noson honno, ysgrifennodd at ei ffrind, Ellis Jones Griffith, llywydd Undeb Myfyrwyr Caergrawnt, yn gofyn am ei gymorth yn yr ymgyrch: 'hoffwn gael cymorth dynion ieuanc sydd mewn cydymdeimlad â'i gilydd ar faterion Cymreig.'[44] Daeth ei anerchiad i'w etholwyr allan ar y dydd Llun cyntaf ar ôl ei ddewis yn Nolgellau:

FONEDDIGION:– Mae Mr. Gladstone yn barod i wrando ar lais ac ymbil yr Iwerddon am hawl a gallu i reoli ei materion ei hun, ar ei daear ei hun. Rhoddaf fy nghefnogaeth wresocaf iddo.

Y mae yn amser i'r Senedd wrando ar Lais Cymru. Y mae yn hawlio Datgysylltiad Eglwys Lloegr a defnydd y gwaddoliadau er budd y genedl yn gyffredinol.

Y mae yn deisyf am berffeithiad ei chyfundrefn Addysg – y tlawd fel y cyfoethog – i gael cyfleusderau cyffelyb i fanteisio ar holl adnoddau addysgol y genedl.

Y mae yn hawlio diwygiad trwyadl yn Neddfau y Tir, er sicrhau sefydlogrwydd cartref, ardrethau teg a diogelwch ffrwythau llafur y gweithiwr, yr amaethwr a'r masnachwr.

Y mae yn hawlio Ymreolaeth, fel y byddo rheoleiddiad y fasnach feddwol, y trethi, swyddau cyhoeddus a moddion ymddadblygiad cenedlaethol yn nwylaw y Cymry.[45]

Sylwer, yn gyntaf, fod maniffesto Ellis yn gwbl Geltaidd yn yr ystyr ei fod yn cyfeirio yn unig at Iwerddon a Chymru. Sylwer, yn ail, fod y pwyntiau yn arwain at hawlio Ymreolaeth fel y nod. Mae'r ffaith y gallai ysgrifennu fel hyn yn awgrymu hunanhyder cryf iawn ac yn darlunio pa mor bell yr oedd ymwybyddiaeth genedlaethol wedi datblygu mewn rhannau o Gymru erbyn 1886. Fodd bynnag, roedd gan olygydd y *Cambrian News*, John Gibson, (1841–1915), rybudd iddo:

Mr Ellis is a man to be envied. He has afforded to him, in early life, great opportunity . . . he will be wise if he realizes that the opportunity springs more out of the people's necessity, than out of his own recognised fitness, which yet remains to be proved, although it is true that he has given great promise.[46]

Yn ystod yr ymgyrch, siaradodd Ellis yn Gymraeg yn unig ym mhob cyfarfod. Yn y cyfarfod cyntaf, ar ddiwrnod cyhoeddi ei faniffesto i'r cyhoedd, disgrifiodd yr iaith Gymraeg fel 'angor' cenedligrwydd Cymru, a dywedodd ei bod yn hen bryd iddynt edrych ar wleidyddiaeth o safbwynt Cymry.[47] Ymlaen ag ef i Aber-maw yr un noson a thrannoeth (29 Mehefin) i Flaenau Ffestiniog a chynulleidfa o gannoedd. Roedd ei gynulleidfa yn debyg iawn i'r un a groesawodd Davitt yn Chwefror: amaethwyr a gweithwyr. Galwodd Ellis ar y gwladwyr a'r gweithwyr i ymuno a chyd-weithio fel gwerin. Roedd ef ei hun yn fab i'r werin – y werin a oedd wedi cael y bleidlais yn 1885. Dylent ddefnyddio'r bleidlais fel arf i ymryddhau eu dosbarth, a chodi safle Cymru yr un pryd.[48]

Yn ystod wythnos olaf yr ymgyrch – gydag Ellis yn arwyddo ei lythyrau 'ar frys gwylltaf'[49] – daeth Mabon i fyny i'w gefnogi.[50] Siaradodd ar lawnt y Bala nos Lun, 12 Gorffennaf ac er ei fod yn hwyr a'r golau'n pallu, bu'n rhaid iddo ganu 'Hen Wlad fy Nhadau' yn ei lais tenor, enwog.

Daeth dydd y bleidlais ym Meirionnydd: dydd Mercher, 14 Gorffennaf – Dydd y Bastille. Rhoddir y canlyniad yn nhabl 2.2.

Tabl 2.2

Canlyniad Etholiad Meirionnydd, 14 Gorffennaf 1886

Etholwyr Meirionnydd	9333	Canran
Thomas Edward Ellis (Rhyddfrydwr)	4127	59.1%
John Vaughan (Ceidwadwr)	2860	40.9%
Mwyafrif	1267	18.2%
Cyfanswm Pleidleisiau	6987	74.9%

Dylid cymharu'r canlyniad â'r etholiad blaenorol yn Rhagfyr 1885, pan bleidleisiodd 7,932 o'r 9,333 etholwyr ym Meirionnydd. Yn yr etholiad hwnnw pleidleisiodd 5,691 dros y Rhydfrydwyr a 2,209 dros y Ceidwadwyr.[51] Gellir gweld o hyn fod gostyngiad yng nghyfanswm y bleidlais rhwng Rhagfyr 1885 a Gorffennaf 1886. Pleidleisiodd llai ym mhob un o'r rhanbarthau etholiadol, er enghraifft yn rhanbarth Llandderfel, cartref Tom Ellis, o'r 245 o etholwyr, pleidleisiodd 224 yn 1885 a 197 yn 1886.

Gwelir, felly, fod gostyngiad yn y mwyafrif Rhyddfrydol ac yn y cyfanswm pleidleisiau. Yr eglurhad mwyaf tebygol am hyn yw bod y ddau etholiad mor agos at ei gilydd, a dim ond chwe mis yn eu gwahanu, a hefyd, efallai, yr ymwybyddiaeth bod y gŵr ieuanc yn cynrychioli chwyldro.

Beth bynnag am y lleihad yn y mwyafrif Rhyddfrydol, roedd Tom Ellis wedi ennill buddugoliaeth fawreddog – o ystyried ei ieuenctid a'i radicaliaeth. Roedd etholwyr Meirionnydd wedi gwneud arbrawf pwysig, ac roedd Cymru Fydd wedi cael ei Haelod Seneddol gyntaf. Ysgrifennodd yr Aelod newydd lythyr o ddiolch i'w etholwyr:

FONEDDIGION; Yr wyf yn dymuno diolch o galon i werin Meirion am fy ngalluogi i ennill buddugoliaeth Gymreig. Y mae yr had a heuwyd yn 1859 wedi dwyn ffrwyth yn 1886. Ceisiaf wasanaethu nid yn unig y 4127 a wnaethant aberth drosof, ond hefyd y 2860 a weithiasant mor eiddgar yn fy erbyn. Y mae gan Gymru, fel yr Iwerddon, lawer o elynion yn y Senedd newydd, ond os bydd cynrychiolwyr Cymru gymaint o ddifrif a'u hetholwyr, nid aiff y Senedd hon heibio heb i iawnderau Cymru gael y sylw y maent yn eu teilyngu.[52]

Os ennill yr etholiad fu hanes Tom Ellis yn 1886, colli fu stori'r Rhyddfrydwyr yn gyffredinol a bu'n rhaid i Gladstone ymddiswyddo a gwneud lle i Brif Weinidog Torïaidd – yr Arglwydd Salisbury. Fodd bynnag, yng Nghymru, roedd y Rhyddfrydwyr mewn mwyafrif – fel yn yr Alban. Felly, efallai mai cywirach fyddai dweud bod y Rhyddfrydwyr wedi colli yn Lloegr, yn hytrach nag ym Mhrydain.

Teithiodd Tom Ellis i lawr i Gwm Rhondda wedi'r etholiad i ddiolch i Mabon am ei gymorth. Mewn araith yn Tonystryd (31 Gorffennaf), dywedodd fod yn rhaid datblygu'r ymwybyddiaeth leol i fod yn ymwybyddiaeth genedlaethol: 'Y mae Cymru yn rhywbeth amgen nag un sir, y mae Cymru yn genedl.'[53] Dylai Cymru 'wrthod cymeryd ei thrin mwyach fel un Sir er mwyn cyfleustra na Saeson na neb arall'.

Amlygwyd yr un agwedd newydd yn Eisteddfod Caernarfon (1886) – yn enwedig yn ail gyfarfod Cymdeithas yr Iaith Gymraeg.[54] Sefydlwyd Cymdeithas yr Iaith (Society for the Utilization of the Welsh Language) gan Dan Isaac Davies (1839–87) yn Eisteddfod Aberdâr (1885).[55] Ailargraffwyd pamffled goroptimistig gan Davies dan y teitl: *1785–1885–1985: Tair Miliwn o Gymry Dwyieithog Mewn Can Mlynedd* (Dinbych, 1885–6).

Cymerwyd y cyfrifiad cyntaf o'r iaith Gymraeg yng Nghyfrifiad 1891, a dengys y canlyniadau fod 898,914 yn medru'r iaith ar lafar, sef 54.4 y cant o boblogaeth Cymru. Felly, roedd mwy na hanner poblogaeth Cymru yn siarad Cymraeg yn ystod cyfnod Cymru Fydd. Nid oedd yr iaith Gymraeg yn bwnc gwleidyddol bwysig oherwydd bod pobl yn gweld bod mwyafrif yn medru'r iaith. Yn ogystal, roedd miloedd o siaradwyr Cymraeg yn Lloegr nad oeddent yn ymddangos ar y Cyfrifiad o gwbl. Fel yr ysgrifennodd Ellis J. Griffith: 'I see no reason why the duoglot state should not be permanent.'[56]

Cafodd Cymdeithas yr Iaith ei buddugoliaeth gyntaf yn 1888 pan ganiatawyd dysgu Cymraeg yn yr ysgolion elfennol Gymreig.[57] Bwriad Dan Isaac Davies ac aelodau'r Gymdeithas oedd creu cenedl ddwyieithog, gyda phawb yn medru Cymraeg, Saesneg a chymaint o ieithoedd eraill y byd ag y gallasent; byddai hyn yn creu diwylliant cyfoethog, amlochrog: 'Bilingualism is inscribed on the Banner of Young Wales.'[58] Ni ellir cyhuddo'r Cymru Fyddwyr o fod yn gul, nid cenedlaetholwyr oeddent mewn gwirionedd, ond, yn hytrach, rhyng-genedlaetholwyr: 'Cyfeiliornus yw cysylltu â'r mudiad y gair Saesneg "nationalism" gyda'r holl ystyron anffafriol a'r rhagfarnau sydd erbyn hyn yn rhan o'r gair hwnnw.'[59] Roeddent yn credu y dylai'r iaith frodorol gael y flaenoriaeth ym mhob gwlad.

Wrth ddadlau hawliau Cymru, roedd y genhedlaeth newydd hon yn dadlau'n rhyngwladol; er enghraifft, mewn cyfarfod yn Ffestiniog ar 17 Medi 1886 rhwng Tom Ellis ac Ellis Jones Griffith, pan bwysleisiodd Ellis y 'gymhariaeth Wyddelig' – fe fyddai'n rhaid i Ymreolaeth 'ddod yn nes adref nag Iwerddon.'[60] Estynnodd y gymhariaeth ymhellach mewn traethawd pwysig yn *Y Traethodydd* lle cafwyd amlinelliad o anghenion Cymru:

> Y mae Cymru yn deisyf cydraddoldeb crefyddol; diwygiadau tirol, cyfundrefn genedlaethol o addysg fyddo yn cysylltu addysg elfennol, ganolraddol ac uwchraddol mewn un gadwen gref; ond uwchlaw oll, ei deisyfiad ddylai fod, a'i deisyfiad yn ddiamheuol fydd, am Hunanlywodraeth. Ceisiwn hyn yn gyntaf, a'r holl bethau eraill a roddir i ni yn ychwaneg.[61]

Mae Ellis yn cloi'r traethawd pwysig hwn gyda dyfyniad o Thomas Davis, 'y gwladgarwr puraf a gysegrodd ei fywyd i achos Iwerddon erioed. Cymro ydoedd o ochr ei dad, a charai wlad ei dadau fel y carai wlad ei fabwysiad.'[62] Roedd Davis yn ffederalwr, fel y gwelir o'r dyfyniad sydd yn cloi'r traethawd:

> Gallai deg ar hugain o Aelodau Cymreig wneud llawer pe cydweithredent â'r Aelodau Gwyddelig ac Ysgotaidd mewn hawlio eu rhan . . . mewn cynhyrfu am Gyngor Cenedlaethol i weinyddu helyntion y Dywysogaeth . . . Ymddengys mai *Ffederalaeth* ydyw y trefniad naturiol a gorau i wlad fel Cymru, i gadw ei phwrs a'i hiaith a'i chymeriad oddi wrth orthrwm ymherodrol.

Ymddengys fod Ellis yn rhedeg o flaen ei gyd-aelodau yng Nghymru Fydd 1886, oherwydd pan gyhoeddwyd rhaglen gyntaf Cymdeithas Cymru Fydd Llundain yn yr un mis, gwelwyd ei fod yn hollol ddiwylliannol ac nad oedd unrhyw gyfeiriad at wleidyddiaeth o gwbl.[63] Mae'r rhaglen yn rhedeg o Dachwedd 1886 hyd Ebrill 1887 ac yn dangos teitl y papur misol, enw'r darlithydd a llyfryddiaeth fer ar gyfer pob cyfarfod:

9 Tachwedd 1886	Trem ar Hanes Llenyddiaeth Cymreig, W. J. Williams
21 Rhagfyr 1886	Prif Feirdd y Cyfnod Cyntaf (510–1080), John Edwards
11 Ionawr 1887	Prif Feirdd yr Ail Gyfnod (1080–1322), John Richards
15 Chwefror 1887	Y Mabinogi, H. H. Williams
8 Mawrth 1887	Y Derwyddon, Thomas Roberts
19 Ebrill 1887	Cerddoriaeth Foreuol y Cymry, W. H. Roberts

Mewn darlith sylweddol o flaen Cymdeithas Trafod Undeb Coleg Prifysgol Cymru, Aberystwyth, mae Ellis yn cyffwrdd â phob dimensiwn o fywyd cymdeithasol Cymru – yn ddemograffig, economaidd, diwylliannol a gwleidyddol:

In Wales the aspirations for national unity and the need of an instrument for the good government of Wales will react on each other. Progress is very slow, and it will be long before the hopes of Welshmen are realised. But it is well that we should hope. Men are longing for – and men are labouring for – an adequate history of the people and literature of Wales, lovers of art and archaeology hope for the establishment of a National Museum and Art Gallery for Wales; educationalists work for a complete system of national education; while the demand is every day growing louder for an instrument for the orderly and progressive self-government of Wales.[64]

Nid Cymry Llundain oedd yr unig Gymry yn Lloegr, fel y gwelwyd; roedd poblogaeth fawr o alltudion Cymreig mewn nifer o ddinasoedd Lloegr. Yn sgil Eisteddfod Lerpwl 1884,

ffurfiwyd Cymdeithas Genedlaethol Cymry Lerpwl ar 8 Hydref
1885 ag Arglwydd Mostyn yn llywydd.[65] Flwyddyn yn ddiwedd-
arach, dilynodd Cymdeithas Genedlaethol Cymry Manceinion ar
16 Hydref 1886 pan gynhaliwyd, 'cyngerdd a chyfarfod agor-
iadol y gymdeithas uchod yn Neuadd Cymdeithas y Gwŷr
Ieuanc, yn Heol Pedr. Gwnaed y cyfarfod i fyny o ddwy ran, y
naill yn cael ei lywyddu gan Dr A. Emrys-Jones a John Edwards
– Llywydd ac Is-Lywydd y gymdeithas.'[66] Cymdeithasau diwyll-
iannol oedd y rhain a gellir eu cymharu orau â Chymdeithas y
Brythonwys, Llundain.[67] Allan o'r tair cymdeithas ddiwylliannol
hyn, fe fyddai cymdeithasau gwleidyddol Cymru Fydd yn
datblygu, ond ni fyddant byth yn colli'r dimensiwn diwyll-
iannol. Gŵr gwadd Cymry Manceinion ar Ddydd Gŵyl Dewi
1887 oedd Tom Ellis, ac mae'n amlwg o'i anerchiad bod arno
eisiau ceisio datblygu dimensiwn gwleidyddol i'r cymdeithasau
hyn: 'Dywedodd fod Cymru wedi ymddeffro, ond nid oedd yr
un cyfrwng yn bodoli yn bresennol, trwy ba un y gallai y Cymry
weithio allan eu dymuniadau cenedlaethol.'[68]

Cyfansoddiad Cymru Fydd Llundain

Blwyddyn ar ôl y cyfarfodydd anffurfiol cyntaf yn ystafelloedd
Tom Ellis, penderfynodd aelodau Cymdeithas Cymru Fydd
Llundain lunio cyfansoddiad ffurfiol. Lluniwyd y cyfansoddiad
hwn ar 26 Ebrill 1887 yng Ngwesty Manceinion, Aldersgate,
Llundain mewn cyfarfod dan lywyddiaeth W. E. Davies.[69] Pasiwyd
tri phenderfyniad pwysig, y cyntaf ar gynigiad Robert Parry[70] ac
eiliad William Jones:[71] 'pasiwyd yn ddiwrthwynebiad, a chyda
brwdfrydedd a chymeradwyaeth mawr, mai prif amcan y gym-
deithas fydd sicrhau Deddfwrfa Genedlaethol i Gymru, i ymdrîn
â phob materion arbenigol Gymreig.'[72] Ymhellach, tuag at gyrraedd
y diben hwn, penderfynwyd: 'fod i'r Gymdeithas gynorthwyo i
ddanfon i Dŷ'r Cyffredin, Aelodau fyddant yn barod i bleidio
gwelliannau Cymreig ar dir cenedlaethol.'[73] Yn olaf, penderfynwyd
ar gynigiad Hugh Davies:[74] 'Fod y gymdeithas yn agored i wŷr a
gwragedd a gymeradwyant yr amcanion uchod, ac a gyfranant
danysgrifiad o ddim llai na swllt y flwyddyn tuag at gyllid y
gymdeithas.'[75] Pasiwyd nifer o is-benderfyniadau megis sefydlu
pwyllgor 'Llenyddiaeth'; penodwyd T. W. Owen ac Ivor Bowen

yn ysgrifenyddion dros dro, hyd nes etholwyd pwyllgor. Erbyn diwedd Mai (blwyddyn ar ôl y sefydlu) roedd 200 o aelodau yn perthyn i'r Gymdeithas. Etholwyd pwyllgor o ddeuddeg ar 8 Mehefin mewn cyfarfod cyffredinol o'r aelodau yn y Literary Institute, Aldersgate, eto dan lywyddiaeth W. E. Davies; ymhlith y deuddeg mae enwau T. E. Ellis, AS, Dr R. D. Roberts (Caergrawnt), W. E. Davies, Ivor Bowen a T. W. Owen – 'y rhai a gymerasant ran arbennig yn ffurfiad y Gymdeithas'.[76] Gadawyd gweithio allan y manylion yn nwylo y pwyllgor ond trefnwyd bod cyfarfod cyffredinol o'r aelodau i gael ei alw o leiaf bob tri mis. Roeddent wedi trefnu yn ofalus, felly, gyda'r effeithiolrwydd y buasai rhywun yn disgwyl oddi wrth fwrgeiswyr alltud.

O gymharu cyfansoddiad 1887 â rhaglen 1886, gwelir newid yn natur Cymdeithas Cymru Fydd: mae wedi newid o fod yn gymdeithas ddiwylliannol i fod hefyd yn gymdeithas wleidyddol. Gwelir llaw Ellis yn eglur fan hyn. Dylid deall nad oedd y Gymdeithas yn gyfan gwbl wleidyddol ond roedd pwyslais newydd yn y cyfansoddiad ar wleidyddiaeth Gymreig.

Ym Mehefin hefyd, etholwyd T. Woodward Owen yn ysgrifennydd cyffredinol, a T. Howell Williams yn drysorydd (gyda dau o ysgrifenyddion cynorthywol, T. H. Gilbert a W. O. Williams). Roedd y cyngor hwn i gyfarfod yn bythefnosol.[77] Daeth cartref yr ysgrifennydd cyffredinol cyntaf, T. W. Owen, 'Garn Dyfi', Cornwall Road, Finsbury Park, yn gyrchfan i genhedlaeth o Gymry ieuanc Llundain.[78] Ganwyd y trysorydd T. Howell Williams, ar fferm ym Mhenfro a sefydlodd ef gwmni Idris & Co. (Mineral Waters Manufacturers) yn Llundain, cyn cael ei ethol yn aelod o Gyngor Sir Llundain (LCC) (1889–1907). Fel yr ymffrostiodd yn y rhagarweiniad i adroddiad blynyddol cyntaf y gymdeithas: 'To the Welshmen of London belongs the credit of having first adopted "Cymru Fydd" as the motto . . . To them, it is more than a party motto, it is not a mere synonym for "Rhyddfrydiaeth Fydd".'[79] Cymerwyd etholaethau Llundain, yn arwyddocaol iawn, fel sylfeini unedau'r gymdeithas, yn adlewyrchu bwriadau gwleidyddol y gymdeithas. Sefydlwyd y canghennau canlynol yn y drefn a ganlyn: Cynlas, (gorllewin Llundain – Kensington, Paddington a Hammersmith); Caradog (St Pancras a Hampstead); Glyndŵr (Marylebone a St George); Hiraethog (Finsbury a'r Ddinas); Llewelyn (Islington a Hornsey); Gohebydd (Hackney). Ffurfiwyd canghennau Myrddin a Hywel Dda yn ddiweddarach yn ne a dwyrain Llundain.[80]

Cynhaliwyd Eisteddfod Genedlaethol Awst 1887 yng 'Nghaer-ludd'. Dyma'r tro cyntaf yn hanes yr Eisteddfod iddi ddod i Lundain,[81] ac mae'r ffaith iddi gael ei chynnal yno yn tanlinellu pwysigrwydd Cymry Llundain – yr 1890au oedd anterth eu pŵer a'u dylanwad ar y genedl Gymreig. Teitl cystadleuaeth y cywydd oedd, 'Cymru Fydd'.[82]

Cymerodd y Cymru Fyddwyr ran amlwg yn y trefniadau a'r gweithgareddau a gynhaliwyd yn Neuadd Frenhinol Albert 9–12 Awst.[83] Does dim rhyfedd iddynt geisio cymryd mantais o wythnos yr Eisteddfod i ehangu eu haelodaeth a hybu'r mudiad hunanreolaeth.[84] Fodd bynnag, er gwaethaf presenoldeb o'r Unol Daleithiau yn un o'r cyfarfodydd, ni wnaeth Cymru Fydd (yn wahanol i'r Gwyddelod) unrhyw ymdrech i gael cefnogaeth Cymry Americanaidd y tu cefn iddynt.[85]

Cymdeithas Cymru Fydd Llanfairpwll

Yn fuan ar ôl Eisteddfod Caerludd, ar 6 Medi 1887, sefydlwyd y gymdeithas Cymru Fydd gyntaf yng Nghymru – yn y pentref â'r enw hiraf: Llanfairpwll, Môn. Amcan y Gymdeithas newydd oedd, 'i ddiwyllio meddyliau ei haelodau, trwy ymdrîn â Llen-yddiaeth, Hanes, Gwleidyddiaeth, Cerddoriaeth'.[91]

Sylfaenydd a chadeirydd y gymdeithas oedd John Morris-Jones (1864–1929), myfyriwr ymchwil yng Ngholeg Iesu Rhydychen ar astudiaethau Cymraeg a Cheltig. Roedd J.M.J. wedi ymuno â chlwb yr 'Hen Fangoriaid' a Chymdeithas Dafydd ap Gwilym yn Rhydychen ac roedd yn amlwg ei fod am i Gymdeithas Cymru Fydd Llanfairpwll fod yn gymdeithas ddiwyllianol-wleidyddol yn hytrach na bod yn gymdeithas un dimensiwn.[92] Yr is-gadeirydd ar gyfer tymor yr hydref 1887 oedd William Edwards; yr ysgrifennydd oedd athro yr Ysgol Fwrdd, John Owen, a'r trysorydd oedd O. H. Humphreys. Cyn gynted â 18 Hydref 1887 (chweched cyfarfod y gymdeithas) darllenodd John Williams bapur ar 'Ymreolaeth i Gymru' ac wedi'r ddadl, pleidleisiwyd 16–2 o blaid y syniad.[93]

Yr oedd J. Morris-Jones fel O. M. Edwards, i gyfrannu agwedd lenyddol i fudiad Cymru Fydd:

Dwy awdl John Morris-Jones yw barddoniaeth boliticaidd bwysicaf y bedwaredd ganrif ar bymtheg yn y Gymraeg. Yn *Cymru*

Fu: Cymru Fydd (1892) dehonglodd ddelfrydau cenedlaethol mudiad Cymru Fydd. Yn *Salm i Famon* (1894), fe ddehonglodd ddelfrydau radicalaidd a chwyldroadol y mudiad . . . Ni buasai 'deffroad llenyddol' dechrau'r ugeinfed ganrif heb fudiad Cymru Fydd.[94]

Yn sicr, mae hanes Cymru Fydd yn dangos na ellir gwahanu diwylliant a gwleidyddiaeth yn y pen draw. Roedd John Morris-Jones ac O. M. Edwards yn enghreifftiau perffaith o 'ddeallusion organaidd',[95] yn yr ystyr eu bod yn deillio o'r werin ac yn gwasanaethu'r werin.

Erbyn diwedd 1887 gallai Michael D. Jones grynhoi sefyllfa wleidyddol Cymru fel hyn:

Yn fy marn i, y prif bwnc sydd yn prysur ddyfod o flaen ein cenedl yw Ymreolaeth. Athrawiaeth Kossuth, cenedlgarwr mawr Hwngari, oedd hawl pob cenedl i reoli ei hunan. Nid yw Ymreolaeth yn golygu ymwahaniad oddi wrth y Deyrnas Gyfunol, ond rhoddi awdurdod i'n cenedl i ddeddfu ar bob pwnc Cymreig.[96]

Cyfaddefodd fod y Celtiaid yn cael cynrychiolaeth, ond er hynny, 'nid ydynt yn cael eu hewyllys fel pobl ryddion'.[97] Mewn geiriau eraill, nid oedd ganddynt lywodraethau cenedlaethol. Mae Michael D. Jones yn cloi ei ddadl yn ei ddull dihafal drwy ddweud bod gormod o waith gan y llywodraeth i roi sylw manwl i Gymru:

am fod y weinyddiaeth fyddo mewn awdurdod ar y pryd yn egniol iawn yn dileu y genedl Zuluaidd, neu yn diorseddu Brenin Burma, a dwyn y wlad oddi ar y brodorion, neu yntau yn ymdrechgar iawn yn crogi ac yn saethu Gwyddelod, neu wrthi yn galed yn gwario miliynau o bunnau i godi caerau costus o gylch nythod cacwn geifr yn Affganistan i golynnu y Rwsiaid.[98]

Mae hyn yn grynhoad galluog a miniog o'r sefyllfa Brydeinig, ond roedd yn amlwg bod angen cylchgrawn parhaol i wneud dadansoddiad cyfredol a manwl o bosibiliadau datganoli.

Cylchgrawn 'Cymru Fydd'

Yn Ionawr 1888, gwnaed ymdrech i gyhoeddi'r fath brosiect pan ddaeth cylchgrawn newydd, mewn clawr glas golau o wasg E. W. Evans[99] yn Nolgellau, dan y teitl *Cymru Fydd*. Roedd yr is-deitl yn bryfoclyd: 'Cylchgrawn y Blaid Genedlaethol Gymreig'. Nid oedd y fath beth â Phlaid Genedlaethol Gymreig yn bodoli yn Ionawr 1888. Fodd bynnag, hwn fyddai cylchgrawn Cymru Fydd am y tair blynedd nesaf.

Y golygydd cyntaf oedd T. J. Hughes (Adfyfyr), un o newydd-iadurwyr dwyieithog amlycaf Cymru yn y 1880au. Misolyn dwyieithog oedd *Cymru Fydd*, a dan olygyddiaeth Hughes roedd yn wleidyddol iawn ei naws. Tanlinellwyd hyn yn y 'Golygyddol' cyntaf:

> CYMRU FYDD is intended to serve in this epoch of transition as an outlet for the national feeling in its protest against wrong. The desire of its Conductors will be to assist in every legitimate way the patriotic efforts which are being put forth to secure for Wales real permanent reform[101]

Dilynwyd hyn gan erthygl Gymraeg gan yr Athro Ellis Edwards[102]

> Bwriedir i GYMRU FYDD bledio egwyddorion Rhyddfrydiaeth – cydraddoldeb crefyddol, cyfiawnder cymdeithasol, manteision addysg, a phob symudiad sydd o dduedd i ddyrchafu cenedl y Cymry. Tuag at gyrraedd hyn, defnyddir erthyglau ar gwestiynau gwleidyddol y dydd, yn arbennig y rhai fyddo yn dwyn cysylltiad â Chymru, neu â'r Celtiaid yn gyffredinol.[103]

Cadwodd y cylchgrawn at y siarter hon tra oedd Hughes wrth y llyw – hyd Mai 1889. Ychydig iawn o waith llenyddol a barddonol a geid ynddo – ac, os oedd, roedd y cerddi a'r storïau bob tro yn wleidyddol. Roedd yn debyg, felly, i gylchgrawn *La Jeune Suisse* a sefydlwyd gan Mazzini yn 1835, yn yr ystyr ei fod yn gylch-grawn radicalaidd, dwyieithog (yng nghyswllt *La Jeune Suisse*, Ffrangeg ac Almaeneg).

Roedd y gyfrol gyntaf yn esiampl dda o *Cymru Fydd* Adfyfyr: traethawd trwm ar y 'Deddfau Claddu' gan G. Osborne Morgan,

QC, AS; 'Wales and the Liberal Party' gan Stuart Rendel AS; 'Geneva' gan O. M. Edwards; 'Datgysylltiad' gan John Parry ; a 'Welsh Landlordism' gan Tom Ellis. Yn ogystal ag erthyglau sylweddol fel hyn, ceid colofnau misol megis 'Nodiadau Cymreig', 'Organization Reports' a 'Cymry yn y Colegau'.

Dan y golofn olaf, adroddwyd sefydlu 'Cymdeithas Iolo Goch' yng Ngholeg Prifysgol Gogledd Cymru, Bangor, ar 18 Ionawr 1888 yn ystafelloedd Huw Owen Hughes a Robert Jones. Yr oedd Edward Edwards (brawd O.M.) yn un o'r aelodau sylfaenol.[104] Roedd pwrpasau'r gymdeithas hon yn debyg i amcanion cymdeithas ei frawd yn Rhydychen.

Erbyn Mai 1888, cafwyd erthygl sosialaidd oddi wrth y bardd a greodd enw'r cylchgrawn, R. J. Derfel, ar y pwnc, 'Ein Rhagolygon a'n Gwaith'. Gofyn y cwestiynau: 'Sut fydd Cymru Fydd? – Fath olwg fydd arni? Beth fydd ei sefyllfa?'[105] Rhoddodd atebion sosialaidd i bob un o'r cwestiynau hyn. Rhaid oedd 'cenedleiddio' y tir, y rheilffyrdd, y gloddfeydd, offerynnau gwaith a: 'Naill ai cenedleiddio y tai neu wneud pob tŷ yn eiddo personol . . . Dyna ydyw efengyl newydd cymdeithasiaeth i bobl Cymru, a phobl y byd.' Mae'n debyg bod yr erthygl hon, yn arbennig, wedi brawychu yr 'Hen Ryddfrydwyr' ond roedd elfen gymdeithasol, hyd yn oed sosialaidd yn rhan barhaol o feddylfryd Cymru Fydd.[106]

Y peth pwysicaf a wnaeth Derfel yn yr erthygl uchod oedd dechrau trafodaeth fanylach ar sut gymdeithas fyddai gwlad yr addewid, Cymru Fydd? Ai Lloegr fach fyddai? Oni fyddai'n rhaid cael diwygiadau economaidd a chymdeithasol yn ogystal â gwleidyddol mewn Cymru Newydd? Sylwer, pan oedd Derfel yn sôn am 'genedlaetholi' – y 'genedl' mewn cwestiwn oedd Cymru, nid Prydain.

Mae'n amlwg bod Cymdeithas Cymru Fydd Llundain, hefyd, yn teimlo bod eisiau mwy o eglurhad, oherwydd, yn yr un flwyddyn ag ymddangosiad cylchgrawn Cymru Fydd, cyhoeddwyd pamffled gan yr is-bwyllgor llenyddol, wedi'i ysgrifennu gan Robert Parry, dan y teitl: *Home Rule for Wales: What Does it Mean?*[107] Mae'r pamffled dadlennol hwn yn dechrau gyda'r cyfansoddiad a'r rheolau,[108] ac yna yn rhoi crynodeb hanesyddol o'r syniad o ddatganoli Celtaidd, cyn mynd ymlaen i geisio egluro beth a olygir gan 'Hunanreolaeth'. Mae'n amlwg mai diffiniad ffederalaidd sydd gan Cymru Fydd o ddatganoliad.[109] Mae Parry yn awgrymu y gellid defnyddio'r hen derm, 'Cyngor Cymru': 'The Council of Wales is an old term frequently found in our records, and it may be revived again.'[110] Mae'r awgrym yma yn cyfeirio at sefydlu cynghorau lleol Cymru yn 1889 ac mae Parry yn gwthio'r rhesymeg ymlaen tuag at 'Gyngor y Cynghorau'.[111]

Crynhoir athroniaeth datganoli gan T. Walter Williams, bargyfreithiwr Cymreig ac aelod o Gymru Fydd, mewn pamffled arall a gyhoeddwyd yr un flwyddyn: 'that nation is the highest in point of civilization whose government is least centralized or most decentralized.'[112] Roedd hyn yn dangos dylanwad eang yr athronydd rhyddfrydol Herbert Spencer (1820–1903) a'i syniad o heterogenedd; ond roedd athronydd gwahanol iawn i gael effaith ar olygyddion newydd cylchgrawn y mudiad.

Hegelwyr Ieuanc

Ym Mehefin 1889 cafwyd newid yng ngolygyddiaeth cylchgrawn *Cymru Fydd*, pan ymddiswyddodd Adfyfyr (T. J. Hughes) a daeth dau olygydd newydd i gymryd ei le: O. M. Edwards[113] a'r Parch. R. H. Morgan.[114] Roedd Owen Morgan Edwards yn gymrodor a thiwtor mewn hanes yng Ngholeg Lincoln, Rhydychen, ac roedd yn enedigol o'r un ardal â Tom Ellis – Llanuwchllyn ger y Bala. Roedd yn fyfyriwr yng Ngholeg Prifysgol Aberystwyth, 1880–83. Cafodd yrfa brifysgol ddisglair iawn cyn cael ei benodi yn diwtor, ac yn ei ystafell ef, fel y gwelsom, y sefydlwyd Cymdeithas Dafydd ap Gwilym.

Newidiwyd naws y cylchgrawn gan y golygyddion newydd – daeth yn fwy eang yn ei faes gyda mwy o erthyglau llenyddol a hanesyddol. Diflannodd y 'rhestrau pleidleisiau' yn Nhŷ'r Cyffredin a daeth y cylchgrawn yn un 'Neo-Hegelaidd'.[115] Roedd O. M. Edwards wedi mynd o goleg Aberystwyth i Glasgow am flwyddyn (1883–4) i astudio athroniaeth o dan yr Athro Edward Caird (1835–1908), gŵr a gafodd ddylanwad mawr ar athroniaeth y cyfnod. Roedd Caird, fel T. H. Green (1836–82) yn Ngholeg Balliol, Rhydychen, yn un o'r Neo-Hegelwyr hynny a oedd yn datblygu athroniaeth G. W. F. Hegel (1770–1831) mewn gwrthymateb i'r unigolyddiaeth a oedd wedi bod mewn grym ym Mhrydain yng nghanol y ganrif.[116] Yn ôl O. M. Edwards,

Y mae'n debyg nad oes undyn yn meddu cymaint o ddylanwad ar feddylwyr Cymru a'r Alban ag Edward Caird. Yn uniongyrchol neu yn anuniongyrchol, y mae lluoedd o Gymry wedi dysgu meddwl ei feddyliau. Rhoddi nerth i bawb gerdded yn ei gyfeiriad ei hun a wna'r Hegeliaeth hon; nid cyfeiriad a rydd, ond grym. Y mae wedi gwneud Henry Jones yn wladgarwr grymus ac yn athro llwyddiannus.[117]

Cyfeiriad yw hwn at Hegelwr ieuanc arall a oedd wedi astudio gyda Caird, sef un o brif athronwyr Cymru, Henry Jones (1852– 1922).[118] Ganwyd Henry Jones yn fab i grydd yn Llangernyw, Sir Ddinbych; aeth i'r Coleg Normal ym Mangor ac yna dysgodd mewn ysgol ym Mrynaman, Morgannwg, cyn mynd i Brifysgol Glasgow yn 1875. Yno, daeth dan ddylanwad cryf Edward Caird a Neo-Hegeliaeth – dylanwadau a welir yn ei holl waith.[119] Cyfrannodd Henry Jones yn uniongyrchol at y mudiadau cenedlaethol yng Nghymru yng nghyfnod Cymru Fydd, yn enwedig yr ymgyrchoedd am addysg ganolraddol a phrifysgol i Gymru.[120] Roedd yn ddarlithydd yn Aberystwyth yn 1882, athro athroniaeth ym Mangor yn 1884 a St Andrews yn 1891 cyn dilyn ei hen athro yng nghadair Athroniaeth Glasgow yn 1894.

Roedd y Neo-Hegelwyr hyn yn gweld cymdeithas fel system organaidd a'r unigolyn fel person cymdeithasol a oedd bob tro i'w weld yn ei gyd-destun.[121] Yr oeddent yn gwrthwynebu, felly, yr hen Ryddfrydiaeth atomyddol a oedd yn rhoi'r holl bwyslais ar iawnderau'r unigolyn. Roeddent yn gwahaniaethu rhwng 'rhyddid negyddol' (rhyddid *oddi wrth*) a 'rhyddid positif' (rhyddid *i wneud*) ac roeddent yn gweld hanes yn nhermau esblygiad gwladwriaethau.

Neo-Hegeliaeth oedd sylfaen athronyddol y Rhyddfrydiaeth Newydd ym Mhrydain. Y mae'n arwyddocaol bod y tri phrif athronydd Neo-Hegelaidd yn y cenhedloedd Prydeinig – Edward Caird yn yr Alban, T. H. Green yn Lloegr a Henry Jones yng Nghymru – yn Rhyddfrydwyr brwd. Yn y 1890au datblygwyd Rhyddfrydiaeth gymdeithasol a oedd yn gosod mwy o bwyslais ar gydraddoldeb, hawliau gweithwyr a diwygiadau economaidd. Yng Nghymru, cynrychiolwyd y Rhyddfrydiaeth newydd gan Gymru Fydd; yn wir, gellir diffinio Cymru Fydd fel Rhydd-frydiaeth Newydd Gymreig. Ond roedd yn anffodus bod yr athronwyr Rhyddfrydol hyn wedi troi at Hegel a'r ewyllys-at-rym (*Wille-zur-Macht*) yn hytrach na Kant a'r ewyllys-at-ryddid (*Wille-zur-Freiheit*),[122] oblegid mai pen draw yr ewyllys-at-rym yw hegemoni, yn hytrach na hunanreolaeth.

Credodd Ellis fod y mudiad cenedlaethol, yn 1890, yn dal 'yn y cyfnod addysgol'. Rhaid oedd 'addysgu' y Blaid Ryddfrydol Gymreig: 'The cause is making wonderful progress . . . Your publication of the *Cymreigydd* is an admirable step in the right educational direction and with all my heart I wish it well'.[123] Cyfeiriad oedd hyn at gylchgrawn newydd a ddechreuwyd gan W. J. Parry yn 1890 i hybu'r mudiad datganoli. Dechreuwyd nifer o gylchgronau newydd Cymreig eraill ar ddechrau'r 1890au: er enghraifft, *Yr Athronydd Cymreig* (1890–4), *Cymru* (1891–1920), *Cymru'r Plant* (1892–1920), *Y Chwarelwr* (1891–4), *Glamorgan Free Press* (1891–); *South Wales Star* (1891–); *Welsh Review* (1891–2). Roeddent oll yn cynrychioli, i wahanol raddau, ac mewn gwahanol ffyrdd, y Rhyddfrydiaeth Gymreig newydd. Sefydlwyd *Y Cymro* ar 22 Mai 1890 yn Lerpwl gan Isaac Foulkes (1836–1904), cyhoeddwr o Sir Ddinbych a oedd wedi cyhoeddi, mewn tair rhan, y llyfr poblogaidd *Cymru Fu* (1862–4). Roedd *Y Cymro* yn wythnosolyn Rhyddfrydol ar gyfer Cymry Lerpwl a gogledd Cymru.[124]

Cyhoeddwyd y rhifyn olaf o *Cymru Fydd* yn Ebrill 1891, gydag R. H. Morgan yn ymddeol ac O. M. Edwards yn addo ei fod am gyhoeddi misolyn unieithog:

> misolyn wnai rhywbeth dros Hanes a Llenyddiaeth Cymru, misolyn wnai ryw fymryn tuag at 'godi'r hen wlad yn ei hôl'. Yr wyf yn credu, yr wyf yn credu hynny o'r dechre, mai camgymeriad mawr oedd gwneud *CYMRU FYDD* yn ddwyieithog . . . Felly, ar ôl y mis hwn, newidir enw ac amcan y cyhoeddiad. Ei enw fydd *CYMRU*, ei amcan fydd gwasanaethu efrydwyr Hanes a Llenyddiaeth Gymreig a hyrwyddo addysg y wlad.[125]

Cyhoeddwyd y rhifyn cyntaf yng Nghaernarfon ar 15 Awst 1891 mewn clawr coch – a buan y galwyd y cylchgrawn newydd yn *Cymru Coch*. Roedd yn amlwg bod y cylchgrawn yn tueddu tua'r chwith yn fewnol, hefyd: yn y rhifyn cyntaf, galwyd am brifysgol i Gymru a 'Hunan Reolaeth Mewn Addysg: cwestiwn cenedlaethol ydyw'.[126] Cylchgrawn gwerinol ydoedd: 'Yr oes hon . . . yw oes y lliaws, y tlawd, y werin.'[127] Yn y flwyddyn newydd, daeth misolyn cyfatebol allan i blant Cymru, o law yr un golygydd, sef *Cymru'r Plant*. Ar dudalen cyntaf y rhifyn cyntaf ceir y rhagair addfwyn canlynol: 'Y mae arnaf awydd eich dysgu, os ydych yn barod i wrando arnaf . . . Llawer o bethau sydd gennyf i'w dysgu i chwi, ac i'w dysgu fy hun wrth eu hadrodd i chwi. Y mae arnaf eisiau dysgu Hanes Cymru i chwi.'[128] Hwn oedd y cylchgrawn cyntaf o'i fath ac, ynghyd â 'Cymru'r Oedolion', roedd yn gyfraniad gwreiddiol i ddatblygiad ymwybyddiaeth Gymreig.

Cymdeithas Cymru Fydd y Barri

Prif bwrpas y Cymru Fyddwyr oedd dylanwadu ar wleidyddiaeth Gymreig. Os oeddent i wneud hynny, rhaid oedd iddynt gael papur newydd cefnogol yn ogystal â Chymdeithas Cymru Fydd yn y De. Sefydlwyd y ddau yn y Barri gan Llewelyn Williams,[129] yn 1891.

Ar 20 Mawrth 1891, daeth y rhifyn cyntaf o'r *South Wales Star* o'r wasg yn y Barri. Perchennog y papur newydd oedd Arthur Williams, AS Rhyddfrydol de Morgannwg. Fel y dywedodd y golygydd yn llinell gyntaf y golygyddol cyntaf, 'Ours is an age of newspapers,'[130] ac aeth ymlaen i danlinellu agwedd economaidd y Rhyddfrydiaeth newydd.

Mewn rhifyn dilynol, dyfynnwyd Thomas Davis i'r perwyl y 'Daw cyfoeth o genedligrwydd'. *Y Star* fyddai cynrychiolydd Cymru Fydd yn ne Cymru yn y 1890au. Roedd yn bapur newydd bywiog ac egnïol iawn, yn cynnwys erthyglau ar wleidyddiaeth genedlaethol a lleol, yn ogystal â cholofnau ymosodol, megis yr un uwchben y ffugenw 'Theodore Dodd' – cyfres yn beirniadu unigolion cyhoeddus Cymru mewn dull ffraeth. Wedi marwolaeth Llewelyn Williams, dadlennodd J. Arthur Price mai 'Theodore Dodd' oedd – y golygydd ei hun![133]

Ar ôl gosod y seiliau gyda'r *Star*, dechreuodd Llewelyn Williams Gymdeithas Cymru Fydd gyntaf de Cymru – yn y Barri. Yn ôl ei dystiolaeth ef ei hun,[134] sefydlwyd y Gymdeithas yn ail hanner 1891, ac mae cefnogaeth i'w osodiad mewn llythyr cyfoes yn Awst 1891, wedi ei arwyddo gan 'Cymru Fydd Barri'.[135] Y llywydd oedd Llewelyn Williams a'r ysgrifennydd oedd y Parch. J. W. Matthew. Yn wahanol i Lanfairpwll, cafwyd gwrthwynebiad i sefydlu Cymdeithas Cymru Fydd gyntaf de Cymru – oddi wrth Saeson ieuanc lleol,[136] ond ni lwyddasant i rwystro'r 'Trwyn Hy'

('Brasen Nose', llysenw Llewelyn Williams). Ysgrifennodd at Tom Ellis yn Chwefror 1892:

> We are trying to form a 'Cymdeithas Cymru Fydd' at Barry, of which I am President. You know what Barry is, – a new, rapidly growing town with a large, disunited and disorganized Welsh population, intent on nothing but money-making.[137]

Erbyn Ebrill 1892, roedd dros hanner cant wedi ymaelodi.[138] Dilynodd Cymdeithas y Barri yr un patrwm â Chymru Fydd Llundain a Llanfairpwll, gyda thrafodaethau diwylliannol a gwleidyddol yn cyd-blethu.

Roedd Cymru Fydd yn awr wedi torri trwodd yn y De. Fe wyddai'r Cymru Fyddwyr yn iawn, fodd bynnag, mai'r unig siawns o newid gwleidyddiaeth Cymru yn chwarter olaf y bedwaredd ganrif ar bymtheg oedd trwy fewndreiddio Rhydd-frydiaeth Gymreig, ac at strwythur y Rhyddfrydiaeth honno y trown yn awr.

Nodiadau

[1] Yn chwarter olaf y bedwaredd ganrif ar bymtheg, roedd tua 30,000 o Gymry yn Lerpwl, 10,000 ym Manceinion a 20,000 yn Llundain. Gweler R. Merfyn Jones yn D. Ben Rees (gol.), *Cymru Lerpwl* (Lerpwl, 1984), tt. 21, 37; Thomas Gray, 'Y Cymry yn Nhrefydd Lloegr', *Y Geninen*, Ebrill 1890. t. 99. Gweler hefyd R. T. Jenkins a Helen Rammage, *History of the Honourable Society of Cymmrodorion* (Llundain, 1951).

[2] Gweler papurau Cymdeithas y Brythonwys yn Adran Llawysgrifau Llyfrgell Genedlaethol Cymru, MS 6981C, 10890D a 10891B. Arwyddair y Gymdeithas oedd: 'Y Gwir yn Erbyn y Byd'; swyddfa: 20 King Street, Finsbury Square, Llundain. Gweler John Williams, 'Cymdeithas y Brythonwys', *Y Brython*, 5 Medi 1935.

[3] Gweler *The Sportsman*, 26 Mehefin 1885. Am hanes gynhwysfawr o'r clwb, gweler Paul Beken a Stephen Jones, *Dragon in Exile: The Centenary History of London Welsh RFC* (Llundain, 1985).

[4] Beken a Jones, *Dragon in Exile*, t. 10: 'Exile emphasises ties with home.' Roedd Undeb Rygbi Cymru wedi cael ei sefydlu yn 1881; gweler Dai Smith a Gareth Williams, *Fields of Praise* (Caerdydd, 1981).

[5] Gweler bywgraffiadau T. I. Ellis, *Thomas Edward Ellis*, 2 gyfrol (Lerpwl, 1944–8); Neville Masterman, *The Forerunner* (Abertawe, 1972); a Wyn Griffith, *T. E. Ellis* (Llandybïe, 1959).

[6] Tystiolaeth T. E. Ellis, *Comisiwn Brenhinol ar y Tir yng Nghymru*, Cyfrol 1 (1894), 16,912 (c.7439).

[7] Gweler T. F. Roberts, 'Gyrfa Athrofaol y Diweddar T. E. Ellis', *Y Traethodydd* (Gorffennaf 1899).

[8] O. M. Edwards at D. R. Daniel, 26 Chwefror 1885 (LlGC, Papurau D. R. Daniel)

[9] Gweler Stephen Koss, *Sir John Brunner: Radical Plutocrat* (Llundain, 1970). Cf. N. Masterman, *The Forerunner*, t. 52: 'during the early eighteen-eighties, an alliance between the class from which he (Ellis) had sprung and that of the rising manufacturers already existed. Nonconformity provided the link between the two.'

[10] David Robert Daniel (1859–1931); ganwyd yn yr un flwyddyn ag Ellis, ac yn yr un ardal. Apwyntiwyd ef yn Ysgrifennydd Undeb Chwarelwyr Gogledd Cymru yn 1896. Roedd hefyd yn ffrind i Lloyd George ac felly yn ddolen gyswllt bwysig rhwng y ddau. Gweler K. W. Jones-Morgan, 'D. R. Daniel', *Journal of the Merioneth Historical Society* (1965).

[11] Ellis at Daniel, 12 Ionawr 1886 (LlGC, Papurau D. R. Daniel, 287–502).

[12] Ellis at Daniel, 8 Chwefror 1886 (LlGC, Papurau D. R. Daniel).

[13] Ibid.

[14] Ym Mawrth 1886, cyhoeddwyd nofel George Gissing, *Demos*, yn mynegi agwedd tebyg i un Ellis. Gweler Paul Thompson, *Socialists, Liberals and Labour: The Struggle for London* (Llundain, 1967).

[15] Yn anffodus, nid oes cofnodion o'r drafodaeth; ond gweler 'Y Terfysgoedd yn Llundain', *BAC*, 17 Chwefror 1886, a *The Times*, 13 Chwefror 1886. Gweler hefyd Donald Richter, *Riotous Victorians* (Llundain, 1981), tt. 103–62. Rhoddwyd John Burns (1858–1943) a Henry Hyndman (1842–1921), arweinwyr y dyrfa, ar brawf am derfysg; cafwyd hwy yn ddieuog. Y mis blaenorol, roedd Hyndman wedi ymweld â chwarelwyr Dinorwig ac ysgrifennodd adroddiad ar ei ymweliad yng nghylchgrawn y Social Democratic Federation, *Justice*, 23 Ionawr 1886. Gweler hefyd *BAC*, 11 Awst 1886, 3.

[16] 'Telegrams have just come from Fflint with resumé of Davitt's speech. I suppose you will go to Ffestiniog tomorrow night. I know I would.' Ellis at Daniel, 11 Chwefror 1886 (LlGC, Papurau D. R. Daniel). Am adroddiadau, gweler *BAC*, 17 Chwefror 1886.

[17] Gweler T. W. Moody, *Davitt and Irish Revolution* (Rhydychen, 1982), t. 548; Michael Davitt, *Fall of Feudalism in Ireland or the Land League Revolution* (Efrog Newydd, 1904); ac F. Sheehy Sheffington, *Michael Davitt* (Llundain, 1908). Sylwer bod Henry George, yr economegydd Americanaidd, wedi cyhoeddi ei lyfr dylanwadol, *Progress and Poverty*, yn yr un flwyddyn (1879).

[18] 'Davitt on the Welsh Land Question', *The Times*, 16 Chwefror 1886, t. 6.

[19] *BAC*, 17 Chwefror 1886. Sefydlwyd Cynghrair Tir Cymreig gan olygydd *BAC* – Thomas Gee – yng Ngorffennaf 1887. Gweler hefyd H. du Parcq, *The Life of David Lloyd George* (Cyfrol I), tt. 76–7. Am gysylltiad Cymru ag Iwerddon, gweler C. O'Rahilly, *Ireland and Wales* (Llundain, 1924).

[20] Dyfynnwyd yn E. Morgan Humphreys, *David Lloyd George* (Llandybïe, 1943), t. 15.

21 Ibid. Ysgrifennodd Lloyd George yn ei dyddiadur yn y 1880au: 'Most admired man in real life – Michael Davitt.' W. R. P. George, *The Making of Lloyd George* (Llundain, 1976), t. 88.

22 Ellis at D. R. Daniel, 5 Mawrth 1886 (LlGC, Papurau D. R. Daniel, 63).

23 *SWDN*, 16 Chwefror 1886.

24 Ibid. Cf. ei lythyrau at y *BAC*, 24 Mawrth a 7 Ebrill 1886, a'r gefnogaeth i'w ddadleuon mewn llythyrau o Lundain gan Hugh Davies ac R. T. Owen yn *BAC*, 28 Ebrill 1886. Gweler hefyd lythyr Morris Morgan (Abertawe), *BAC*, 2 Mai 1886, a llythyr gan Tom Ellis dan yr enw 'Cymro' at y *Cambrian News*, 7 Mai 1886. Y mae'r llythyrau hyn – i gyd yng ngwanwyn 1886 – oll yn galw am hunan-reolaeth i Gymru.

25 Tom Ellis at D. R. Daniel, 17 Chwefror 1886 (LlGC, Papurau D. R. Daniel).

26 Hansard, Parl. Debs. (cyfres 3) cyfrol 303, colofn 305 (9 Mawrth 1886). Gweler hefyd *Yr Herald Cymraeg*, 10 Mawrth 1866; *BAC*, 17 Mawrth 1886; *The Liberator*, Ebrill 1886.

27 Lewis Appleton, *Henry Richard* (Llundain, 1889), t. 204. Cf. Rendel at Gee, 16 Mawrth 1887 (LlGC, Papurau Thomas Gee, 8308): 'We must be free, in Wales, to make it a Welsh question pure and simple.' Cf. D. A. Hamer, *Liberalism in the Age of Gladstone and Rosebery* (t. 22): 'the agitation . . . became national rather than denominational.'

28 Ellis at Daniel, 9 Ebrill 1886 (LlGC, Papurau D. R. Daniel).

29 Gwnaethpwyd y gymhariaeth drawiadol hon gan D. R. Daniel. Mae'n cyfateb i'r theori teipoleg personoliaeth, y mewnblyg a'r allblyg; C. G. Jung, *Psychological Types* (Llundain, 1923). O safbwynt y gymhariaeth uchod, gellir tynnu llawer gwrthgyferbyniad: rhwng Davis a Davitt yn Iwerddon, Szechenyi a Kossuth yn Hwngari neu Mazzini a Cavour yn yr Eidal. Gweler hefyd lythyr Ellis at ei ewythr, Thomas Jones, Brynmelyn, 6 Mai 1886 (LlGC, Papurau D. R. Daniel, 35).

30 Tom Ellis at D. R. Daniel, 6 Mai 1886 (LlGC, Papurau D. R. Daniel). Gweler Joseph Foster, *Oxford Men* 1880–1892 (Rhydychen, 1893).

31 R. W. Jones, *John Puleston Jones* (Caernarfon, 1929), tt. 60–2. Roedd Cymdeithas Dafydd ap Gwilym ei hun yn deillio o gymdeithas gynharach a sefydlwyd ym Mai 1880: yr Aberystwyth College Club (ACC), gyda Tom Ellis yn un o'r aelodau sylfaenol; gweler T. I. Ellis, 'Rhydychen yn yr Wythdegau', *Y Llenor* (Gwanwyn 1942). Gweler hefyd, T. Rowland Hughes, 'Cymdeithas Dafydd ap Gwilym', *Y Llenor* (Haf 1931); J. E. Caerwyn Williams, 'Cyfraniad Cymdeithas Dafydd ap Gwilym', *Y Traethodydd* (1983), 184–98, a 'Cymdeithas Dafydd ap Gwilym, Mai 1886–Mehefin 1888' yn Thomas Jones (gol.), *Astudiaethau Amrywiol* (Caerdydd, 1968), t. 138–81. Cf. Saunders Lewis, 'Owen M. Edwards', yn Gwynedd Pierce (gol.), *Triwyr Penllyn* (Caerdydd, 1956), t. 29: 'Ni ellir didoli Cymdeithas Dafydd ap Gwilym na'r dadeni llenyddol Cymraeg oddi wrth y mudiad politicaidd.' Ym Mai 1887, sefydlwyd Cymdeithas Gomer ym Mhrifysgol Caergrawnt; *Cymru Fydd* (Ebrill 1888), 231–4; ibid. (Mehefin 1888), 373–6; ibid. (Ionawr 1890), 57–8.

32 John Burrell: brodor o Gwmystwyth. Gweithiodd gyda chwmni Rothschild yn Llundain cyn dod yn drysorydd anrhydeddus Coleg Prifysgol Cymru, Aberystwyth (1929–32).

33 Thomas Woodward Owen: ganwyd yn y Ship and Castle, Stryd Fawr, Aberystwyth, aeth i weithio fel clerc mewn swyddfa longau cyn dod yn bartner mewn cwmni brocer-llongau. Roedd yn ysgrifennydd cyffredinol Cymru Fydd Llundain 1887–8 ac yn drysorydd anrhydeddus 1889–90. Roedd yn lywydd Undeb Cymdeithasau Diwyllianol Llundain 1922–3. Gweler *Cambrian News*, 20 Ebrill 1934.

34 *Y Goleuad*, 19 Ebrill 1899.

35 *Celt Llundain/London Kelt*, 2 Rhagfyr 1899. Defnyddiwyd y term 'Cymru Vu: Cymru Vydd' fel arwyddair ar fedal arian a gyflwynwyd i Samuel Roberts (1800–1885) gan Gymmrodorion Llundain ar 17 Rhagfyr 1823 am ei draethawd 'O Dduw y mae pob peth'. Gweler Iorwerth C. Peate, 'Welsh Society and Eisteddfod Medals and Relics', *THSC* (1937, 291. Poblogeiddiwyd y ffurf fodern, 'Cymru Fydd' gan y bardd R. J. Derfel.

36 Rhaglen a gynhwysir mewn casgliad o bapurau Cymdeithas y Brythonwys (LlGC, Adran Llawysgrifau, 6891C).

37 T. Gwynfor Griffith, *Garibaldi, 'Cymru Fydd', a Dante* (Abertawe, 1985), t. 7.

38 Tom Ellis at Thomas Jones, Brynmelyn, 9 Mehefin 1886 (LlGC, Papurau D. R. Daniel, 35).

39 Dyfynnwyd yn Tom Ellis at T. Jones, 14 Mehefin 1886 (LlGC, Papurau D. R. Daniel, 35).

40 *BAC*, 26 Mehefin 1886. 'Yr ydym yn deall fod llawer o Ryddfrydwyr Meirionydd, ac yn Llundain hefyd, yn penderfynu talu traul etholiad Mr Ellis, Cynlas, os dewisir ef o'r nifer uchod.'

41 *Cambrian News*, 2 Gorffennaf 1886. Wedi llwyddo cyrraedd y rhestr fer, ildiodd Lloyd George i Ellis. Gweler William George, *My Brother and I* (Llundain, 1958), t. 31.

42 Bargyfreithiwr o Drawsfynydd. Aelod Seneddol Bwrdeistrefi Môn 1874–85. Gweler *BAC*, 3 Gorffennaf 1886; disgrifiwyd Ellis fel 'gŵr ieuanc heb na thir, nac afon, na phesant'.

43 Ibid.

44 Tom Ellis at Ellis J. Griffith, 26 Mehefin 1886 (LlGC, Papurau Ellis Griffith, 338). Gweler *BAC*, 7 Gorffennaf 1886: 'Heddiw, ar yr unfed awr ar ddeg, y mae Mr John Vaughan, Nannau wedi dyfod allan fel Undebwr yn erbyn Mr Ellis, Cynlas. Nis gwyddom am ymgyrch mwy anobeithiol yn yr holl deyrnas.'

45 Cynlas, Llandderfel, 28 Mehefin 1886 (LlGC, Papurau T. E. Ellis, Bocs 3192). *BAC*, 14 Gorffennaf 1886, 'Llythyr Llundain': 'Y mae'n bleser gennyf ddeall fod Cymry Llundain yn gweithio yn anrhydeddus tuag at ddwyn rhan o dreuliau etholiad Mr Ellis dros Meirionnydd. Yn nwylaw Mr Burrell, y mae y tanysgrifiadau eisioes wedi cyrraedd hanner cant o bunnau; a chyn y caeir y rhestr i fyny, diau y bydd y cyfanswm yn llawer mwy.'

46 *Cambrian News*, 2 Gorffennaf 1886. Ganwyd Gibson yn Lancaster ac

wedi gweithio ar yr *Oswestry Advertiser*, penodwyd ef yn olygydd y *Cambrian News*. Yn 1880, prynwyd y papur iddo gan ffrindiau. Daeth y *Cambrian News* yn un o wythnosolion mwyaf dylanwadol Cymru. Gweler *Cambrian News*, 8 Ionawr, 23 Gorffennaf 1915. Dywedodd Thomas Jones yn *Leeks and Daffodils* (Y Drenewydd, 1942), tt. 13–14: 'every public man in the counties of Cardigan and Merioneth lived in fear of being dipped in his inkpot.'

47 *BAC*, 30 Mehefin 1886.

48 Cafodd Ellis gefnogaeth cyfreithwyr ieuanc megis David Rendell (Llanelli), J. Herbert Lewis (Fflint) a'r Athro T. F. Roberts (Caerdydd): *BAC*, 14 Gorffennaf 1886.

49 Gweler, er enghraifft, ei lythyr at Thomas Jones, 6 Gorffennaf 1886 (LlGC, Papurau D. R. Daniel, 35).

50 William Abraham (1842–1922). Aeth o fod yn fachgen-drws mewn pwll glo i fod yn llywydd cyntaf Ffederasiwn Glowyr De Cymru (1898). Etholwyd ef yn AS 'Lib–Lab' Rhondda (1885). Roedd yn ymgorffori y 'Lib–Labiaeth' yn ei ffurf Gymreig. Gweler E. W. Evans, *Mabon* (Caerdydd, 1959) a *BAC*, 21 Gorffennaf 1886.

51 Ffynhonnell: W. R. Williams, *Parliamentary History of Wales* (Aberhonddu, 1895); *BAC*, 21 Gorffennaf 1886.

52 LlGC, Papurau T. E. Ellis, Bocs 3192. Cynhaliwyd 'Gwledd Llongyfarchiadol' i Ellis yn y National Liberal Club. Y 'llwncdestyn' oedd 'Cymru Fydd'; *Herald Cymraeg*, 24 Awst 1886.

53 *Yr Herald Cymraeg*, 10 Awst 1886; *BAC*, 11 Awst 1886.

54 *Yr Herald Cymraeg*, 21 Medi 1886, *BAC*, 22 Medi 1886. Gweler llythyr Dan Isaac Davies yn *BAC*, 1 Medi 1886: '1885–6 neu, o Aberdâr i Gaernarfon', a *BAC*, 8 Awst 1986.

55 Gweler Elwyn Hughes, *Arloeswr Dwyieithedd* (Caerdydd, 1983); Ifano Jones, 'Dan Isaac Davies', yn J. Vyrnwy Morgan (gol.) *Welsh Political and Educational Leaders* (Llundain, 1908), tt. 487–93; John Edward Lloyd, 'Cymdeithas yr Iaith Gymraeg', *Y Llenor*, Gaeaf 1931. Gweler hefyd llythyr Tom Ellis at Dan Isaac Davies, 4 Ionawr 1886 (LlGC, Papurau T. E. Ellis).

56 Llythyr E. J. Griffith at Tom Ellis, 7 Medi 1886 (LlGC, Papurau T. E. Ellis, 722).

57 *Final Report of the Commissioners Appointed to Inquire into the Elementary Education Acts* (PP 1888 (C. 5485)), tt. 144–5.

58 J. Gwenogfryn Evans, 'Welsh Colleges and Professors of Welsh', *Cymru Fydd* (Rhagfyr 1890), 754. Gweler hefyd Robin Okey, 'The First Welsh-Language Society', *Planet*, 58 (Awst–Medi 1986), lle defnyddir y term ieithyddol 'diglossia' i ddisgrifio sefyllfa o ddwyieithrwydd.

59 Thomas Parry, 'Herbert Lewis a'r Llyfrgell Genedlaethol', yn K. Idwal Jones (gol.), *Syr Herbert Lewis* (Caerdydd, 1958), t. 58.

60 *Yr Herald Cymraeg*, 21 Medi 1886. Yn ôl Ellis, roedd hunanlywodraeth 'yn mynd yn ddyfnach na'r holl gwestiynau eraill'. Cf. llythyr Ellis J. Griffith at Ellis, 7 Medi 1886 (LlGC, Papurau T. E. Ellis, 722). Gweler hefyd, *BAC*, 22 Medi 1886 a 'Mr Gladstone on Home Rule in Wales', *The Times*, 28 Medi 1886, t. 8.

61 Thomas E. Ellis, AS, 'Gwleidyddiaeth Genedlaethol', *Y Traethodydd* (Hydref 1886, t. 486–92).

62 Ibid., t. 92.

63 Ibid. Gofynnwyd y cwestiwn 'Is Wales a Nation?' yn *The Times*, 11 Tachwedd 1886, t. 10. Ceir argymhelliad o ffederaliaeth yn Henry Lewis, 'Llywodraeth Cartrefol Canada', *Y Traethodydd* (Mai 1887).

64 Cymdeithas Cymru Fydd Llundain, Rhaglen 1886–87. (LlGC, Adran Llyfrau Printiedig, XHS 1817 C99). Nid yw'r rhaglen hwn wedi cael ei gyhoeddi er 1886 ac nid oes unrhyw gyfeiriad ato mewn unrhyw hanes o'r cyfnod. Ei bwysigrwydd yw ei fod yn profi bod Cymdeithas Cymru Fydd mewn bodolaeth yn Llundain yn 1886.

65 T. E. Ellis, 'Welsh National Unity', *UCW Magazine*, Chwefror 1887, traddodwyd 10 Rhagfyr 1886. Cf. Richard Davies (Tafolog), 'Cymru Fydd', *Y Traethodydd* (Ionawr 1887) 26–36.

66 *Transactions of the Liverpool Welsh National Society*, 1 (1885), t. 3. Gweler hefyd R. Merfyn Jones, *Cymry Lerpwl* (Lerpwl, 1984), tt. 19, 24.

67 *BAC*, 27 Hydref 1886. Roedd Dr Emrys-Jones yn '*evolutionist*, neu mewn geiriau eraill . . . yn credu yn namcaniaeth ddatblygiadol Darwin'. *BAC*, 14 Mawrth 1888.

68 Dr A. Emrys-Jones, 'Cymdeithasau Cenedlaethol y Cymry', *Y Geninen* (Gorffennaf 1891), 146 (papur a draddodwyd o flaen Cymdeithas Dafydd ap Gwilym yn Rhydychen, 16 Mai 1891).

69 *BAC*, 9 Mawrth 1887.

70 William Edwards Davies (1851–1927), Cymmrodor ac eisteddfodwr; cyd-ysgrifennydd (gyda Vincent Evans) Eisteddfod Llundain 1887.

71 Y Parch. Robert Parry (1859–1909), myfyriwr yn Rhydychen gyda Tom Ellis; yna gweinidog gyda'r Methodistiaid Calfinaidd yn Llundain (Stratford) a Llanrug. Gweler R. Parry, *Home Rule for Wales: What Does It Mean* (Llundain, 1888), yn y casgliad *Welsh Political Pamphlets* (Llyfrgell Prifysgol Cymru, Aberystwyth, JN 1151A 2W4C.R).

72 William Jones (1857–1915), athro ysgol; AS Arfon 1895–1915; gweler ei atgofion yn y *London Kelt*, 2 Rhagfyr 1899.

73 'Llythyr Llundain', *BAC*, 4 Mai 1887.

74 Ibid.

75 Gweler ei lythyr at y *BAC*, 28 Ebrill 1886.

76 *BAC*, 4 Mai 1887.

77 Ivor Bowen (1862–1934); myfyriwr yn Gray's Inn (1886–8); QC 1889.

78 'Llythyr Llundain', *BAC*, 25 Mai 1887.

79 *BAC*, 15 Mehefin 1887.

80 *BAC*, 25 Mehefin 1887. Aeth T. Howell Williams a T. W. Owen i Birmingham yn Nhachwedd 1888 i helpu Dr D. C. Lloyd-Owen (1843–1925) i ffurfio cymdeithas Cymru Fydd yno; gweler *BAC*, 7 Tachwedd 1888. Cadeirydd y gymdeithas yn 1890–1 oedd O. H. Edwards; gweler 'Cymdeithasau Cymru Fydd', *Cymru Fydd* (Tachwedd 1890), 695.

81 *Cambrian News*, 20 Ebrill 1934.

82 Thomas Howell Williams (Idris), (1842–1925), etholwyd yn aelod o'r LCC yn 1889, ac yn yr un flwyddyn daeth yn llywydd Cymdeithas

Cymru Fydd Llundain. Roedd yn ymgeisydd aflwyddianus ym Mwrdeisdref Dinbych (1892) a Chaer (1900). Etholwyd ef yn AS Rhyddfrydol Fflint yn 1906 hyd ei ymddeoliad yn 1910. Ychwanegodd 'Idris' at ei enw.

83 'The 'Cymru Fydd' Society', *Cymru Fydd* (Mawrth 1888), 162–3.

84 Ibid. Roedd Tom Ellis yn aelod o gangen Cynlas, T. H. Williams o gangen Caradog a T. W. Owen o Hiraethog.

85 Cynhaliwyd Eisteddfod Genedlaethol arall yn Llundain yn 1909.

86 *Cofnodion a Chyfansoddiadau Eisteddfod Genedlaethol 1887* (Llundain, 1887).

87 Hywel Teifi Edwards, 'Jubilee Eisteddfod', *Planet*, 52, (Awst 1985). Gweler casgliad Toriadau Papur, 1887 (LlGC, Papurau D. R. Hughes, 1). Aeth 'Tywysog Cymru' i'r Eisteddfod am y tro cyntaf, a sefyll i 'Hen Wlad Fy Nhadau'.

88 *Cymru Fydd* (Mawrth 1888), 163.

89 Cf. T. J. Hughes (Adfyfyr), *Neglected Wales* (Llundain, 1887), t. 8: 'Welshmen in America are talking of sending funds over the wide water to aid their compatriots in Wales, just as the Irish in America have helped the Irish in Ireland.' Fodd bynnag, nid oes unrhyw arwydd bod hyn wedi digwydd. Gweler nofel Erasmus Jones, *Llangobaith: A Story of North Wales* (Utica, 1886).

90 *Cofnodion Cymdeithas Cymru Fydd, Llanfair P.G.* (Papurau Prifysgol Cymru, Bangor, 503), 6 Medi 1887, t. 2. Cynhaliwyd y cyfarfodydd yn Ysgoldy'r Bwrdd yn y pentref.

91 Gweler J. E. Caerwyn Williams, 'Syr John Morris Jones: Y Cefndir a'r Cyfnod Cynnar, Rhan II', *THSC* (1966), 24. Sefydlwyd Cymdeithas yr Hen Fangoriaid yn 1880 – yr un flwyddyn â'r Aberystwyth College Club. Gweler hefyd Thomas Parry, *John Morris Jones* (Caerdydd, 1972).

92 *Cofnodion Cymdeithas Cymru Fydd Llanfair P.G.*. Gweler 'What is Wales and Who are the Welsh?', *The Times*, 13 Hydref 1887, t. 11; a 'Welsh Nationalism', ibid., 28 Hydref, t. 4.

93 Saunders Lewis, 'O. M. Edwards', yn G. Pierce (gol.), *Triwyr Penllyn* (Caerdydd, 1956) t. 29; Cf. J. E. Caerwyn Williams, 'Syr John Morris Jones', t. 64. Gweler awdl J. Morris Jones, 'Cymru Fu: Cymru Fydd', yn *Cymru*, Awst 1892. Gweler hefyd Gwilym J. Evans, 'John Morris Jones yn yr Adfywiad Llenyddol o 1886' (Traethawd MA, Prifysgol Cymru, 1945); *Wales*, Rhagfyr 1912, t. 648 a John Morris-Jones, *Caniadau* (Rhydychen, 1907).

94 Term Gramsci yw hwn; gweler G. A. Williams, 'The Concept of *Egemonia* in the thought of Antonio Gramsci', *Journal of the History of Ideas*, 21 (1960), 586–99.

95 Michael D. Jones, 'Cymru Fu a Chymru Fydd', *Y Celt*, 11 Tachwedd 1887.

96 Ibid.

97 Ibid.

98 Evan Williams Evans (1860–1925). Golygydd y *Goleuad*, papur Methodistaidd–Calfinaidd a oedd yn gefnogol i Tom Ellis.

⁹⁹ Thomas John Hughes (1854–1927). Ganwyd ym Mhen-y-bont ar Ogwr. Dechreuodd fel newyddiadurwr, ac yna daeth yn ysgrifennydd Alfred Thomas, AS. Roedd yn awdur *Neglected Wales* (Llundain, 1887), *Landlordiaeth yng Nghymru* (Caerdydd, 1887) a *The Welsh Magistracy* (Caerdydd, 1887).

¹⁰⁰ 'To Our Readers', *Cymru Fydd* (Ionawr 1888), 2.

¹⁰¹ Ellis Edwards (1844–1915). Mab y Parch. Roger Edwards a phrifathro Coleg Diwinyddol y Bala.

¹⁰² Ellis Edwards, *Cymru Fydd* (Ionawr 1888), 6.

¹⁰³ 'Nodiadau o Goleg y Gogledd', *Cymru Fydd* (Chwefror–Mawrth 1888). Gweler hefyd J. E. Caerwyn Williams, 'Syr John Morris Jones, 30–1. Cf. sefydlu Cymdeithas y Gomeriaid yng Nghaergrawnt, 'Nodiadau o Gaergrawnt', *Cymru Fydd* (Mehefin 1888), 375; ac 'Y Gymdeithas Geltaidd' yn Aberystwyth, *UCW Magazine* (Mehefin 1887), 231.

¹⁰⁴ R. J. Derfel, 'Ein Rhagolygon a'n Gwaith', *Cymru Fydd* (Mai 1888), 270–8.

¹⁰⁵ Ar 'R. J. Derfel, Manceinion', gweler Iwan Jenkyn yn *Y Celt*, 24 Chwefror 1888.

¹⁰⁶ R. Parry, *Home Rule for Wales* (Llundain, 1888). Cynwysedig yn y casgliad *Welsh Political Pamphlets* (Llyfrgell Hugh Owen, Aberystwyth, Casgliad Celtaidd, JN1151AZW4CR).

¹⁰⁷ Ibid., t. 1.

¹⁰⁸ Ibid., t. 7.

¹⁰⁹ Ibid., t. 8.

¹¹⁰ 'Pa Beth yw y Nod?', *Cymru Fydd* (Ebrill 1888), 225.

¹¹¹ T. Walter Williams, QC, *Home Rule for Wales* (Aberdâr, 1888), t. 7. Cf. T. Walter Williams, 'Home Rule', *Cymru Fydd* (Gorffennaf 1888), 387: 'Federalism is a compromise between the system of small states and the system of large states.'

¹¹² Owen Morgan Edwards (1858–1920); gweler W. J. Gruffydd, *O. M. Edwards: Cofiant* (Aberystwyth, 1937); Rhifyn Coffa, *Cymru* (Ionawr 1921).

¹¹³ Richard Humphreys Morgan (1851–99); aeth i Brifysgol Dunedin (1870–4) lle graddiodd ag MA; gweinidog gyda Methodistiaid Calfinaidd Porthaethwy. Gweler John Owen, 'Richard Humphreys Morgan', *Y Traethodydd* (Gorffennaf 1899), 284–97. Gweler hefyd R. H. Morgan 'Cynnydd Rhyddid', *Y Traethodydd* (Mai 1890), 202–12.

¹¹⁴ Gweler R. H. Morgan, 'To Our Readers' ac O. M. Edwards, 'Tri Deffroad', *Cymru Fydd* (Mehefin 1889), 273–8. Dechreuwyd cyfres newydd ar 'Llafar Gwlad' yn cynnwys cyfraniad ar 'Dafodiaith Sir Fflint' gan Daniel Owen (1836–95), *Cymru Fydd* (Tachwedd 1889), 605.

¹¹⁵ Gweler Edward Caird, *Hegel* (Llundain 1883) a T. H. Green, *Lectures on the Principles of Political Obligation, Works, Volume II* (Llundain, 1886). Gweler hefyd Edward Caird, *The Moral Aspect of the Economic Problem* (Llundain, 1888); 'Diwylliant a Gwybodaeth', *Y Traethodydd* (Ionawr 1896), 1–13.

¹¹⁶ O. M. Edwards, 'Dylanwad Edward Caird', *Cymru Fydd* (Awst 1890), 508. Gweler Syr Henry Jones a J. H. Muirhead, *The Life and Philosophy of Edward Caird* (Glasgow, 1920).

[117] H. J. W. Hetherington, *The Life and Letters of Sir Henry Jones* (Llundain, 1924); J. H. Muirhead, 'Sir Henry Jones', *Proceedings of the British Academy*, X (1921–3); Henry Jones, *Old Memories* (Llundain, 1923). Gweler hefyd William J. Brazill, *The Young Hegelians* (Yale, 1970).

[118] Er enghraifft, gweler y traethawd a gyfrannodd ef ar 'The Social Organism', yn Andrew Seth a R. B. Haldane (gol.) *Essays in Philosophical Criticism* (Llundain, 1883); troswyd y traethawd i'r Gymraeg fel 'Y Corff Cymdeithasol', *Y Traethodydd* (Gorffennaf 1884), 261–82. Roedd yr Albanwr, Andrew Seth (1856–1931) yn athro athroniaeth cyntaf Coleg y Brifysgol, Caerdydd (1883–7).

[119] Henry Jones, *Wales and its Prospects* (Wrecsam, 1890); 'Yr Addysgiaeth Uwch a Bywyd Cenedlaethol Cymru', *Y Traethodydd* (Medi 1895). Olynydd Henry Jones yng nghadair athroniaeth Bangor oedd myfyriwr arall o Glasgow, Evan K. Evans (1860–1941), awdur *Fy Mhererindod Ysbrydol* (1938). Gweler hefyd adroddiad am olynydd Andrew Seth, W. R. Sorley (1855–1935), yn traddodi darlith ar 'Sosialaeth', *Cymru Fydd* (Mawrth 1888), t. 176; roedd Sorley yn athro athroniaeth Coleg y Brifysgol, Caerdydd, 1888–94.

[120] M. B. Owen, 'Edward Caird', *Seren Gomer*, Gorffennaf 1909, t. 183–90; 'Hegel a Hegeliaeth', *Seren Gomer*, Mai 1912, 113–8. Gweler D. G. Ritchie, *The Principles of State Interference* (Llundain, 1891); R. B. Haldane, 'Hegel', *Contemporary Review* (1895) a 'The New Liberalism', *Progressive Review*, Tachwedd 1896; Ben Wemde, *T. H. Green's Theory of Positive Freedom* (Llundain, 2005).

[122] Ivor Bowen,'Political and Social Economists of Wales', *Cymru Fydd* (Mai 1890), t. 261: 'the moralist with whom the great philosopher Kant has most affinity is Price . . . in fact Kantism, in the ethical thought of modern Europe, holds a place analogous to that occupied by the teaching of Price and Reid among ourselves.' Gweler 'Notes: The "British Weekly" and "Cymru Fydd"', ibid., 312–13; *British Weekly*, 4, 11 Ebrill 1890, yn dangos anawsterau moesoldeb gwleidyddol Henry Jones. Gweler hefyd J. A. Hobson, 'The Restatement of Democracy', *Contemporary Review* (Chwefror 1902); Karl Popper, *The Open Society and Its Enemies*, Cyfrol 2 (Llundain, 1966, 2002); Howard Williams, *Kant's Political Philosophy* (Rhydychen, 1983).

[123] Tom Ellis at W. J. Parry, 28 Mai 1890 (Prifysgol Cymru, Bangor, Papurau Coetmor, 113). Cf. llythyr J. A. Price at J. E. Lloyd, 12 Mai 1891 (Prifysgol Cymru, Bangor, Papurau Lloyd, 314 (439)) yn cyfeirio at 'y mudiad ultra-democrataidd yn ysgubo trwy Gymru'.

[124] Gweler J. Glyn Davies, *Nationalism as a Social Phenomenon* (Lerpwl, 1965), tt. 40–1; A. G. Jones, *Press, Politics and Society* (Caerdydd, 1993).

[125] O. M. Edwards, 'Au Revoir', *Cymru Fydd* (Ebrill 1891), 233–6.

[126] J. Owen, 'Prifysgol Cymru', *Cymru* (Awst 1891), 6–8.

[127] Ellis Edwards, 'Prifysgol Cymru ac Addysg y Bobl', *Cymru* (Awst 1891), 14.

[128] Rhagair, *Cymru'r Plant* (Ionawr 1892), 1. Roedd y cylchgrawn yn dal i gael ei ddarllen gan blant yn y 1960au (er enghraifft, yr awdur).

[129] William Llewelyn Williams (1867–1922); ganwyd yn Llansadwrn, addysgwyd yng Ngholeg Brasenose, Rhydychen. Roedd ef (fel J.M.J.) yn un o aelodau cyntaf Cymdeithas Dafydd ap Gwilym yn 1886, lle cafodd y llysenw, 'y Trwyn Hy' ('the Brasen Nose'). Graddiodd ag anrhydedd ail ddosbarth mewn hanes. Enw arall arno oedd Llew. Gweler J. Arthur Price, 'Llewelyn Williams', *Welsh Outlook* (Mehefin 1922).

[130] *South Wales Star*, 20 Mawrth 1891.

[131] 'Riches come from nationhood', *South Wales Star*, 21 Awst 1891.

[132] 'The organ of Young Wales', Cardiff Column, *South Wales Star*, 29 Ebrill 1892.

[133] J. Arthur Price, 'Llewelyn Williams', *Welsh Outlook* (Mehefin 1922).

[134] W. Llewelyn Williams, 'Political Life', yn Viscountess Rhondda (gol.), *D. A. Thomas, Viscount Rhondda*, (Llundain, 1921), t. 70.

[135] 'Legal Jobbery and the Welsh Language', *South Wales Star*, 21 Awst 1891.

[136] Ibid., 12 Chwefror 1892.

[137] Llewelyn Williams at Tom Ellis, 19 Chwefror 1892 (LlGC, Papurau T. E. Ellis, 2134).

[138] *South Wales Star*, 22 Ebrill 1892.

[139] Ibid., 23 Medi 1892.

3

Strwythur Rhyddfrydiaeth Gymreig

(1886–1891)

Cyn 1886, ar wahân i Gymdeithasau Etholaethol a Chlybiau Rhyddfrydol yn y trefi, nid oedd strwythur ffurfiol i Ryddfrydiaeth Gymreig. Yn wir, roedd mwy o drefn ar y Gymdeithas Rhyddhad (*Liberation Society*) a sefydlwyd yn 1844, gyda'r bwriad o ddat-gysylltu Eglwys Lloegr.[1] Apwyntiwyd un o Gymry Llundain, John Carvell Williams, yn ysgrifennydd amser-llawn cyntaf y mudiad yn 1847. Erbyn 1883, roedd cyfansoddiad newydd ar y Gymdeithas Rhyddhad yng Nghymru, gyda dau gyngor – un yn y gogledd a'r llall yn y de – yn ogystal â chynrychiolwyr lleol yn Abergele, Llanfyllin, Llanrug, Felinfoel ac Abertawe.[2] Roedd y rhyddfreinwyr hyn yn fodel i'r rhyddfrydwyr – roeddent yn benderfynol, yn egnïol a threfnus. Yn ogystal, roedd cannoedd o Gymry alltud yn Lerpwl, Manceinion a Llundain yn cyfrannu'n hael at goffrau'r Gymdeithas.[3] Adeiladwyd strwythur Rhydd-frydiaeth Cymru ar y blaengynllun hwn.[4]

Daeth yr arweiniad o'r Gogledd-ddwyrain, o dref ddiwydian-nol Wrecsam, Sir Ddinbych. Y meddwl y tu ôl i'r syniad o gael ffederasiwn Rhyddfrydol yng ngogledd Cymru oedd William Hawkins Tilston, ysgrifennydd Cymdeithas Ryddfrydol Dwyrain Dinbych. Cylchlythyrodd ei gyd-ysgrifenyddion yn y gogledd ar y syniad o ffederasiwn, yn cynnwys Trefaldwyn (ond nid Ceredigion). Roedd Tilston wedi cael y syniad yn Ebrill 1886, cyn yr etholiad cyffredinol, fel y gwelir o lythyr A. C. Humphreys-Owen, QC (1836–1905),[5] asiant AS Trefaldwyn: 'I do not like to act without your advice on the subject of the proposal for a Welsh Liberal Union. It comes from Tilston of Wrexham, the Liberal agent.'[6] Mae'n amlwg o'r llythyr hwn bod gwrthwynebiad lleol yn Nhrefaldwyn tuag at ffederasiwn Gogleddol, a gwelir o'r adroddiad am gynhadledd ymgynghorol a gynhaliwyd yn Neuadd y Dref, Y Rhyl, 22 Mehefin, fod gwrthwynebiad mewn etholaethau eraill hefyd: 'Darllenodd W. Hawkins Tilston, Wrecsam, yr hwn oedd wedi galw y cyfarfod, nifer luosog o lythyrau oddi wrth foneddigion a oedd yn methu bod yn bresennol.'[7] Fodd bynnag, pleidleisiwyd o blaid yr egwyddor o sefydlu ffederasiwn a rhoddwyd i J. Herbert Lewis, cyfreithiwr ieuanc, y dasg o lunio rheolau,[8] a phenderfynwyd cynnal cyfarfod arall ar ddiwedd y flwyddyn. Gyrrodd Tilston ail gylchlythyr allan yn Nhachwedd. Roedd cynrychiolwyr Trefaldwyn wedi eu habsenoli eu hunain o'r cyfarfod ym Mehefin, a chafwyd dadlau brwd yn ystod yr hydref o blaid ac yn erbyn y ffederasiwn. Roedd Rendel a Humphreys-Owen yn credu y dylid cael naill ai un ffederasiwn genedlaethol, neu dri, yn cynnwys canolbarth Cymru:

> I can understand a Welsh Liberal Federation but what does a 'North Wales Liberal Federation' mean? . . . – when you divide Wales, I say, you must show cause . . . In the interests of Montgomeryshire I am inclined that if there is to be a breaking up of the Principality then we had better have it tripartite. Tell me of 'North-Wales' and I tell you of 'Mid-Wales'.[9]

Cafodd Rendel gefnogaeth oddi wrth ei asiant,[10] ac atebwyd cylchlythyr Tilston yn negyddol: 'I have written back . . . not giving way the least from our position of one federation or three.'[11] Byddai un ffederasiwn Cymreig wedi bod yn well na dau, ond byddai tri wedi bod yn waeth. Er gwaethaf eu hamheuaeth ynghylch ffederasiwn gogleddol, cynghorodd Humphreys-Owen ei Aelod Seneddol i fynd i'r ail gynhadledd yn y Rhyl.[12] Cynhaliwyd y gynhadledd ar 14 Rhagfyr 1886. Y tro hwn, roedd yn gyfarfod ffurfiol i sefydlu Ffederasiwn Rhyddfrydol Gogledd Cymru, ac roedd llywyddion, is-lywyddion ac ysgrifenyddion pob etholaeth o Fôn i Drefaldwyn yno.

Cyrhaeddodd Rendel y gynhadledd yn hwyr – yn fwriadol, mae'n debyg – a phan gerddodd i mewn i'r neuadd, gwelodd ar y llwyfan y llywydd, W. R. Evans (Wrecsam), Bryn Roberts (AS Eifion), Tom Ellis (AS Meirion), Tom Lewis (AS Môn), W. H. Tilston (Wrecsam) a Francis Schnadhorst (Llundain).[13] Roedd Schnadhorst ar ei draed yn sicrhau'r gynhadledd y byddai'r ffederasiwn newydd 'mor annibynnol ar y Ffederasiwn Seisnig ag y bydd pob Cymdeithas Ryddfrydig Gymreig ar y Ffederasiwn Gymreig'.[14] Ymddengys i'r datganiad hwn liniaru gwrthwynebiad Rendel.

Pasiwyd penderfyniad a gynigiwyd gan Thomas Gee (1815–98), golygydd *Baner ac Amserau Cymru*, i'r perwyl bod 'nifer aelodau y Cyngor i'w benderfynu gan nifer yr etholwyr seneddol ymhob dosbarth, sef un am bob 250 etholwyr'.[15] Roedd y cyngor hwn yn cyfarfod yn flynyddol ac roedd y gweinyddiad cyffredinol yn nwylo pwyllgor gwaith o 16 a oedd yn adlewyrchu poblogaeth y siroedd. Roedd 12 o Gymdeithasau Etholaethol wedi eu ffedereiddio yn y gyfundrefn newydd.[16]

Yn ei araith ef, dywedodd Rendel fod Cymru yn 'Gladstonaidd' i'r gwraidd, a chyfeiriodd at Gladstone fel 'yr unig ddolen rhwng Rhyddfrydiaeth Gymreig a Seisnig. Torrer y ddolen honno, yna nis gallent hwy fel Rhyddfrydwyr roddi cyfrif o'u sefyllfa dyfodol. (Clywch, clywch.)'[17] I'w syndod, etholwyd ef yn llywydd y ffederasiwn newydd,[18] ac apwyntiwyd Humphreys-Owen yn gadeirydd y pwyllgor gwaith. Roedd yn hen dric mewn gwleidyddiaeth Gymreig i ethol gwrthwynebwyr i bwyllgor er mwyn rhoi terfyn ar eu gwrthwynebiad. Ysgrifennydd y ffederasiwn newydd oedd y 'Schnadhorst Cymreig'[19] – W. H. Tilston, a'r trysorydd oedd J. Herbert Lewis. Rhoddwyd y clo ar y gynhadledd gydag araith adeiladol gan A. J. Mundella, AS[20] a gafodd diwtorial gan Gladstone ym Mhenarlâg ar ei ffordd i'r Rhyl.[21]

O fewn wythnos i sefydlu'r ffederasiwn, roedd Rendel wedi cael sgwrs â Schnadhorst yn Llundain a oedd wedi ei sicrhau ymhellach y byddai'r strwythur newydd yn annibynnol o *apparat* Llundain.[22] Roedd ei etholiad yn llywydd wedi dileu ei wrthwynebiad blaenorol:

> My election was in itself evidence to Montgomeryshire of due consideration at the hands of the Federation . . . I have now convinced myself that our wisest course is to cordially accept our place in the NWF and to aid it in its effort to establish such a form of juncture with South Wales, as will give to the entire Principality community of action and aim and ensure to Wales as Wales a definite place in the counsels of the entire Liberal party while retaining to it all necessary freedom and independence of action.[23]

Apwyntiwyd dirprwyaeth o Ffederasiwn y Gogledd i ymweld â Rhyddfrydwyr y De i geisio cael ffederasiwn cyfatebol yno hefyd:

> One early duty of the Executive Committee should be, I think, the settlement of some satisfactory form of nexus between North and South Wales. I am glad to see steps have already been taken with this object.[24]

Sefydlwyd Ffederasiwn Rhyddfrydol De Cymru yng Nghaerdydd yn Ionawr 1887, gyda Schnadhorst unwaith eto yn bresennol. Etholwyd Lewis Dillwyn yn llywydd, Thomas Williams UH (Merthyr) yn gadeirydd, y cynghorydd radicalaidd Robert Burnie (Abertawe) yn drysorydd a Richard Hall yn ysgrifennydd. Ffurfiwyd Cyngor o 1,200 a Phwyllgor Gwaith o 60.[25] Ymysg y cymdeithasau a berthynai i'r ffederasiwn oedd Cymdeithas Rhyddfrydwyr Ieuanc Caerdydd a oedd wedi ei ffurfio yn Chwefror 1886.[26]

Roedd sefydlu'r ddau ffederasiwn yn gwahanu ac felly, mewn gwirionedd, yn gwanhau Cymru. Roedd y ffederasiynau yn gam ymlaen o safbwynt Rhyddfrydiaeth yng Nghymru, ond nid felly o safbwynt Rhyddfrydiaeth Gymreig. Dyma oedd barn sylwebydd craff megis Ceinion Thomas,[27] golygydd *Y Celt*: 'Y mae'r cyfansoddiad ymhell o fod yn foddhaol i'n teimlad fel Cymry . . . Bydded hysbys yr ydym yn Gymry yn gyntaf ac yna yn Rhyddfrydwyr.'[28] Cydgordio a chynhyrchu pamffledi ar bynciau megis addysg, y tir a datgysylltu oedd prif weithgarwch y ddau ffederasiwn rhanedig hyn.[29]

Cyngor Cenedlaethol Rhyddfrydol

Ceisiodd arweinwyr y ddau ffederasiwn oresgyn yr hollt drwy ffurfio Cyngor Cenedlaethol. Cyfarfu dirprwyaeth o'r gogledd a'r de yn yr Amwythig ym Mai 1887,[30] i baratoi ar gyfer cyfarfod o bwyllgorau gwaith y ffederasiynau yn Aberystwyth yn yr hydref. Ffurfiwyd Cyngor Cenedlaethol Rhyddfrydol Gymreig mewn cyd-gynhadledd dros ddau ddiwrnod yn Aberystwyth, 7–8 Hydref 1887. Dewiswyd gwyrdd a gwyn fel 'lliwiau' a 'Cymru Fydd' fel arwyddair y cyngor.[31] Fodd bynnag, er bod y cynadleddwyr yn eu canmol eu hunain ar eu 'llwyddiant', nid 'cyngor' a ffurfiwyd ganddynt, mewn gwirionedd, ond cyd-bwyllgor. Roedd *dau* ysgrifennydd i fod i'r Cyngor Cenedlaethol, sef W. H. Tilston ac R. N. Hall.

Ffigur 3.1

Strwythur Rhyddfrydiaeth Gymreig, 1887

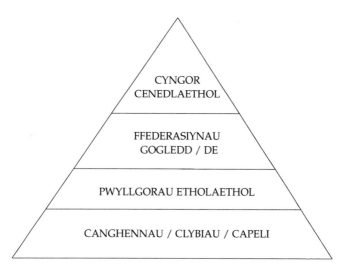

CYNGOR
CENEDLAETHOL

FFEDERASIYNAU
GOGLEDD / DE

PWYLLGORAU ETHOLAETHOL

CANGHENNAU / CLYBIAU / CAPELI

Etholwyd Rendel yn llywydd y cyngor newydd, ac yn ôl Rendel, ei bwrpas oedd 'canolbwyntio a mynegi polisi Cymreig'.[32] Diddorol yw cymharu agweddau'r ddau ysgrifennydd ar y cyngor. Yn ôl Tilston,

> the claims of Wales will receive an attention which they have never received in the past. Nothing can better illustrate this than the fact that immediately such a body, thoroughly representative of Wales, had been formed and spoken its mind on Welsh Disestablishment, that subject was accepted by the Liberal Party as ripe for legislation.[33]

Cyfeiriad oedd hyn at gyfarfod y Blaid Ryddfrydol yn Nottingham (yn syth ar ôl cynhadledd Aberystwyth) pan dderbyniwyd yn unfrydol benderfyniad Stuart Rendel (wedi ei eilio gan Tom Ellis ac Ellis Edwards) y dylid gosod Datgysylltiad Cymreig ar y rhaglen Ryddfrydol.[34] Ym marn Tilston, felly, roedd cyfansoddiad y cyngor yn dechrau 'epoc newydd' yn hanes Cymru.[35]

Yn arwynebol, ymddengys fod R. N. Hall, Ysgrifennydd Ffederasiwn y De, yn cytuno:

> I think, so far, the Council has given fair warrant of its existence . . . and it has justly earned an amount of confidence from the Party . . . I am most anxious the position of the Council should be so assured in every way, that it may be competent to cope at a moment's notice, without hesitation, backed up by paramount authority and the amplest means – with any and every contingency which may befall Welsh politics.[36]

Yn anffodus, roedd y ddau ysgrifennydd yn genfigennus ac yn amheus o'i gilydd. Cyhuddodd Hall y llywydd o ffafrio Tilston.[37] Gellir cymryd eu perthynas bersonol fel symbol o berthynas y ddau ffederasiwn: roedd y pryf yn afal Rhyddfrydiaeth Gymreig o'r dechrau yn yr ystyr ei bod yn strwythurol ranedig. Dyma oedd barn golygydd bachog y *Cambrian News*, John Gibson, flwyddyn ar ôl sefydlu'r Cyngor:

> A federated feebleness that seems to have exhausted itself in putting roofs on unbuilt political structures, and in publishing dreary platitudes . . . There is keen political intelligence in Wales, but it is not instructed . . . The intelligent people of Wales laugh at the federations in which nothing is federated, and point the finger of scorn at self-elected Grand Councils . . . The need of Wales is: a well-instructed people who will choose their own council – a real body.[38]

Cytunai Rendel, llywydd y cyngor roedd Gibson yn ymosod arno:

> Both Federations are too much open to Gibson's charge, that they are imposters. But besides that both Federations stand on too small a basis of real support and have rivals in their own field. The North has Gee and the Anti-Tithe League. The MPs are lukewarm. I am confirmed in my growing conviction that in the circumstances the Federations are doing more harm than good.[39]

Dyma, hefyd, oedd dadansoddiad Cymru Fydd: mewn ym-
raniad y mae gwendid. Eu bwriad hwy fyddai dileu y ddau
ffederasiwn yn gyfan gwbl.

Yn Awst 1891, yn Aberystwyth, ffurfiwyd dimensiwn arall i
strwythur Rhyddfrydiaeth Gymreig – Undeb Rhyddfrydol Merched
Cymru, a oedd yn uno Cymdeithasau Merched Rhyddfrydol oedd
wedi datblygu yn ystod y 1880au:

> The object of the Union is to promote the interests of women, of
> Wales and of Liberalism, and to that end women of all classes and
> creeds have joined hand in hand and heart with heart in earnest
> endeavour.[40]

Y llywyddes oedd Mrs D. A. Thomas a'r ysgrifenyddes oedd Mrs
Bertha Evans. Cymerwyd rhan flaenllaw ym mudiad y merched
gan Mrs Wynford Philipps (gwraig Aelod Seneddol Penfro), a
Miss E. P. Hughes, prifathrawes Coleg Hyfforddi Athrawesau
Caergrawnt.[41] Eu rhaglen oedd addysg a'r bleidlais i ferched, a
chawsant gefnogaeth gyhoeddus Cymru Fydd. Roeddent yn
flaengar yn cefnogi 'Dosbarthiadau Cymysg mewn Ysgolion
Canolraddol'.[42] Erbyn 1895 roedd ganddynt ddeng mil o aelodau.
Roedd 'Cymru Fydd' yn cynnwys merched yn ogystal â dynion.

Hyd yn hyn, rydym wedi bod yn canolbwyntio ar agweddau
diwylliannol a gwleidyddol strwythur Rhyddfrydiaeth Gymreig;
ond roedd agwedd ddosbarth iddo hefyd. Cynghrair oedd
Rhyddfrydiaeth Gymreig rhwng y dosbarth canol a'r uwch
ddosbarth gweithiol neu'r werin. Roedd Deddf Diwygio 1884
wedi estyn y bleidlais i weithwyr y siroedd (hynny yw, pleidlais
i bob deiliad-tŷ a lletywr £10 y flwyddyn). Golygai hyn i'r
bleidlais fwy na dyblu yn y siroedd Cymreig – o 74,936 i
200,373.

Nid oedd hyn yn rhoi'r bleidlais i'r labrwyr di-grefft ond,
yn hytrach, i'r crefftwyr a'r ffermwyr. Y rhain – strata uchaf y
gweithwyr a'r gwladwyr – a ddarllenai bapur newydd a sefydlwyd
yn 1885 ar eu cyfer, Y Werin. Prif sylfaenydd a golygydd cyntaf yr
wythnosolyn hwn oedd W. J. Parry, Mabon y Gogledd.[43] Dan
olygyddiaeth Parry (1885–8), yn nhref sirol Caernarfon, yr oedd
yn bapur radicalaidd, ymosodol, yn amddiffyn ac yn cefnogi
hawliau'r gweithwyr yng ngogledd Cymru.[44] Hwn oedd y papur
hanner-ceiniog cyntaf yng Nghymru. Ysgrifennodd Cymru

Fyddwyr Môn, Llanfairpwll, yn rheolaidd i'r *Werin*; er enghraifft, y mae chwe erthygl o law John Morris-Jones yn 1886: 'Pwy Wnaeth y Ddaear?' (11 Medi);[45] 'Pwy Bia'r Tir?' (18 Medi); 'Caethweision Gwynion' (2 Hydref); 'Gyfoethogion Udwch!' (18 Hydref); 'Rhent a Degwm' (6 Tachwedd); 'Eilunaddoliaeth' (4 Rhagfyr). Roedd yr erthyglau hyn i gyd yn ymosod yn galed ar Dirfeddiannaeth a gormeswyr y gweithwyr; efallai eu bod yn egluro y gwahoddiad a dderbyniodd J.M.J. ym Mai 1887 gan rai o weithwyr Môn i sefyll fel 'ymgeisydd seneddol sosialaidd'[46] ar gyfer etholaeth Ynys Môn. Cyfrannwr rheolaidd arall at *Y Werin* oedd y sosialydd cynnar, 'Ap Ffarmwr',[47] athro ysgol yn Nwyran, Môn, ac aelod arall o Gymru Fydd Llanfairpwll.

Pwy oedd 'y werin'? Beth yw ystyr y gair? Mae dau ystyr i'r term: un yw'r ystyr llafar, cyffredinol fel y ceir yn *Geiriadur Prifysgol Cymru*, sef 'y bobl gyffredin, pobl y wlad (people, populace)'. Ond mae ystyr hanesyddol, cymdeithasegol i'r term 'gwerin', hefyd. Sylwer yn gyntaf mai'r amser y mae'r gair yn dod yn gyffredin, ar lafar, yw ail hanner y bedwaredd ganrif ar bymtheg. Mae hyn yn awgrymu yn gryf ei fod yn ddisgrifiad o ffenomen gymdeithasol – y ffenomen o gynnydd grym y dosbarth gweithiol. A oedd y gair 'gwerin', felly, yn cyfateb yn union i'r gair 'gweithwyr'? Awgrymir yma mai ystyr y gair 'gwerin' mewn termau strwythurol oedd 'pendefigaeth y gweithwyr' (the aristocracy of labour), hynny yw, y stratwm uchaf o'r dosbarth gweithiol Cymreig.[48]

Roedd y werin yn fath o 'bendefigaeth' mewn dau ystyr: yn gyntaf roeddent yn tueddu i fod yn fwy cyfforddus o safbwynt economaidd na'r labrwyr di-grefft; yn ail, roedd ganddynt statws parchus o safbwynt diwylliannol. Roedd nifer ohonynt yn ddiaconiaid yn eu capeli, yn drefnyddion mewn undebau ac eisteddfodau, ac roeddent yn aml yn ddwyieithog ac yn ddarllengar. Mewn geiriau eraill, yr oedd eu buchedd, neu ddull o fyw, yn wahanol.[49] Wrth gwrs, nid oedd hyn yn wir am bob crefftwr na phob ffermwr ond mae'r ddamcaniaeth gyffredinol yn dal dŵr; fel y mae Caerwyn Williams wedi dweud:

Mae'n ffasiwn bellach dweud na bu gwerin O. M. Edwards, y werin ddarllengar, awchus am wybodaeth, yn byw yn unman ond yn ei ddychymyg ef ei hun, ond ni allaf i dderbyn hyn. Ceir tystiolaeth i'r werin hon gan rai heblaw O.M., ac yn wir y mae llwyddiant ei weithgarwch ef yn brawf o'i gwirionedd.[50]

Ac nid ffenomen ogleddol yn unig mo'r werin; yr oedd Mabon yn werinwr. Roedd gwaith y beirdd o'r de, Crwys (1875–1968), Islwyn (1832–78) ac Elfed (1860–1953), yn dangos bod y werin yn ffenomen gymdeithasol genedlaethol yn ail hanner y bedwaredd ganrif ar bymtheg.[51] Mewn geiriau eraill mae'r cysyniad o 'gwerin' yn cynnwys ynddo 'bendefigaeth' y gweithwyr *a'r* gwladwyr yng Nghymru. O'r safbwynt gwleidyddol, roeddent yn dueddol i gefnogi'r Blaid Ryddfrydol, yn enwedig Rhyddfrydwyr Llafur (Lib–Lab), a gellir gweld deinamig Cymru Fydd yn dod o gynghrair y werin gyda'r bwrgeiswyr Cymreig yn erbyn y tir-feddianwyr Anglicanaidd.[52] Anghydffurfiaeth – eu statws israddol o'u cyferbynu â'r Anglicanaid – oedd yn asio'r ddau ynghyd yn y gogledd a'r de. Ond roedd hefyd agwedd economaidd i'w brwydr a gellir gweld hyn orau yn Rhyfel y Degwm.

Rhyfel y Degwm

Roedd dirwasgiad wedi taro amaethyddiaeth a diwydiant ym Mhrydain yn ystod yr 1870au a'r 1880au. Gwelwyd yr effeithiau o Sir Ddinbych i Swydd Dorset.[53] Achoswyd hyn yn rhannol gan gystadleuaeth dramor. Cryfhaodd y dirwasgiad amaethyddol yr elyniaeth a oedd yn bodoli yng Nghymru rhwng y ffermwyr tenant a'r tirfeddianwyr. Cafwyd cynhaeaf arbennig o wael yn 1886 ac roedd hynny yn un o'r rhesymau am ddechrau mudiad gwrth-ddegymol yn y flwyddyn honno.

Y 'degwm' oedd y ddegfed ran yr oedd yn rhaid i'r ffermwyr dalu i Eglwys Loegr, ac roedd wedi bod yn asgwrn cynnen am hanner canrif ers Deddf Degwm 1836 a gadarnhaodd mai'r tenant oedd i dalu'r degwm ac yn gorfodi taliad ariannol. Fe ddaeth y baich yn ormod i'w oddef erbyn canol yr 1880au.[54] Yng nghanol y dirwasgiad, fel petai yn paratoi ar gyfer y gwaethaf, ffurfiwyd Cynghrair Amddiffyn Eiddo Gogledd Cymru gan gynrychiolwyr dosbarth y tirfeddianwyr, yn Rhagfyr 1885, dan arweiniad J. E. Vincent QC.[55]

Cafwyd yr helynt cyntaf yn Sir Ddinbych yn Nyffryn Clwyd pan wrthododd dri o'r ffermwyr dalu eu degwm yn Llandyrnog. Ymledodd eu safiad fel tân-gwyllt trwy'r dyffryn. Cafwyd y brotest ffurfiol gyntaf yn Llanarmon ar ddiwedd Awst 1886 mewn gwerthiant o eiddo ffermwyr a wrthodent dalu'r degwm.

Cyhoeddodd Thomas Gee: 'Y mae brwydr cyntaf rhyfel y degwm wedi ei hymladd!'[56] Cafwyd mwy o derfysg mewn gwerthiant yn yr Hendre, Llanfair Dyffryn Clwyd yn wythnos gyntaf Medi, a gwelodd Gee – ac efe fyddai'r 'meddwlfeistr' y tu ôl i'r ymgyrch – fod angen system i drefnu a chydgordio'r brotest. Yn Rhuthun, felly, o dan ei gadeiryddiaeth ef, ffurfiwyd Cymdeithas Cynorthwyo Gorthrymedigion y Degwm.[57] Erbyn diwedd Medi roedd yr helynt yn newyddion ym mhapurau'r Cyfandir.[58]

Gwelodd y Cymru Fyddwyr yn gyflym botensial y werin a phwysigrwydd uno mudiadau ieuenctid â mudiad y dosbarth gweithiol. O dan y teitl 'Pwnc Llafur yng Nghymru' yn *Baner ac Amserau Cymru*, rhestrwyd cysylltiadau 'llafur' â chwestiynau eraill:

Dyma faes ardderchog i ddarlithwyr colegau Cymru yn eu darlithiau poblogaidd, i newyddiaduron Cymru, ac i gymdeithasau 'Cymru Fydd', y rhai, yr ydym yn disgwyl, a sefydlir ymhob pentref, a llan, a thref yng Nghymru.[59]

Mewn cyfarfod ar y cyd gydag Ellis J. Griffith ym Mlaenau Ffestiniog gwnaeth T. E. Ellis y cysylltiad yn eglur; dywedodd fod ymreolaeth:

yn mynd at wraidd ein bywyd cymdeithasol a gwleidyddol fel cenedl. Dyma gwestiwn a dyn allan eu holl adnoddau fel dinaswyr ac fel diwygwyr. Bydd brwydro amdano yn iechyd i'n cenedl, yn cryfhau ein gewynau cenedlaethol, bydd yn ein rhoddi ar dir teg fel pobl . . . Gyda gweithwyr a ieuenctid Cymru y gorwedd penderfyniad y cwestiwn. Gan ieuentid Cymru y mae gobeithion y dyfodol; yn nwylaw gweithwyr Cymru y mae y gallu gwleidyddol. Os gweithia y ddau ddosbarth hwn yn unedig ac yn egnïol, y mae dyfodol disglair o flaen cenedl y Cymry.[60]

Dyma oedd ei farn breifat hefyd: 'the tithe war is kept up very well . . . It is a form of the awakening of Wales!';[61] ac roedd ei ffrind, Ellis Griffith, yn gwneud cymariaethau â hanes Iwerddon.[62]

Erbyn yr hydref, yr oedd y mudiad gwrth-ddegymol wedi cyrraedd Abergele yn y gogledd a Llandysul yn de.[63] Gwahoddwyd T. E. Ellis i siarad o flaen Cymdeithas Genedlaethol

Gymreig Lerpwl yn Nhachwedd a dewisodd fel ei bwnc, 'Deddfau Tirol Cymru'.[64] Wedi dadansoddiad hanesyddol dysgedig, mae Ellis yn cymharu y 'cwmwd' canoloesol â 'Llys-Tirol' ac yn awgrymu bod angen cenedlaetholi'r tir. Byddai hyn, i raddau, yn mynd yn ôl i'r system Geltaidd a oedd mewn bodolaeth cyn y Goncwest.[65] Yn ôl Ellis roedd yn system lawer tecach. Mae beirniad llymaf Ellis, D. Gwenallt Jones, yn cydnabod bod yr araith hon yn 'un o'r cyfraniadau pwysicaf i athroniaeth wleidyddol y bedwaredd ganrif ar bymtheg yng Nghymru'.[66]

Tynnodd Ellis sylw at Helynt y Degwm yn ei araith gyntaf yn Nhŷ'r Cyffredin, ar 3 Chwefror 1887, pan ymosododd ar ddifaterwch y llywodraeth Geidwadol.[67] Aeth pethau yn fwy difrifol yn haf 1887 gyda therfysgoedd Llangwm a Mochdre. Yn Llangwm (Sir Ddinbych) ym Mai, ceisiodd yr arwerthwyr degwm osgoi terfysg trwy ddod yn gynnar yn y bore i gymryd eiddo'r gwrthryfelwyr, ond roedd gwylwyr yn aros amdanynt. Tynnwyd cotiau'r arwerthwyr 'a'u gwisgo tu chwith allan. Wedi hynny, ymffurfiwyd yn orymdaith, pob un a'i bastwn ar ei ysgwydd, ac ar y blaen, chwifid baner goch.'[68] Gorfodwyd yr arwerthwyr i gerdded y pum milltir i Gorwen lle taflwyd hwy ar y trên. Fel yr ysgrifennodd Lloyd George, ysgrifennydd Cymdeithas Gwrth-Ddegymol De Caernarfon at Tom Ellis: 'Do not you think that this tithe business is an excellent lever wherewith to raise the spirit of the people?'[69]

Ym Mehefin, cafwyd reiat ym Mochdre, Bae Colwyn, pan geisiodd Comisiynwyr Eglwysig feddiannu gwartheg ffermwyr lleol. Roedd y cythrwfl canlynol mor ddifrifol fel y bu'n rhaid galw allan y milisia lleol a darllen y Ddeddf Terfysg. Anafwyd 50 amaethwr a 34 plismon.[70] Gwysiwyd 31 o wŷr Llangwm gerbron ynadon Rhuthun yng Ngorffennaf a labelwyd hwynt gan Gee yn 'Ferthyron y Degwm'.[71]

Canlyniad pwysicaf y terfysgoedd hyn oedd troi y Gymdeithas Gwrth-Ddegymol yn Gynghrair Tir Cymreig ar y patrwm Gwyddelig, dan lywyddiaeth Gee,[72] yng Ngorffennaf 1887. Darllenwyd llythyr o 'longyfarchiadau' gan Pan Jones oddi wrth Michael Davitt yn Llangwm.[73] Roedd y gynghrair yn galw am Dribiwnlys Tir a'r tair 'F' Gwyddelig: 'Fixity of Tenure, Fair Rent, Free Sale'.[74] Mewn tystiolaeth at yr Ymchwil Swyddogol i Helynt Llangwm, dywedodd Gee: 'The payment of Tithes to this Church is considered to be a badge of conquest which we are determined to shake off with as little delay as possible.'[75]

Ym Medi 1887, aeth Tom Ellis drosodd i Neuadd Leinster, Dulyn, gyda dau Radical arall – ei gyn-gyflogwr, Syr John Brunner (1842–1919) a'r 'Lloegerwr Bach', Henry Labouchere, 'Labby' (1831–1912) – i ddatgan eu cefnogaeth i ymreolaeth. Yna, aethant i lawr i gyfarfod â ffermwyr Gwyddelig yn Mitchelstown, Corc. Saethodd yr heddlu at y dyrfa, gan ladd un ohonynt. Anafwyd Ellis: 'Tarawyd ef yn ei law gan bastwn un o'r heddgeidwaid nes oedd yn gwaedu . . . Wele un o Aelodau Cymru wedi colli gwaed yn achos Ymreolaeth!'[76] Daeth 'Cofiwch Mitchelstown!' yn un o hoff sloganau Gladstone. Ymddengys fod profiad Mitchelstown wedi lleihau parch Tom Ellis at y gyfraith a threfn oedd ohoni; yn sicr roedd ei araith ym Mlaenau Ffestiniog y mis canlynol yn ymfflamychol a dweud y lleiaf: 'Cawn gydraddoldeb: cawn y degwm yn ôl i'r genedl; cawn ei hawliau yn ol i werin Cymru; ond nid heb ymegnïo a dioddef – efallai yng ngharchar!'[77] Cafwyd gorymdaith wedyn trwy'r dref gyda 'ffaglau a seindorf' ac ugeiniau yn edrych o'r ffenestri, pobl yn taflu eu cadachau a'u capiau i'r awyr ac yn gweiddi, 'Ellis am byth!'[78]

Roedd cadeirydd y Gynghrair Tir hefyd yn gwneud yr un cysylltiad rhwng y degwm a hunanreolaeth; mewn araith yn Neiniolen (Sir Gaernarfon), dangosodd Gee fod 'gan hyd yn oed Jersey, Guernsey, Alderney, Sark ac Ynys Manaw ymreolaeth – y mae ganddynt hwy eu seneddau bychain i drafod eu hachosion eu hunain'.[79] Gyrrodd Howel Gee gopi o gyfansoddiad drafft y Gynghrair Tir at Lloyd George am ei sylwadau. Mae ei ateb yn dangos ei fod yn dadansoddi gwleidyddiaeth o safbwynt dosbarth mor gynnar â Thachwedd 1887:

The land question seems to have been presented as a matter affecting *farmers only*, whereas there are other classes quite as vitally affected. For instance:

a) *Agricultural labourers.* Inexplicable omission.
b) *Building Leases.* Another glaring omission.
c) Land question as it affects *mining interests* is completely ignored. This will lose the support of miners and quarrymen.
d) If you mean to make the League a really *national* one you must include in its programme all classes of the nation.[80]

Roedd y werin ei hun yn dechrau gweld y cysylltiad rhwng yr economi ac ymreolaeth; codwyd y waedd 'Hunanreolaeth i Gymru!' mewn llawer gwerthiant degymol.[81]

Yn yr un mis â chyfrol gyntaf *Cymru Fydd*, Ionawr 1888, cyhoeddodd Lloyd George bapur newydd sosialaidd – *Udgorn Rhyddid*, ar y cyd â'i ffrind, D. R. Daniel. Yr ansoddair 'sosialaidd' yw disgrifiad Lloyd George ei hun o ansawdd yr wythnosolyn ymosodol hwn.[82] Lloyd George a awgrymodd y teitl cynhyrfus:

> Bedyddiwyd y papur ynghanol bwrlwm Rhyfel y Degwm . . . Nid rhyfedd felly i'r papur ddwyn pennawd a gydweddai â'r helynt degymol, oherwydd cyrn hela a genid gan y gwrthddegymwyr i nodi dyfodiad beiliaid a phlismyn i'r ocsiynau atafaelu.[83]

Lloyd George hefyd a ysgrifennodd y 'Datganiad' yn y rhifyn cyntaf yn gosod allan polisi'r papur:[84] yn gyntaf, amddiffyn 'y llafurwyr amaethyddol, y chwarelwyr a'r glowyr, yr amaethwyr diwyd a'r masnachwyr gonest, rhag gormes a thraha tirfeddiannwyr a chrach-fonedd y wlad'. Yn ail, 'Bydd Cymru a Chymry, yn diriogaeth a phobl, yn bwnc arbennig ei yrfa.' Yn drydydd, ymleddid yn erbyn gelynion y bobl 'yn ymosodol'.[85]

Yr wythnos ganlynol galwodd Lloyd George am 'uno'r gweithwyr, y llafurwyr tir a'r ffermwyr' i wthio am newidiadau economaidd: 'Y mae'r angen mwyaf yn y man lle mae'r pwysedd mwyaf – ymysg y gweithwyr'.[86] Ac, fel petai i danlinellu delwedd chwyldroadol y papur, cynhwyswyd colofn wythnosol, 'Llythyr y Gwyddel'.

Roedd hyn i gyd yn frawychus i'r Rhyddfrydwyr cyfalafol, megis Stuart Rendel. Cymerodd ei siawns i wneud datganiad yn rhifyn cyntaf *Cymru Fydd*, Ionawr 1888. 'The day, therefore, for mere Welsh agitation in Wales, is or ought to be, over . . . The analogy of Ireland does not hold good . . . the case of Wales is altogether different.'[87] Cafwyd ymateb ffyrnig i hyn yn y gyfrol nesaf oddi wrth lywydd Cymdeithas Genedlaethol Cymry Manceinion, Dr A. Emrys-Jones: 'My fervent prayer, and I believe Young Wales will say Amen to it, is that Welsh agitation in Wales may have *only just commenced.*'[88] Bu'n rhaid i Rendel dynnu ei eiriau yn ôl: 'Nothing could have been further from my intention than to suggest, as your correspondents suppose, that Wales should cease to agitate.'[89] Roedd gan Rendel agwedd batriarchaidd at wleidyddiaeth Gymreig ac mae'n weddol eglur ei fod yn credu y dylai'r Cymry adael i'w cynrychiolwyr weithio drostynt yn San Steffan. Yn sicr nid oedd ef yn cefnogi Rhyfel y Degwm.

Ar 15 Mehefin 1888, ysgrifennwyd dau lythyr yn disgrifio perthynas Tom Ellis â'r Pwyllgor Seneddol Gymreig o ddau safbwynt gwrthgyferbyniol. Edrychwn yn gyntaf ar lythyr Stuart Rendel at ei asiant, A. C. Humphreys-Owen yn cwyno ynglŷn ag ymddygiad Ellis. Disgrifiodd Rendel sut yr oedd wedi cyrraedd cyfarfod o'r Pwyllgor yn hwyr i weld y cadeirydd, Henry Richard, yn rhoi 'darlith' i Ellis ar ei bechodau gwleidyddol. Cefnogwyd Richard gan Dillwyn, ond wedi i'r ysgrifennydd, Arthur Williams, hefyd gwyno am ymddygiad Ellis, datganodd AS Meirionnydd ei fod yn 'hollol ddiedifar'.[90] Atebodd Humphreys-Owen lythyr Rendel yn syth: 'what have his clients, the Welsh farmers, to get from either Dillwyn or Richard? Of course he is not disinterested, he has his fortune to make'.[91] Fodd bynnag, cafodd Ellis lythyr o gefnogaeth yr un diwrnod oddi wrth berchennog Albanaidd y *South Wales Daily News*:

> Unfortunately, Henry Richard is now past acting the part of a strong, firm leader – his work is done, and one cannot be surprised if he now rests on his laurels and seeks to keep free from all trouble and turmoil . . . persevere in what you believe to be right whatever may be thought of your action by your fellow members.[92]

Gweler felly, nad '"Pwnc y Tir" yn unig ydoedd "Helynt y Degwm" . . . ond agwedd hefyd ar syniadau Rhyddfrydol ac ymneilltuol'.[93] Yr oedd Rhyfel y Degwm yn rhyfel dosbarth yn ogystal â bod yn frwydr diwylliannol. Sylwer hefyd ar y gair 'rhyfel' a ddefnydiwyd yn gyfoesol i ddisgrifio'r ymgyrch: 'Yr oedd y cyfan wedi ei gynllunio'n fedrus: dyna pam y gellir ei alw'n *Rhyfel* – Rhyfel y Degwm, o'i wrthgyferbynnu â Therfysgoedd Rebecca.'[94] Daw hyn allan yn glir mewn dadansoddiadau dwyieithog a gyhoeddwyd yn *Cymru Fydd*, un gan ddarlithydd a'r llall gan ffermwr.[95] Roedd yr erthygl gyntaf gan athro athroniaeth yng Ngholeg Prifysgol Gogledd Cymru, Bangor, un o brif ddeallusion organaidd y cyfnod, Henry Jones (1852–1922), a oedd wedi'i eni'n fab i grydd yn Llangernyw, Sir Ddinbych. Mae ei ddadansoddiad o Ryfel y Degwm yn dreiddgar; ymosoda ar 'absenoliaeth ymarferol' y tirfeddianwyr:

The landlords are on the whole English by education, sympathy, speech, form of religion, and descent. They are in the country, and not of it; they live on it, and not for it, their *rights* are against Welshmen, their *duties* are towards Englishmen.[96]

Ac yna, mae'n mynd ymlaen i roi dadansoddiad cynhwysfawr o'r ymgyrch gwrth-ddegymol:

They *cannot* pay both the landlord and the parson and they are learning to fight the former by practising on the latter . . . If it is merely antagonism to the Church, how will the fact be accounted for that resistance to the tithes follows the path of the deepest agricultural distress, and goes before the formation of district farmers' clubs and a kind of Welsh League?[97]

O safbwynt Gwyddeint (Robert Jones), cafwyd golygfa, fel petai, o'r gwaelod i fyny – oddi wrth gwerinwr a oedd yng nghanol y frwydr ddosbarth genedlaethol:

Y mae y ffermwyr yn gorfod cyfrannu tuag at gynnal *y dosbarth mwyaf gelynol iddynt*. Ffaith nas gellir ei gwadu yw fod y dosbarth clerigol yn hollol elynol at y ffermwyr a'r dosbarth gweithiol . . . Y mae y degwm yn eiddo cenedlaethol.[98]

Yr hyn a olygai hunanreolaeth i wrthryfelwyr y degwm, yn y pen draw, oedd hunanreolaeth economaidd.

Nodiadau

1 Gweler I. G. Jones, 'The Liberation Society and Welsh Politics, 1844–68', *WHR*, 1, rhif 2 (1961), 193–200 ac R. D. Wallace, *Political Reform Societies in Wales, 1840–86* (Traethawd Ph.D., Prifysgol Cymru, 1978).
2 *Munudau y Gymdeithas Rhyddhad* / Minutes of the Liberation Society, 3 Rhagfyr 1883 (Llyfrgell Prifysgol Cymru Abertawe).
3 Ibid., 10 Mawrth–17 Ebrill 1884.
4 Stuart Rendel, 'The Disestablishment of the Church in Wales', *Contemporary Review* (Rhagfyr 1886).
5 Tirfeddiannwr 'Glansevern' ac AS Trefaldwyn (1894–1905).
6 A. C. Humphreys-Owen at Stuart Rendel AS, 22 Ebrill 1886 (LlGC, Papurau Stuart Rendel 19,460C: 14,274).

[7] *BAC*, 26 Mehefin 1886.

[8] John Herbert Lewis (1858–1933), AS Bwrdeistrefi Fflint (1892–1906). Galwodd yr *Herald Cymraeg* (Golygyddol), 10 Awst 1886 am sefydlu 'Cymdeithas Ryddfrydig Genedlaethol'. Sylwer mai yn Nhachwedd 1886 y sefydlwyd cangen gyntaf Undeb y Ceidwadwyr yng Nghymru; gweler 'Inauguration of a Welsh Branch of the National Union of Conservative Associations', *The Times*, 24 Tachwedd 1886, t. 6.

[9] Rendel at Humphreys-Owen, 24 Tachwedd 1886 (LlGC, Glansevern, 274, 279).

[10] Humphreys-Owen at Rendel 27 Tachwedd 1886 (LlGC, Papurau Rendel, 19, 460C): 'We want less and not more sectional division in Wales'.

[11] Humphreys-Owen at Rendel, 5 Rhagfyr 1886 (LlGC, Papurau Rendel, 19, 460C: 14, 313).

[12] Ibid., 8 Rhagfyr 1886. Ar 11 Rhagfyr roedd Rendel yn dal am aros y tu allan: Rendel at Humphreys-Owen, 11 Rhagfyr 1886 (LlGC, Papurau Glansevern, 287).

[13] Francis Schnadhorst (1840–1900); sylfaenydd y National Liberal Federation Seisnig yn Birmingham (1877); prif drefnydd y blaid Ryddfrydol yn Lloegr. Roedd yn Anghydffurfiwr. Gweler Barry McGill, 'Francis Schnadhorst and Liberal Party Organisation', *Journal of Modern History*, 34 (1962), 19–39.

[14] *BAC*, 18–22 Rhagfyr 1886. Yr oedd pob un o Aelodau Seneddol Rhyddfrydol y Gogledd yn bresennol. Ceir adroddiad llawn yn *Llyfr Munudau NWLF, 1886–91* (LlGC, Adran Llawysgrifau).

[15] *BAC*, Ffederasiwn Rhyddfrydol Gogledd Cymru, 18–22 Rhagfyr 1886. Gweler hefyd yr *Herald Cymraeg*, 21 Rhagfyr 1886.

[16] Gweler *Llyfr Munudau NWLF* ac *Adroddiad Blynyddol Cyntaf NWLF* (1887) yn Llyfrgell Genedlaethol Cymru (Adran Llawysgrifau); gweler hefyd lythyr Humphreys-Owen at Rendel, 9 Ionawr 1887 (LlGC, Papurau Rendel, 19,462C: 14,324). Gweler hefyd y *Liberal Yearbook 1887*, t. 143.

[17] BAC, 18–22 Rhagfyr 1886.

[18] 'My election as President has taken me aback.' Rendel at Humphreys-Owen, 15 Rhagfyr 1886 (LlGC, Papurau Glansevern, 288).

[19] Disgrifiad Michael Barker, *Gladstone and Radicalism* (Hassocks, 1975), t. 117.

[20] A. J. Mundella (1825–97), AS Sheffield; Llywydd y Bwrdd Masnach (1886). Radical.

[21] Grahame V. Nelmes, 'Stuart Rendel and Welsh Liberal Political Organization in the late Nineteenth Century', *WHR* (Rhagfyr, 1979), 474.

[22] Rendel at Humphreys-Owen, 18 Rhagfyr 1886 (LlGC, Papurau Glansevern, 290).

[23] Humphreys-Owen at Rendel, 20 Rhagfyr 1886 (LlGC, Glansevern, 291). Yn enwedig, felly, ar gwestiwn Datgysylltiad; Rendel at Thomas Gee, 16 Mawrth 1887: 'We must be sure in Wales to render it a Welsh question pure and simple'. (LlGC, Papurau Gee, 8308, t. 257).

[24] Rendel at W. H. Tilston, 20 Rhagfyr 1886 (LlGC, Papurau Glansevern, 8437).

[25] *BAC*, 22 Ionawr–5 Chwefror 1887; 'Organization Reports, *Cymru Fydd* (Ionawr 1888, t. 57).

[26] Gweler *Cardiff Junior Liberal Association Minute Book, 1886–95* (Archifdy Morgannwg, CL/MS. 4.616). Yr oedd 10 Cymdeithas Rhyddfrydwyr Ieuanc arall yn perthyn, yn ogystal â 10 Clwb Rhyddfrydol, 5 Cymdeithas Radicalaidd a 22 Gymdeithas Ryddfrydol Etholaethol.

[27] William Ceinion Thomas (1856–1932); gweler *Dictionary of Welsh Biography* (Llundain, 1959), Atodiad.

[28] Golygyddol, *Y Celt*, 31 Rhagfyr 1886.

[29] Cyhoeddwyd eu hadroddiadau blynyddol cyntaf (1887) yn rhifyn cyntaf *Cymru Fydd* (Ionawr 1888), 55–9.

[30] *BAC*, 25 Mai 1887. Meddai Gee yn yr un papur: 'Yr ydym wedi ein cadwyno yn rhy hir wrth Loegr . . . Dechreuir torri rhai o lingciau y gadwyn bellach.'

[31] Gweler *BAC*, 12 Hydref 1887; 'Welsh National Council', *The Times*, 10 Hydref 1887, t. 9. Gweler hefyd 'Organization Reports', *Cymru Fydd* (Ionawr 1888), 56–7; *Maniffesto y Cyngor Cenedlaethol/Manifesto of the Welsh National Council* (Wrecsam a Dolgellau, 1888).

[32] Rendel at Humphreys-Owen, 13 Mawrth 1891 (LlGC, Glansevern, 520): 'to focus and express Welsh policy.' Cf. Tom Ellis at J. Herbert Lewis, 21 Mehefin 1889 (LlGC, Papurau Herbert Lewis): 'The function of the Welsh National Liberal Council is to help secure the unity of Wales and help it to claim its right when the day of settlement comes.'

[33] *Cymru Fydd* (Ionawr 1888), 56.

[34] Gweler *The Times*, 20 Hydref 1887. Yn ôl Ellis: 'Nottingham was memorable. The Welsh demand was received with remarkable enthusiasm.' Ellis at D. R. Daniel, 23 Hydref 1887 (LlGC, Papurau D. R. Daniel, 344).

[35] *Cymru Fydd*, Ionawr 1888, 57.

[36] R. N. Hall at S. Rendel, 9 Gorffennaf 1889 (LlGC, Papurau Rendel, 19,451D).

[37] Rendel at Humphreys-Owen, 9 Ebrill 1891 (LlGC, Papurau Glansevern, 526).

[38] Golygyddol, *Cambrian News*, 7 Medi 1888.

[39] Rendel at Humphreys-Owen, 11 Ionawr 1890 (LlGC, Papurau Glansevern, 479).

[40] 'Welsh Union Notes', *Young Wales* (Mawrth 1896), 67.

[41] E. P. Hughes, 'Arbrawf Mewn Hyfforddi Athrawesau', *Y Traethodydd* (Medi 1890), 356–64.

[42] Miss E. A. Carpenter, llywyddes Cartref yr Efrydesau yng Ngholeg y Brifysgol i Gymru. Papur a ddarllenwyd o flaen Cangen Cymru o'r Teacher's Guild yn Aberystwyth, *Y Traethodydd* (Gorffennaf 1891), 271–85. Gweler Florence Dixie, 'The Coming Revolution', *Welsh Review* (Mehefin 1892), 805–14 a C. Rover, *Women's Suffrage and Party Politics in Britain, 1866–1914* (Llundain, 1967). Gweler hefyd, *Minutes*

of Aberystwyth Women's Liberal Association (LlGC, Papurau 19,658C). Etholwyd Mrs Vaughan-Davies yn llywyddes gyntaf y gymdeithas hon yn 1893.

43 William John Parry (1842–1927). Ganwyd ym Methesda, Sir Gaernarfon, yn fab i chwarelwr. Ysgrifennydd cyffredinol cyntaf Undeb Chwarelwyr Gogledd Cymru (1874–6), llywydd (1877–9, 1884–9); cadeirydd Cyngor Sir Caernarfon (1892–3); gweler J. Roose Williams, *Quarryman's Champion* (Dinbych, 1978).

44 Erbyn 1890, roedd y labrwyr yn ei ddarllen, gweler 'Y Werin', *Cymru Fydd* (Tachwedd 1891), 692–3. Cf. *Tarian y Gweithwyr* yn y De o 1875 ymlaen. Am bapurau W. J. Parry yn ymwneud â'r *Werin* gweler Papurau 8789B (Adran Llawysgrifau, LlGC.). Gweler llythyr Tom Ellis at Parry, 27 Ionawr 1887 (Papurau Coetmor, Prifysgol Cymru, Bangor).

45 Cf. William Edwards ('Madog'), 'Tir Cymru i Bobl Cymru', *Y Werin*, 11 Medi 1886.

46 Llythyr at John Morris-Jones, 12 Mai 1887 (Prifysgol Cymru, Bangor 3245, 78).

47 John Owen Jones (1861–99); is-olygydd Cwmni Papurau Caernarfon (1891–4), golygydd *Merthyr Times* 1895–7.

48 Gweler E. J. Hobsbawm, 'The Labour Aristocracy in Ninteenth-Century Britian', yn *Labouring Men* (Llundain, 1964). Gweler hefyd Robert Gray, *The Aristocracy of Labour in Nineteenth-Century Britain* (Llundain, 1981); John Rhŷs a David Brynmor Jones, *The Welsh People* (Llundain, 1900), t. 472–74. Cymharer 'gwerin' â'r gair Sbaeneg, *pueblo*.

49 Gweler Alwyn D. Rees ac Elwyn Davies (gol.), *Welsh Rural Communities* (Caerdydd, 1960).

50 J. E. Caerwyn Williams, 'Syr John Morris Jones: Y Cefndir a'r Cyfnod Cynnar', Rhan II, *THSC* (1966), 33; hefyd, 'Gweledigaeth Owen Edwards', *Taliesin*, IV (1959), 5–29. Gweler hefyd Alun Llywelyn Williams, 'Hen Werin y Graith', *Y Nos, Y Niwl a'r Ynys* (Caerdydd, 1960), am astudiaeth o'r werin yn llenyddiaeth y cyfnod.

51 At y glowyr y mae 'Hen Werin y Graith' gan Crwys yn cyfeirio.

52 Gweler I. G. Jones, 'The Dynamics of Welsh Politics', *Explorations and Explanations: Essays in the Social History of Victorian Wales* (Llandysul, 1981); gweler hefyd Prys Morgan, 'Gwerin Cymru – y Ffaith a'r Ddelfryd', *THSC* (1967), 117–31.

53 Gweler 'The Wessex Labourer', *Examiner*, 15 Gorffennaf 1876; Thomas Hardy, 'The Dorsetshire Labourer', *Longman's Magazine* (Gorffennaf 1883), 252–69. Gweler D. G. Davies, 'Welsh Agriculture during the Great Depression 1873–1896' (Traethawd M.Sc., Prifysgol Cymru, 1973); *Comisiwn Brenhinol ar Dir yng Nghymru* (1893–6), Evidence I–II (1894), III–IV (1895), Report V (1896); *Second Report of the Royal Commission on the Depression in Trade and Industry*, Parliamentary Papers (1886), xxi, (C.4715). Mae Pwnc y Tir yn codi ei ben mewn dau waith llenyddol, rhanbarthol, ar naill begwn ein hastudiaeth: Thomas Hardy, *The Mayor of Casterbridge* (Llundain, 1886) ac A. E. Housman, *A Shropshire Lad* (Llundain, 1896).

54 'Llafur a Thir', *BAC*, 18 Awst 1886.

[55] James Edmund Vincent (1857–1909), awdur *Tenancy in Wales* (1889), *The Land Question in North Wales* (1896), *The Land Question in South Wales* (1897); gohebydd Cymreig *The Times*.

[56] *BAC*, 1 Medi 1886; *The Times*, 24 Awst 1886, t. 7; gweler Robert M. Morris, *Rhyfel y Degwm* (Caerdydd, 1986).

[57] *BAC*, 15 Medi 1886. Y trysorydd oedd John Parry, Llanarmon, a'r ysgrifenyddion oedd Owen Williams, Glan Clwyd a Hywel Gee (mab y cadeirydd), Dinbych. Gweler John Parry 'Helynt y Degwm', *Y Traethodydd* (Ionawr 1887), 47–53.

[58] *BAC*, 29 Medi 1886, lle dyfynnir o'r *Republique Française*. Gweler hefyd 'Land Agitation in Wales', *The Times*, 13 Rhagfyr 1886, t. 6.

[59] *BAC*, 11 Awst 1886.

[60] *BAC*, 22 Medi 1886. Cf. disgrifiad Herbert Mercuse o ieuenctid: 'the ferment of hope.' *An Essay on Liberation* (Llundain, 1969), t. 60, a rhoddir dadansoddiad tebyg.

[61] T. E. Ellis at Daniel, 1 Hydref 1886 (LlGC, Papurau D. R. Daniel, 325).

[62] Ellis Griffith at Gee, 11 Hydref 1886 (LlGC, Papurau Gee, 8306D, 94). Gweler hefyd Ellis J. Griffith, 'Cymru a'r Iwerddon', *Y Traethodydd* (1887).

[63] T. Gwynn Jones, 'Helynt y Degwm', *Cofiant Thomas Gee*, Cyfrol II (Dinbych, 1913), t. 458. Ceir cyfeiriad at gyfarfod Cymdeithas Gwrth-Ddegymol Abergele yn *BAC*, 10 Tachwedd 1886.

[64] *BAC*, 24 Tachwedd 1886.

[65] T. E. Ellis, 'Welsh Land Laws', in *idem*, *Addresses and Speeches* (Wrecsam, 1912), tt. 227–90.

[66] D. Gwenallt Jones, 'Tom Ellis', *Y Fflam* (Awst 1949), 11.

[67] Hansard, Parl. Debs. (cyfres 3) cyfrol 210, colofnau 602–9.

[68] *BAC*, 4 Mehefin 1887.

[69] Lloyd George at T. E. Ellis, 19 Mai 1887 (LlGC, Papurau T. E. Ellis 679).

[70] 'Mochdre yn y Senedd', *BAC*, 29 Mehefin 1887; *Royal Commission on Land in Wales, Report* (Llundain, 1896), t. 174.

[71] *BAC*, Gorffennaf 1887. Yn *BAC*, 24 Awst 1887, cynigiwyd llun o'r merthyron am hanner-coron: 'yr elw at y Gronfa Amddiffyn.'

[72] *BAC*, 27 Gorffennaf, 1887.

[73] *BAC*, 24 Awst 1887; Hansard, Parl. Debs. (17 Awst 1887).

[74] *Maniffesto Cynghrair Tir* (Dinbych, 1887). Cf. Arthur Arnold (Llywydd), 'The Free Land League', *Cymru Fydd* (Awst 1888), 441–5. Gweler *The Times*, 26 Rhagfyr 1887, t. 8.

[75] *Tithe Disturbance Inquiry, Minutes*, (Llundain, 1887), 148.

[76] *BAC*, 14 Medi 1887.

[77] *BAC*, 2 Tachwedd 1887.

[78] Ibid.

[79] *BAC*, 30 Tachwedd 1887. Gweler John Rhŷs, 'Llythyr o Fanaw', *Y Traethodydd* (Ionawr 1889) a nofel Hall Caine, *The Manxman* (Llundain, 1894).

[80] Dyfynnwyd yn W. R. P. George, *The Making of Lloyd George* (Llundain, 1976), t. 163.

[81] Er enghraifft, yn Llanddewi, Aberarth, 16 Rhagfyr 1887 (*BAC*, 28 Rhagfyr 1887).

[82] Lloyd George at D. R. Daniel, 4 a 12 Rhagfyr 1887 (LlGC, Papurau D. R. Daniel, 2743, 2744): 'I propose raising a capital of say £100 and limiting our liabilities to that sum, so as to escape the injurious consequences of probable libel suits.' Cyhoeddwyd y papur yng Nghaernarfon.

[83] R. Emyr Price, 'Newyddiadur Cyntaf David Lloyd George', *Journal of the Welsh Bibliographical Society*, XI (1976), 209.

[84] *Udgorn Rhyddid*, 4 Ionawr 1888.

[85] Ibid.

[86] *Udgorn Rhyddid*, 11 Ionawr 1888. Mewn llythyr at D. R. Daniel, 5 Gorffennaf 1888, disgrifiodd Lloyd George ei hun fel 'a Welsh Nationalist of the Ellis type'. (LlGC, Papurau D. R. Daniel).

[87] Stuart Rendel, 'Wales and the Liberal Party', *Cymru Fydd* (Ionawr 1888), 22.

[88] 'Wales and the Liberal Party', *Cymru Fydd* (Chwefror 1888), 116.

[89] Ibid. (Mawrth 1888), 180. Barnwyd Rendel hefyd gan Bwyllgor Gwaith Ffederasiwn Rhyddfrydol De Cymru. Gweler llythyrau Rendel a golygydd *Cymru Fydd* (LlGC, Papurau Glansevern, 8433–8435).

[90] Rendel at Humphreys-Owen, 14–15 Mehefin 1888 (LlGC, Papurau Glansevern, Adran Llawysgrifau). Cyfeiriad yw hyn at gyfarfod y pwyllgor, 14 Mehefin 1888, pan drafodwyd Cwestiwn y Degwm: *Munudau*, tt. 49–51. Ymddengys fod yr Aelodau Seneddol Gladstonaidd yn barnu Ellis am gefnogi 'Rhyfel' yn hytrach nag 'Ymgyrch' Degymol. Apwyntiwyd is-bwyllgor ar y Mesur Degwm a gyflwynwyd i'r Tŷ lle roedd Ellis mewn lleiafrif.

[91] Humphreys-Owen at Rendel, 15 Mehefin 1888 (LlGC, Papurau Rendel, Adran Llawysgrifau).

[92] John Duncan at Tom Ellis, 15 Mehefin 1888 (LlGC, Papurau T. E. Ellis).

[93] T. H. Lewis, 'Y Wasg Gymraeg a Bywyd Cymru, 1850–1901', *THSC* (1964), 93. Gweler hefyd Robert Morris, 'The Tithe War', *Trafodion Cymdeithas Hanes Sir Ddinbych*, XXXII (1983), a W. R. Ward, 'The Tithe Question', *Journal of Ecclesiastical History*, XVI (1965)'.

[94] Frank Price Jones, 'Rhyfel y Degwm', *Denb. Hist. Soc. Trans.*, Cyfrol 53 (1953), tt. 71–107.

[95] Professor Henry Jones, 'On Some of the Social and Economic Aspects of the Land Question in Wales', *Cymru Fydd* (Tachwedd 1888), 344–360, a Robert Jones (Gwyddeint), 'A ydyw Ffermwyr Cymru i'w Cyfiawnhau am Wrthod Talu y Degwm?', ibid., 375–381.

[96] Syr Henry Jones, 'Aspects of the Land Question in Wales', ibid., 355–6.

[97] Ibid., t. 360. Gweler Donald Richter, 'The Welsh Police, the Home Office, and the Welsh Tithe War of 1886–91', *WHR* (Mehefin 1984), t. 50–75 a *Riotous Victorians* (Llundain, 1981); gweler hefyd J. P. D. Dunbabin, *Rural Discontent in Nineteenth-Century Britain*, (Llundain, 1974), t. 211–296.

[98] Robert Jones (Gwyddeint), 'A ydyw Ffermwyr Cymru i'w Cyfiawnhau', ibid., 378–9.

4

Plaid Seneddol Gymreig

(1886–1888)

Roedd agwedd ddeuol i Ryddfrydiaeth Gymreig yng nghyfnod Cymru Fydd – strwythur mewnol a strwythur seneddol. Rhaid edrych yn awr ar yr agwedd seneddol a gofyn y cwestiynau: Pwy oedd yr Aelodau Seneddol Cymreig? Beth oedd eu cefndir a'u credoau? I ddechrau, dylid sylwi bod y Rhyddfrydwyr wedi colli'r Etholiad Hunanreolaeth yng Ngorffennaf 1886 o safbwynt Prydeinig, ond o safbwynt Cymreig, roeddent wedi ennill.[1] Roedd y symudiad pleidleisiol yn 5.7 y cant yn erbyn y Rhyddfrydwyr ym Mhrydain ond dim ond 1.9 y cant yng Nghymru. Sicrhawyd gafael y Rhyddfrydwyr ar Gymru am chwarter canrif.[2] Ond pwy oedd y Rhyddfrydwyr hyn?

Gan ddechrau gyda Tabl 4.1, fe sylwn yn gyntaf fod y golofn pleidiau yn rhoi 26 Rhyddfrydwr yn erbyn 7 Unoliaethwr, sef mwyafrif Rhyddfrydol o 19. Mae hyn yn ostyngiad o 3 sedd ers 1885. (Collwyd Bwrdeistrefi Penfro, Mynwy a Chaernarfon.) Mae Tabl 4.2 yn dangos mai cyfartaledd oed y Rhyddfrydwyr oedd 55; y mae dros hanner canrif o wahaniaeth rhwng oed yr hynaf (Talbot, 83) a'r ieuengaf (Ellis, 27). Etholwyd C. R. M. Talbot yn 1830 – cyn y Deddf Diwygio'r Senedd gyntaf – ac roedd wedi bod yn 'Dad y Tŷ' er 1874. Does dim rhyfedd, felly, mai trosiad arferol 'Cymru Fydd' yw: 'Young Wales' – fel enwau nifer o fudiadau cenedlaethol eraill roedd yr enw yn swnio fel 'maniffesto ieuenctid'.[3] Fel y gwelwn, un o agweddau gwleidyddiaeth Cymru Fydd yw gwrthdaro rhwng y cenedlaethau.[4]

O'r safbwynt enwadol, roedd 15 Rhyddfrydwr Ymneilltuol a 12 Rhyddfrydwr Anglicanaidd: sef mwyafrif Ymneilltuol am y tro cyntaf ymysg yr Aelodau Seneddol. Yr oedd teirgwaith gymaint o fyd busnes, diwydiant a'r gyfraith ag yr oedd o

Tabl 4.1

Yr Aelodau Seneddol Cymreig wedi Etholiad 1886

Etholaeth	Aelodau Seneddol	Oed	Plaid	Enwad	Cefndir
Abertawe (Tref)	Lewis Dillwyn	72	Rh.	Y.	Bargyfreithiwr
Abertawe (Rhanbarth)	Syr Henry Vivian	65	Rh.	A.	Diwydiannwr
Arfon	William Rathbone	67	Rh.	Y.	Gŵr Busnes
Brycheiniog	W. Fuller-Maitland	44	Rh.	A.	Tirfeddiannwr
Caerdydd	Syr Edward Reed	56	Rh.	A.	Adeiladwr Llongau
Caerfyrddin (Bwrd.)	Syr A. Cowell-Stepney	52	Rh.	A.	Tirfeddiannwr
Caerfyrddin (Gn.)	W. R. H. Powell	65	Rh.	A.	Tirfeddiannwr
Caerfyrddin (Dn.)	David Pugh	79	Rh.	A.	Bargyfreithiwr
Caernarfon (Bwrd.)	Edmund Swetenham	64	C.	A.	Bargyfreithiwr
Ceredigion	W. Bowen Rowlands	50	Rh.	A.	Bargyfreithiwr
Dinbych (Dn.)	G. Osborne Morgan	60	Rh.	A.	Bargyfreithiwr
Dinbych (Gn.)	Col. W. C. Cornwallis-West	51	Rh.U.	A.	Tirfeddiannwr
Dinbych (Bwrd.)	Anrh. G. T. Kenyon	46	C.	A.	Tirfeddiannwr
Eifion	J. Bryn Roberts	43	Rh.	Y.	Bargyfreithiwr
(Sir) Fflint	Samuel Smith	50	Rh.	Y.	Brocer Cotwm
Fflint (Bwrd.)	John Roberts	51	Rh.	Y.	Masnachwr
Maesyfed	Anrh. A.J. Walsh	27	C.	A.	Tirfeddiannwr
Meirionnydd	T. E. Ellis	27	Rh.	Y.	Ysgrifennydd
Merthyr Tudful	Henry Richard	74	Rh.	Y.	Gweinidog
Merthyr Tudful	C. H. James	69	Rh.	Y.	Cyfreithiwr
Môn	Thomas Lewis	65	Rh.	Y.	Marchnadwr
Morgannwg (Ganol)	C. R. M. Talbot	83	Rh.	A.	Tirfeddiannwr
Morgannwg (De)	Arthur J. Williams	50	Rh.	Y.	Bargyfreithiwr
Morgannwg (Dw.)	Alfred Thomas	46	Rh.	Y.	Adeiladwr
Morgannwg (Gŵyr)	F. A. Yeo	54	Rh.	Y.	Perchennog Glo
Mynwy (De)	Anrh. F. C. Morgan	52	C.	A.	Tirfeddiannwr
Mynwy (Gog.)	T. P. Price	42	Rh.	A.	Bargyfreithiwr
Mynwy (Gn.)	C. M. Warmington	44	Rh.	Y.	Bargyfreithiwr

(Parhad)

Etholaeth	Aelodau Seneddol	Oed	Plaid	Enwad	Cefndir
Mynwy (Trefynwy)	Syr George Elliot	71	C.	A.	Diwydiannwr
Penfro	William Davies	65	Rh.	Y.	Cyfreithiwr
Penfro (Bwrd.)	Llyngesydd Mayne	51	C.	A.	Y Llynges
Rhondda	W. Abraham ('Mabon')	44	Rh. Ll.	Y.	Undebwr
Trefaldwyn (Rhanbarth)	Anrh. F. S. A. Hanbury-Tracy	38	Rh.	A.	Tirfeddiannwr
Trefaldwyn	Stuart Rendel	52	Rh.	A.	Diwydiannwr

Nodyn:	Rh	Rhyddfrydwr
	C.	Ceidwadwr
	Rh. U.	Rhyddfrydwr Unoliaethol
	Rh. Ll.	Rhyddfrydwr Llafur (Lib–Lab)
	Y.	Ymneilltuwr
	A	Anglicanwr

Tabl 4.2

Dadansoddiad o Aelodau Seneddol Rhyddfrydol Cymru, 1886

Cyfartaledd Oed	Ymneilltuwyr	Anglicanwyr	Diwydiant a Busnes	Y Gyfraith	Tirfeddianwyr
55	15	12	11	10	6

gefndir tirfeddiannol. Mae'r dosbarth canol yn sicr yn y mwyafrif ymysg Aelodau Seneddol 1886.[5]

Mae Tabl 4.3 yn categoreiddio'r Aelodau Seneddol yn ôl eu hagweddau cyffredinol. Mae lleiafrif bach o Ryddfrydwyr Imperialaidd cyn gynted â 1886 a grŵp bychan (ond egnïol) o gefnogwyr Cymru Fydd, ond mae'r mwyafrif helaeth yn amlwg yn gefnogwyr Gladstoniaeth, sef Rhyddfrydiaeth Glasurol. Roedd yn amlwg y byddai'n rhaid ehangu cynrychiolaeth Cymru Fydd yn y Senedd os oedd y Datganolwyr i ddatblygu mudiad, ond roedd cefnogaeth tri AS ym mlwyddyn sefydlu Cymru Fydd yn sicrhau niwclews seneddol. Erbyn y flwyddyn 1887, roedd Thomas ('Palesteina') Lewis, AS Môn, wedi ymuno â hwy.[6] Sylwer bod dau ohonynt yn Aelodau Seneddol gogleddol a dau yn Aelodau Seneddol deheuol. Ni ellir awgrymu, ar unrhyw adeg, mai mudiad gogleddol oedd Cymru Fydd: yr oedd cefnogaeth a gwrthwynebiad iddo o'r gogledd a'r de rhwng 1886 a 1896.

Tabl 4.3

Agweddau Gwleidyddol Aelodau Seneddol Rhyddfrydol Cymru, 1886

Cymru Fyddwyr	Rhyddfrydwyr Gladstonaidd	Rhyddfrydwyr Imperialaidd
Tom Ellis	Lewis Dillwyn	Syr Edward Reed
William Abraham	Syr Henry Vivian	Syr Algernon Cowell-
Alfred Thomas	William Rathbone	Stepney
	W. Fuller-Maitland	
	W. R. H. Powell	
	David Pugh	
	W. Bowen Rowlands	
	G. Osborne Morgan	
	J. Bryn Roberts	
	Samuel Smith	
	John Roberts	
	Henry Richard	
	C. H. James	
	C. R. M. Talbot	
	A. J. Williams	
	F. A. Yeo	
	T. P. Price	
	C. M. Warmington	
	William Davies	
	F. Hanbury-Tracy	
	Stuart Rendel	
	Thomas P. Lewis	

Nodyn: Ymunodd Cowell-Stepney â'r Rhyddfrydwyr Unoliaethol yn 1891, A Reed yn 1905.

Ffynhonnell: W. S. Crawshay a F. W. Reed, *The Politics of the Commons* (Llundain, 1886).

Ym Mehefin 1886, ysgrifennodd AS Merthyr, Henry Richard, at y Prif Weinidog, Gladstone, ar ran yr Aelodau Seneddol

Cymreig: 'There exists considerable soreness of feeling owing to what is thought to be persistent neglect of the interests and wishes of Wales by the Liberal Government.'[7] Roedd y teimlad hwn yn gyffredinol yn y wasg Gymreig yn haf 1886, wedi i Gladstone absenoli ei hun o'r bleidlais ar Ddatgysylltiad yn y gwanwyn.[8] Galwodd yr *Herald Cymraeg* am:

> Blaid Gymreig yn y Senedd – plaid yn cydwylio, yn cyd-ddyfeisio ac yn cydweithredu yn gyson a ffyddlon i ddwyn gofynion Cymru i sylw . . . nes peri i'r Senedd deimlo hefyd mai dynion difrifol ydynt yn cynrychioli gwlad sydd o ddifrif.[9]

Dyma, hefyd, oedd barn Thomas Gee am yr Aelodau Seneddol Cymreig: 'eu dyledswydd hwy yw ffurfio Plaid Gymreig yn y Senedd newydd, a honno yn gysegredig a phenderfynol i wasanaethu Cymru.'[10]

Ar brynhawn dydd Iau, 26 Awst 1888, cyfarfu Aelodau Seneddol Rhyddfrydol Cymru mewn un o ystafelloedd pwyllgor Tŷ'r Cyffredin i sefydlu Pwyllgor Seneddol Cymreig. Llywydd y cyfarfod oedd Henry Richard, ac etholwyd ef yn gadeirydd y pwyllgor newydd.[11] Hwn oedd y pwyllgor seneddol cyntaf yn hanes gwleidyddiaeth Gymreig. Penodwyd William Rathbone (AS Arfon) ac Arthur Williams (AS De Morgannwg) yn ysgrifenyddion. Apwyntiwyd tri is-bwyllgor: ar Ddatgysylltiad (ysgrifennydd: L. Dillwyn), ar y Tir yng Nghymru (ysgrifennydd: J. Bryn Roberts) ac Addysg (ysgrifennydd: T. E. Ellis). Penderfynwyd cyfarfod ar brynhawn Iau yn bythefnosol.[12] Trafodwyd pob agwedd ar fywyd gwleidyddol Cymru a phob mesur a aeth trwy'r Senedd a oedd yn ymwneud â Chymru yn y pwyllgor: datgysylltiad, tir ac addysg yn cael sylw arbennig, gydag adroddiadau rheolaidd oddi wrth ysgrifenyddion yr is-bwyllgorau.[13] Does dim cwestiwn bod sefydlu'r Pwyllgor Seneddol Cymreig yn gam mawr ymlaen yn natblygiad Rhyddfrydiaeth Gymreig.

Yn y cofnod am 28 Ionawr 1887, nodir bod William Rathbone (AS Arfon) wedi cyflwyno i'r pwyllgor y syniad o sefydlu pwyllgor sefydlog o holl Aelodau Seneddol Cymru.[14] Gofynnodd y cadeirydd, Henry Richard, iddo gyflwyno ei syniadau ymhellach yn eu cyfarfod nesaf. Wedi iddo wneud hyn cafodd ganiatâd y Pwyllgor Rhyddfrydol Cymreig i fynd ymlaen â'r ymgais.[15] Roedd R. T. Reid (1846–1902), AS Dumfries, yn ceisio sefydlu pwyllgor sefydlog ar gyfer yr Alban ar yr un pryd. Ni ddaeth eu cyfle tan 7 Mawrth 1888. Cynigiodd William Rathbone y penderfyniad canlynol: 'Fod Pwyllgor arall yn cael ei gyfansoddi . . . a'r cynrychiolwyr Cymreig yn aelodau ohono, er ystyried yr holl fesurau perthynol i Gymru, y rhai, trwy orchymyn y Tŷ, a gyflwynir i'w sylw.'[16] Eiliwyd y cynnig gan Osborne Morgan; a phwysleisiodd y ddau nad oeddent yn ceisio hunanlywodraeth, felly hefyd Stuart Rendel. Cefnogwyd y cynnig gan Tom Ellis a'r Gwyddel John Redmond (1856–1918). Gwrthwynebwyd y cynnig ar ran y Llywodraeth gan H. C. Raikes[17] y Postfeistr Cyffredinol:

> Cyfeiriodd at achwyniad Mr Osborne Morgan o berthynad i'r ffaith fod y Cymry yn cael eu cau allan o'r weinyddiaeth. Dywedodd Mr Raikes fod hyn yn cael ei wrth-ddweud yn hanes Mr Morgan ei hun, a oedd wedi bod yn aelod o lywodraeth Mr Gladstone. O berthynas i'r gwelliant, ni allai y Llywodraeth ei dderbyn am ei fod yn arwain yn annuniongyrchol at y pwnc o Ymreolaeth.[18]

Pan ddaeth at y bleidlais, collwyd y cynnig o 135 i 113 (mwyafrif o 22) gydag 11 o Aelodau Seneddol Cymru yn pleidleisio o blaid.

Bron yn syth ar ôl ffurfio'r Pwyllgor Seneddol Cymreig, dechreuodd Cymru Fydd bwyso am sefydlu Plaid Seneddol Gymreig. Mewn cyfarfod ym Mlaenau Ffestiniog, mis ar ôl sefydlu'r pwyllgor Rhyddfrydol, datganodd Ellis J. Griffith mai 'Cymru Fu' oedd yr arwyddair gynt:

> Ond o hyn allan 'Cymru Fydd' ydyw! Un peth a wyddom: na ddaw arbediad ond o Ryddfrydiaeth Gymreig. Mewn gair, credaf nad oes unrhyw sail i gael gwelliannau i Gymru heb blaid a rhaglen Gymreig.[19]

Mae Griffith yn mynd ymlaen i restru yr anghenion hynny y byddai Plaid Ryddfrydol Gymreig yn eu hyrwyddo ac yn gosod allan ei resymeg:

> Fe allai y dywed rhywun fel hyn:– cymerwch rhyw UN o'r pynciau a enwyd . . . Y mae gwrthddadl bwysig yn erbyn y cynigiad hwn . . . cymerai flynyddoedd i argyhoeddi y Sais ar unrhyw *un* o'r gwellianau sydd arnom eisiau . . .Mynnwn yn y lle cyntaf hunan-lywodraeth i Gymru, a'r holl bethau eraill a roddir i ni yn ychwaneg . . . Dyma ganolbwynt y Blaid Gymreig.[20]

Roedd Cymru Fydd am i hunanlywodraeth fod yn flaenoriaeth genedlaethol. Atgyfnerthwyd y ddadl uchod gan Gladstone ei hun, pan gyhoeddwyd ei lythyr at y Parch. J. Morgan Jones (Caergwrle) yn yr *Herald Cymraeg* dan y pennawd 'Cymru Fydd: Barn Mr Gladstone': 'Y mae Cymru wedi cyrraedd cyfnod sydd yn debyg o gael ei nodi gan ryw gymaint o ddatblygiad newydd yn ei bywyd gwleidyddol.'[21]

Aeth Gladstone ymhellach mewn araith bwysig a roddodd yn Abertawe pan wahoddwyd ef i Barc Singleton gan AS Rhanbarth Abertawe, Syr Henry Vivian, ym Mehefin 1887. Teithiodd Gladstone ar y trên o Benarlâg i Abertawe gyda'i wraig o Gymraes, Catherine Glynne, gan wneud areithiau ar y ffordd.[22] Gorymdeithiodd cannoedd o'i flaen, ac yna, a Tom Ellis yn sefyll wrth ei ochr, dywedodd wrth dorf o filoedd fod 'y Cymry yn genedl mor wirioneddol ag ydyw yr Ysgotiaid – y genedl yr wyf fi, o ran gwaed, yn perthyn yn unig iddi – neu y Saeson . . . Y mae y Cymry wedi bod yn rhy ddistaw . . .'[23] Gladstone oedd y prif weinidog cyntaf i ddatgan bod Cymru yn genedl: 'It is time your representatives . . . considered what are the fair claims of Wales.'[24] Ni wyddai, meddai, a oedd unrhyw alw yng Nghymru am hunanreolaeth. Daeth ateb Cymru Fydd yn eglur o'r dyrfa: 'Oes!'[25]

Ym mis Mawrth 1888, cafwyd cyfnewidiad mewn dau etholaeth Gymreig a oedd yn arwyddocaol ar gyfer strwythur a dyfodol Rhyddfrydiaeth Gymreig. Yr etholaethau mewn cwestiwn oedd Merthyr a Gŵyr. Ymddiswyddodd AS Merthyr, C. H. James ar ddechrau 1888; roedd y dewis rhwng Rhyddfrydwr Anglicanaidd, G. W. E. Russell (1853–1919) a Rhyddfrydwr Anghydffurfiol D. A. Thomas[26] am yr ymgeisyddiaeth Ryddfrydol. D. A. Thomas a ddewiswyd, yn berchennog gwaith glo 32 oed, ac etholwyd ef yn ddiwrthwynebiad ar 14 Mawrth. Roedd D. A. Thomas yn un o gynrychiolwyr amlycaf y *nouveaux bourgeois* yn ne Cymru, a bwriadai ddilyn gyrfa wleidyddol yn ogystal â gyrfa ddiwydiannol.[27]

Yn etholaeth Gorllewin Morgannwg (Gŵyr), bu farw yr AS, F. A. Yeo, ar 4 Mawrth 1888 ac felly bu'n rhaid dewis ymgeisydd Rhyddfrydol yno hefyd. Y ddau ymgeisydd oedd Syr Horace Davey QC (1873–1907), Erlynydd Gwladol yn llywodraeth Gladstone (1886), a David Randell,[28] cyfreithiwr 34 oed o Lanelli a oedd wedi cael rhan o'i addysg mewn ysgol yn Boulogne, gogledd Ffrainc, lle dysgodd Ffrangeg.[29] Gwnaeth lawer o waith cyfreithiol dros undeb y diwydiant tun yn ardal Llanelli. Yr oedd yn Fethodist, roedd yn gallu siarad Cymraeg ac roedd yn gefnogol i Gymru Fydd. Ym Medi 1887, roedd Randell yn llywydd cyfarfod cyhoeddus yn Llanelli lle siaradodd Tom Ellis. Datganodd y Llywydd bod etholiad Ellis yn 'dechrau cyfnod newydd' yn hanes Cymru.[30] Yng Ngŵyr, yn y cyfarfod cyntaf, dewisodd y 'ddetholaeth' leol y bargyfreithiwr Anglicanaidd, Syr Horace Davey, fel eu hymgeisydd seneddol. Cododd hyn storm o brotest o dri chyfeiriad: oddi wrth yr Anghydffurfwyr, oddi wrth y gweithwyr ac o du Cymru Fydd. Yr oedd David Randell wedi annog sefydlu Undeb y Gweithwyr Tunplat yn 1887 ac yn awr datganodd eu hysgrifennydd, Tom Phillips:

> the working classes do not intend, as dumb, driven cattle, to be shut out from all their political rights by a self-nominated association which thinks by clever wire-pulling to foist a foreigner upon us. The Liberal Association has so far been out of touch with the people and their national aspirations that they have not even selected a Welshman to represent them. The Association preach 'Cymru Fydd' but practise the very opposite.[31]

Cyhoeddwyd yn y papur lleol, y *Cambria Daily Leader*, fod 3,800 o bleidleisiau allan o etholaeth o 10,896 yn perthyn i'r gweithwyr[32] a rhoddwyd crynodeb o raglen yr heriwr, Randell:

> Priority of wages-payment in cases of bankruptcy; Employers Liability Act to be rendered compulsory; weekly payment of wages; abolition of royalties; free education, manhood suffrage; paid members; land reform including fixity of tenure; enfranchisement of leaseholders; Higher Education for Wales; Home Rule; Disestablishment and disendowment of the Church in Wales; tithes to be appropriated for national purposes.[33]

Ysgrifennodd Tom Ellis at D. R. Daniel yng nghanol y mis: 'Prysurdeb mawr. Hyrddiwyd fi i'r De i weled y sefyllfa, ac yr wyf yn gwneud fy ngorau – wedi i mi glywed y ffeithiau – i wneud i Davey dynnu yn ôl.'[34] Gyda chymorth Mabon, 'yn yr ymdrechfa yn erbyn *officialism*',[35] llwyddodd Ellis i berswadio Davey i dynnu ei enw yn ôl erbyn 17 Mawrth, pan gyhoeddwyd maniffesto Randell:

I solicit your suffrages as a Welsh Nationalist and am in favour of Disestablishment and Disendowment of the English Church in Wales, the Appropriation of the Tithe for National Purposes, Intermediate Education for Wales, and the Establishment of a Welsh University with power of Grant Degrees, the Appointment to all Administrative and Judicial Posts in Wales of men conversant with the language of the people. I am also in favour of a Welsh National Executive.[36]

Yn ogystal, wrth gwrs, roedd Randell yn sefyll fel Rhyddfrydwr Cymdeithasol, Llafur ('Lib–Lab') ond sylwer fel roedd yn asio pynciau cenedlaethol Cymreig â gofynion 'diddordebau llafur yr etholaeth'.[37]

Cafodd gefnogaeth ymarferol oddi wrth Gymdeithas Cymru Fydd Llundain yn ei ymdrech. Roeddent wedi cael ymarfer mewn ymgyrch is-etholiadol y mis blaenorol yn Southwark, pan bwyswyd ar yr ymgeisydd Rhyddfrydol llwyddiannus, R. K. Causton (1843–1929) i addo cefnogi mesurau Cymreig.[38] Rhoddwyd cymorth ariannol i Randell, fel y dengys cyfrif blynyddol y gymdeithas,[39] a gyrrwyd siaradwyr i'w gefnogi yn ei ymgyrch.[40]

Cefnogwyd Randell hefyd gan Bwyllgor Seneddol yr Aelodau Rhyddfrydol Gymreig – wedi iddynt gael eu hwynebu â *fait accompli*.[41] Pasiwyd dau benderfyniad; yn gyntaf (wedi ei gynnig gan Syr Hussey Vivian a'i eilio gan Lewis Dillwyn): 'That this Committee desires to express its sincere satisfaction that all sections of the Liberal Party in the Gower Division have agreed upon a hearty union in support of the Liberal candidate, Mr David Randell.'[42] Cynigiwyd yr ail benderfyniad gan Osborne Morgan a'i eilio gan D. A. Thomas a oedd yn newydd etholedig yn gynharach yr un mis: 'That this Committee desires to convey its cordial thanks to Sir Horace Davey for his dignified and unselfish action in withdrawing his candidature for the Gower Division and in thus avoiding disunion in the Liberal ranks.'[43]

Gwrthwynebydd Ceidwadol Randell oedd Syr John Talbot Dillwyn-Llewelyn (1836–1927) tirfeddiannwr o Benllergaer. Diwrnod yr etholiad oedd 27 Mawrth 1888, a gellir gweld y canlyniad yn nhabl 4.4.[44] Cafwyd gostyngiad o fwyafrif 1886 o 3,157. Beth oedd yr eglurhad am hyn? Mae'n debyg bod y rhwyg dros dro yn y gwersyll Rhyddfrydol wedi gwanhau eu pleidlais, a bod agweddau asgell-chwith Randell wedi colli pleidleisiau

Tabl 4.4
**Canlyniad Etholiad Mawrth 1888 yn Etholaeth Gorllewin
Morgannwg (Gŵyr)**

Etholwyr	Pleidleiswyr %	Ymgeiswyr	Pleidleisiau	Canran
10,896	67.2%	David Randell (Rh.)	3,964	54.1
	—	J. T. Dillwyn-Llewelyn (C.)	3,358	45.9
		Mwyafrif	606	8.2

iddo o du'r dosbarth canol. Fodd bynnag, ailetholwyd ef ym
mhob etholiad nes iddo ymddeol yn 1900 ac roedd Cymru
Fyddwr arall yn Nhŷ'r Cyffredin. Os oedd D. A. Thomas yn
cynrychioli'r cyfalafwyr Cymreig, roedd David Randell yn
cynrychioli'r gweithwyr Cymreig. Gwnaeth Randell ei safbwynt
yn glir yn syth ar ôl ei etholiad, drwy yrru neges o gefnogaeth i
Keir Hardie yn ei ymgyrch yn is-etholiad Canolbarth Lanark,
Ebrill 1888.[45] Collodd Hardie yr etholiad ond, yn hwyrach yn y
flwyddyn, sefydlodd Blaid Lafur yr Alban.

Ar 5 Ebrill, cyfarfu dirprwyaeth o Gymdeithas Cymru Fydd
Llundain â David Randell yng ngorsaf Paddington i'w longyfarch
ar ei etholiad[46] ac, ar 24 Ebrill, llywyddodd Randell gyfarfod o
Gymru Fydd yn Neuadd y Dref, Holborn, lle siaradodd Tom
Ellis, D. A. Thomas a T. P. Lewis (AS Môn) ymysg eraill.[47] Fel y
dywedodd Y Goleuad mewn adroddiad am y cyfarfod: 'Ymddengys
Mr Randell fel un sydd yn dymuno gwasanaethu Cymru.'[48]
Pasiwyd penderfyniad:

> yn datgan boddhad y cyfarfod yn nychweliad cynyddol aelodau
> Cymreig cenedlaethol i'r Senedd . . . ac yn annog fod i Blaid Gymreig
> wahaniaethol ac ymosodol gael ei ffurfio yn ddioed, er mwyn
> dadlau yn fwy effeithiol hawliau Cymru . . . Gosodwyd y pender-
> fyniad gerbron gan Mr D. Lleufer Thomas a Mr Robert Parry, a
> chymeradwywyd ef. Cydnabyddwyd y penderfyniad gan Mr D. A.
> Thomas mewn araith yr hon, er na chynhwysai ynddi ei hun lawer
> o ddoniau ymadrodd, a roddai le cryf i obeithio y ceir yn ei
> thraddodydd aelod defnyddiol a galluog.[49]

Diddorol iawn yw nodi paragraff o gylchgrawn *Cymru Fydd* ynglŷn â 'Mr Randell a Monsieur Clemenceau': 'Mr David Randell, MP, the popular member for Gower, has been visiting M. Clemenceau, the eminent French politician. "M. Clemenceau", remarks Mr Randell, "is sound on the Home Rule question".'[50] Ar 20 Awst 1888 bu farw yr 'Aelod Seneddol tros Gymru", Henry Richard yn 76 oed.[51] Enw arall a roddwyd arno yn ystod ei yrfa fel ysgrifennydd y Gymdeithas Heddwch (1848–85) oedd 'Apostol Heddwch'.[52] Roedd yn credu bod Cymru yn genedl ac yn cefnogi Datgysylltiad ond nid oedd o blaid hunanreolaeth Gymreig. Mae'n amheus a fyddai wedi cytuno i sefydlu Plaid Seneddol Gymreig.[53] Gellir cymharu effaith ei farwolaeth ar Ryddfrydiaeth Gymreig i effaith marwolaeth John Elias ar Anghydffurfiaeth Gymreig yn 1841: amlygwyd y dimensiwn Cymreig yn gryfach fyth. Cryfhaodd y galw am Blaid Gymreig, gyda rhaglen gymdeithasol.[54]

Cynhaliwyd cyfarfod blynyddol y Cyngor Cenedlaethol Rhyddfrydol Cymreig yn y Drenewydd (etholaeth Stuart Rendel) yn Hydref 1888. Cyn y cyfarfod gwahoddwyd sylwadau yr Aelodau Seneddol ar gynigiad cyfansawdd oddi wrth Ffederasiwn Rhyddfrydol De Cymru, a thri chymal iddo:

(A) Y dylai'r Cyngor Cenedlaethol Rhyddfrydol fod, mewn Cyfansoddiad a gwaith, yn adlewyrchiad o deimlad gwlatgarol a Rhyddfrydol Cymru.

(B) Y dylid apwyntio Is-Bwyllgor Seneddol i wylied busnes Seneddol ac i weithredu ar argymhellion y Cyngor Cenedlaethol Rhyddfrydol.

(C) Y dylid sefydlu Plaid Gymreig.[55]

Rhestrwyd ymatebion yr Aelodau Seneddol i'r uchod yn *Cymru Fydd*[56] ac maent yn ddadlennol iawn. Roedd 8 o'r 27 Aelod Seneddol yn wrthwynebus i'r syniad o sefydlu Plaid Gymreig, sef George Osborne Morgan (Dwyrain Dinbych), J. Bryn Roberts (Eifion), William Rathbone (Arfon), John Roberts (Bwrdeistref Fflint) o'r gogledd a Syr E. J. Reed (Caerdydd), C. R. M. Talbot (Morgannwg Ganol), W. R. H. Powell (Gorllewin Caerfyrddin) a David Pugh (Dwyrain Caerfyrddin) o'r de. Rhain oedd y Rhyddfrydwyr ceidwadol a oedd yn frêc ar yr olwyn Rhydd-frydol yng Nghymru. Ofnai G. O. Morgan 'rwygo'r' Blaid

Ryddfrydol Brydeinig[57] tra ofnai John Roberts (Fflint) y deuai'r
Aelodau Seneddol yn 'ddirprwywyr' yn hytrach nag yn 'gyn-
rychiolwyr'[58] – cysgod Edmund Burke. Ar ran Cymru Fydd,
galwodd Tom Ellis am gorff 'organaidd', wedi ei ethol yn union-
gyrchol yn hytrach nag yn annuniongyrchol: 'Hunan-reolaeth
yw nod cenedl.'[59] Roedd Rendel, fel arfer, yn y canol.[60]

Gwelir, felly, fod y Cymry Cenedlaethol Rhyddfrydol yn rhan-
edig rhwng y radicaliaid a'r ceidwadwyr ond, hefyd, sylwer bod
y mudiad diwygiadol yn 1888 yn dod o Ffederasiwn y De.
Gwelwyd hyn yn glir yng nghyfarfod y Drenewydd 8–9 Hydref.
Erbyn y gynhadledd roedd cynnig y De wedi cael ei radical-
eiddio ymhellach gan y ddau aelod a etholwyd ym Mawrth,
D. A. Thomas (Merthyr) a David Randell (Gŵyr); yn awr roeddent
yn gofyn am ehangu'r cyfansoddiad i gynnwys cynrychiolwyr o
Gymru Fydd a'r Cynghrair Tir Cymreig. Ymhellach, cryfhawyd
y trydydd cymal i alw am Blaid Annibynnol Gymreig. Cododd hyn
wrychyn y Rhyddfrydwyr asgell-dde; gwrthwynebwyd ehangu'r
cyfansoddiad. Derbyniwyd cymal un a dau ond newidiwyd y
trydydd cymal i alwad annelwig yn 'tynnu sylw' yr Aelodau
Seneddol at 'yr anghenraid am drefnyddiaeth fwy effeithiol.'[61]

Yr oedd John Morley yn bresennol yn y gynhadledd, i wneud
yn sicr nad oeddent yn mynd yn rhy bell: 'Ymddangosai yr awyr
yn llawn trydaniaeth, disgwyliai bawb ystorm . . . Ond pan y
daeth yr amser, gwelwyd mai comedi ac nid trasiedi oedd i'w
chwarae.'[62] Roedd barn John Gibson yn eironig:

> Under the soporific influences of large, skilfully administered
> doses of political soothing syrup the threatened outbreak of Welsh
> Nationalism has been averted for the time being . . . We can imagine
> Mr John Morley, Mr Stuart Rendel, Mr A. C. Humphreys-Owen,
> Mr Osborne Morgan and Captain Verney, meeting together at dinner
> and laughing heartily over the discomfiture of the fire-eating
> radicals.[63]

Fodd bynnag, er bod cynhadledd y Drenewydd wedi datgan yn
erbyn Plaid Annibynnol Gymreig, gallai'r Rhyddfrydwyr radical
ddehongli'r penderfyniad amwys ar 'yr anghenraid am drefn-
yddiaeth mwy effeithiol' fel y mynnent.

Y mis canlynol, yn eu cyfarfod cyntaf ar ôl marwolaeth Richard,
yn Ystafell Pwyllgor Rhif 7 yn Nhŷ'r Cyffredin, ar 15 Tachwedd

1888, pasiwyd dau benderfyniad yn unfrydol: y cyntaf yn cof-
leidio bywyd Henry Richard, a'r ail yn ethol Stuart Rendel yn
gadeirydd yn ei le.[64] Yn y cyfarfod nesaf, 23 Tachwedd, rhoddodd
Dillwyn rybudd y byddai'n gosod o flaen y cyfarfod dilynol y
penderfyniad canlynol: 'Y dylid diddymu swydd yr Ysgrifennydd
a'r Cyd-Ysgrifennydd ac y dylid gwahodd dau aelod i fod yn
Chwipiaid i'r Blaid Ryddfrydol Seneddol Gymreig.'[65] Cynhaliwyd
y cyfarfod hwnnw ar 29 Tachwedd 1888; cynigiodd Dillwyn y
penderfyniad uchod, eiliwyd ef gan Alfred Thomas, a phasiwyd
ef o ddeg pleidlais o blaid i ddau yn erbyn (Rathbone a Bryn
Roberts), gyda dau yn ymatal (John Roberts a Syr Arthur Stepney).
Awgrymodd Dillwyn y dylid apwyntio Tom Ellis yn chwip.
Esgusododd Ellis ei hun, ac apwyntiwyd D. A. Thomas ac Arthur
Williams yn chwipiaid cyntaf y Blaid Seneddol Gymreig.[66] Hon
oedd y blaid Gymreig gyntaf yn hanes gwleidyddol Cymru, ac
roedd yn ddatblygiad o bwys mawr. Plaid oddi mewn plaid
ydoedd, i raddau, ond trwy gydweithio a chyd-bleidleisio gallasai'r
Aelodau Seneddol Rhyddfrydol Gymreig ddal y glorian yng
nghymhlethdod Tŷ'r Cyffredin. Byddai Rendel yn gadeirydd
defnyddiol, oherwydd ei gyfeillgarwch â Gladstone. Y cwestiwn
nawr oedd: pa mor unedig fyddai'r blaid newydd?

Nodiadau

[1] Yn ôl Llewelyn Williams, 'The election of 1886 was the most decisive
ever held in Wales,' *idem*, 'Political Life', yn Viscountess Rhondda
(gol.), *D. A. Thomas, Viscount Rhondda* (Llundain, 1921), t. 58.
[2] Neal Blewett, *The Peers, the Parties and the People* (Llundain, 1972),
tt. 10–11. Gweler hefyd D. C. Savage, *The General Election of 1886
in Great Britain and Ireland* (Traethawd Ph.D., Prifysgol Llundain,
1958).
[3] Gweler E. Kedourie, *Nationalism* (Llundain, 1960), t. 101. Roedd
Talbot yn cael ei gyfrif fel Rhyddfrydwr Ceidwadol; gweler *SWDN*,
14 Gorffennaf 1885.
[4] Cf. John Vincent, 'New Introduction', *Formation of the British Liberal
Party* (Hassocks, 1976), t. xiv: 'Liberalism as intergenerational conflict.'
[5] Roedd y dosbarth canol wedi bod mewn mwyafrif er 1880.
[6] Gweler erthygl Thomas ('Palesteina') Lewis ar 'Anghenion
Deddfwriaethol Cymru', *Y Geninen* (Ebrill 1887), 94–7, lle mae'n galw
am hunanreolaeth i Gymru. Roedd Lewis, fel Alfred Thomas, Mabon
ac Ellis, yn un o is-lywyddion Cymdeithas Cymru Fydd Llundain.
Roedd y pedwar yn Anghydffurfwyr.

7 H. Richard at W. E. Gladstone, 14 Mehefin 1886 (Llyfrgell Brydeinig, Papurau Gladstone, Papurau Ychwanegol, 44498, 17–19)

8 Michael D. Jones, 'Plaid Gymreig', *Y Celt*, 11 Mehefin 1886.

9 Golygyddol, *Herald Cymraeg*, 10 Awst 1886; *The Times*, 4 Awst 1886, t. 3. Gweler hefyd 'Plaid Gymreig', *Herald Cymraeg*, 24 Awst 1886.

10 'Plaid Gymreig', *BAC*, 18 Awst 1886. Gweler 'Welsh MPs', *The Times*, 22–3 Awst 1886.

11 *Welsh Liberal Members of Parliament Committee Minute Book*, 26 August 1886–17 July 1889, Llyfrgell Ganolog Casnewydd, Adran Llawysgrifau, MO (328) t. 1. Dylid pwysleisio pwysigrwydd darganfod y llyfr cofnodion hwn. Nid oedd y llyfr ar gael, er enghraifft, i K. O. Morgan, pan gyhoeddwyd *Wales in British Politics* (Caerdydd, 1963).

12 *Committee Minute Book*, t. 1. Mae adroddiad byr am y cyfarfod yn *Herald Cymraeg*, 31 Awst 1886. Sylwyd ar y pwyllgor newydd yn y *North Eastern Daily Gazette*, 26–7 Awst 1886, lle ymosodwyd ar y genedl Gymreig yn hiliol: 'The quondam barbarian has ever been quick to ape the lighter graces of civilization when emerging from barbarism.' Mae'n amlwg bod rhai Saeson y gogledd-ddwyrain yn ofni y deuai'r Aelodau Seneddol Cymreig yn fwy effeithiol.

13 *Committee Minute Book*, t. 5.

14 Ibid.

15 Ibid., 10 Chwefror 1887.

16 Hansard, Parl. Debs. (cyfres 3) cyfrol 323, colofn 469 (7 Mawrth 1888). Adroddiad yn *BAC*, 14 Mawrth 1888. Gweler hefyd Robert Parry, 'Pa Beth yw y Nod?' *Cymru Fydd* (Ebrill 1888), 222–8.

17 H. C. Raikes (1838–91). Mab Henry Raikes, Llwynegrin, yr Wyddgrug, Sir Fflint.

18 *BAC*, 14 Mawrth 1888. Hansard, Parl. Debs. (cyfres 3) cyfrol 323, colofn 482. Yr oedd y llywodraeth wedi gwrthod cynnig Albanaidd y diwrnod blaenorol. Sefydlwyd Pwyllgor Sefydlog Cymreig yn 1907; ehangwyd ei bwerau yn Uwch-Bwyllgor 1960. Sefydlwyd yn ychwanegol Bwyllgor Dethol Cymreig yn 1979.

19 *BAC*, 22 Medi 1886. Yr oedd Tom Ellis a T. F. Roberts yn siarad yn yr un cyfarfod.

20 Ibid. Cf. Evan Jones, *Plaid Gymreig a Deddfwriaeth Gymreig* (Machynlleth, 1886).

21 'Cymru Fydd: Barn Mr Gladstone', *Herald Cymraeg*, 5 Hydref 1886. Gweler hefyd *The Times*, 8 Tachwedd 1886, t. 10.

22 *BAC*, 8 Mehefin 1887.

23 Ibid. Gweler hefyd *BAC*, 11 Mehefin, 22 Mehefin 1887.

24 *The Times*, 6 Mehefin 1887; *SWDN*, 6 Mehefin 1887; *Y Celt*, 10 Mehefin 1887.

25 Ibid.

26 David Arthur Thomas (1856–1918). Ganwyd yn Ysguborwen ger Aberdâr yn fab i Samuel Thomas (1800–79), a gadwodd siop groser ym Merthyr, cyn agor pwll glo yn Ysguborwen (1849). Etifeddwyd y pwll gan D. A. Thomas ac erbyn y 1890au yr oedd yn filiwnydd.

[27] Gweler Llewelyn Williams, 'Political Life', t. 59. Addysgwyd Thomas ym Mryste a Chaergrawnt (BA, 1880). Nid oedd yn gallu siarad Cymraeg.

[28] David Randell (1854–1912): AS Gŵyr 1888–1900; mab groser.

[29] Gweler *South Wales Star*, 9 Hydref 1891, t. 5; a T. Marchant-Williams, *The Welsh Members of Parliament* (Caerdydd, 1894), t. 41.

[30] *BAC*, 14 Medi 1887. Roedd Randell wedi cynorthwyo Ellis yn ei ymgyrch seneddol yn 1886 a, hefyd, Mabon yn ei ymgyrch ef yn 1885.

[31] *Cambria Daily Leader*, 12 Mawrth 1888.

[32] Ibid.

[33] Ibid.

[34] Tom Ellis at D. R. Daniel, 15 Mawrth 1888 (LlGC, Papurau D. R. Daniel).

[35] *Y Goleuad*, 22 Mawrth 1888.

[36] Ibid. Disgrifiwyd ef yn y *Cambria Daily Leader*, 19 Mawrth 1888, fel: 'Welsh Nationalist, Labour and Liberal candidate". Cf. J. R. Williams, *Quarrymen's Champion* (Dinbych, 1978), t. 156.

[37] *Y Goleuad*, 22 Mawrth 1888.

[38] *The Times*, 15 Chwefror 1888; *BAC*, 22 Chwefror 1888; *Cymru Fydd* (Mawrth 1888) 164: 'The Welsh vote was no mean factor in Mr Causton's triumphant majority.'

[39] 'Statement' of Account for the Year Ending December 31st. 1888, Cymru Fydd Society, London', *Welsh Political Pamphlets* (Llyfrgell Hugh Owen, Prifysgol Cymru, Aberystwyth, Casgliad Celtaidd, JN1151A2W4CR).

[40] *Cymru Fydd* (Mai 1888), 304.

[41] *Committee Minute Book*, 22 Mawrth 1888.

[42] Ibid.

[43] Ibid. Etholwyd Syr Horace Davey yn AS Stockton-on-Tees yn Rhagfyr 1888. Cafodd Randell gefnogaeth hefyd gan Ffederasiwn Rhyddfrydol De Cymru, *Cymru Fydd* (Ebrill 1888), 242–3.

[44] Ffynhonnell: F. W. S. Craig, *British Parliamentary Election Results, 1885–1918* (Llundain, 1974). Gweler hefyd David Cleaver, 'Labour and Liberals in the Gower Constituency, 1885–1910', (*WHR*), Mehefin 1985, 388–93.

[45] *The Miner* (Ebrill 1888), 38.

[46] *Cymru Fydd* (Mai 1888), 304; 'Llythyr Llundain', *BAC*, 18 Ebrill 1888.

[47] *Cymru Fydd* (Mai 1888), 305.

[48] *Y Goleuad*, 3 Mai 1888. Gweler hefyd *BAC*, 2 Mai 1888.

[49] *Cymru Fydd* (Mai 1888) 304; 'Llythyr Llundain', *BAC*, 18 Ebrill 1888.

[50] *Cymru Fydd* (Mehefin 1888) 429. Cyfeiriad yw hyn at y radical, Georges ('Teigr') Clemenceau (1841–1929), Prif Weinidog Ffrainc 1917–20. Oherwydd ei allu mewn Ffrangeg, dewiswyd Randell yn rheolaidd gan undebau llafur de Cymru i'w cynrychioli mewn Cyngresau Llafur a Heddwch ar y Cyfandir.

[51] Gweler rhifyn 'Henry Richard', *Cymru Fydd* (Medi 1888); *Y Cronicl* (Medi 1888), 290.

[52] Lewis Appleton, *Henry Richard: The Apostle of Peace* (Llundain, 1889), Atodiad I: Araith Teyrnged W. E. Gladstone yn Eisteddfod Genedlaethol Wrecsam, Medi 1888.

[53] Henry Richard, 'Wales', *Daily News*, 17 Ionawr 1888; *idem*, 'Perthynas Cymru a Lloegr', *Y Geninen* (Hydref 1888) 253–8.

[54] Gweler R. A. Griffith, 'Rhyddfrydiaeth a Sefydliadau Rhyddfrydig yng Nghymru', *Cymru Fydd* (Medi 1888), 537–44; mae hwn yn ddadansoddiad dwfn a deallus o strwythur Rhyddfrydiaeth Gymreig, o safbwynt Cymru Fydd, gan gyfreithiwr ym Mangor, Robert Arthur Griffith, 'Elphin' (1860–1936), KC yn 1903.

[55] *Cymru Fydd* (Hydref 1888) 618. Gweler *The Times*, 3 Hydref 1888, t. 9.

[56] *Cymru Fydd* (Hydref 1888) 618–32.

[57] Ibid., 620–1.

[58] Ibid., 631.

[59] Ibid., 629–31.

[60] Ibid., 623–4.

[61] *Y Genedl*, 24 Hydref 1888; *BAC*, 13–17 Hydref 1888; *SWDN* 9–10 Hydref 1888.

[62] *Cymru Fydd* (Tachwedd 1888), 386.

[63] *Cambrian News*, 12 Hydref 1888.

[64] *Committee Minute Book*, t. 68.

[65] Ibid., tt. 71–2.

[66] Ibid., tt. 73–6. Gweler hefyd *BAC*, 19 Rhagfyr 1888; *SWDN*, 13 Rhagfyr 1888.

5

Chwyldro Cymreig

1889

Ar ddiwedd 1888 a dechrau 1889 roedd amryw o gyfeiriadau yn y wasg Gymreig at ganmlwyddiant Chwyldro Ffrengig 1789. Nid cofnodi'r ffaith yn syml oeddent. Aeth nifer o'r golygyddion ymlaen i dynnu sylw at y posibilrwydd o 'Chwyldro Cymreig' yn Ionawr 1889, mis yr etholiadau cyntaf yng Nghymru ar gyfer y Cynghorau Sir newydd; yn ôl R. A. Griffith yn *Cymru Fydd*:

> Ni fuasai Ffrainc heddiw yn mwynhau Gwerinlywodraeth, pe na ddigwyddasai chwyldroad aruthrol yn y wlad honno tua chanrif yn ôl, pan gododd y genedl, deued a ddelai, yn erbyn ei threiswyr . . . Y mae rhyddid o'r diwedd o fewn cyrraedd y Gwyddelod, am eu bod wedi dioddef athrod, carchar, a marwolaeth dros eu gwlad. Bydd raid i'r Cymry hefyd aberthu llawer o'u cysuron, os ydynt yn awyddus i'w plant etifeddu byd gwell.[1]

Datganodd y *North Wales Observer* yn y flwyddyn newydd:

> the masses mean to engage in a mighty combat with the privileged class. Liberty, Equality and Fraternity: these are the potent watch-words of emancipated mankind . . . When defensive war is unavoidable, it is the duty of every patriot to acquit himself like a man.[2]

Yn yr un mis, dywedodd Tom Ellis wrth Gymry Manceinion fod gwreiddiau y Chwyldro Ffrengig yn 'Geltaidd'.[3] Beth oedd yn cynnig cyfle i'r Cymry am 'chwyldro' yn 1889? Roedd y sefyllfa newydd yn codi o Ddeddf Llywodraeth Leol 1888 a oedd yn dilyn yn naturiol o Ddeddf Diwygiad 1884 – fel yr oedd Deddf Corfforaethau Lleol 1835 yn dilyn yn naturiol o Ddeddf Diwygiad 1832.

Pwrpas y Mesur Llywodraeth Leol – a gyflwynwyd i'r Senedd gan y llywodraeth Doriaidd – oedd sefydlu cynghorau sir yn Lloegr a Chymru, 'yr hwn, yn ddiamau, sydd yn sicr o greu chwyldro yn rheoleiddiad amgylchiadau y sir'.[4] Wrth i'r mesur fynd trwy'r Senedd, ceisiodd Tom Ellis gyflwyno gwelliant i sefydlu Cyngor Cenedlaethol i Gymru i 'ysgafnahau pwysedd gwaith yn y Tŷ'.[5] Wrth gwrs, gwrthodwyd hyn gan y llywodraeth Doriaidd ond roedd y datganolwyr Cymreig yn gweld cyfle mawr yn y mesur i drawsnewid sefyllfa wleidyddol Cymru trwy 'yr anturiaeth newydd mewn gweriniaeth a addawyd drwy'r ddeddf'.[6]

Gofynnodd golygydd *Cymru Fydd* wrth yr Aelodau Seneddol Cymreig am eu hymateb i'r mesur a chyhoeddwyd hwy yn rhifyn Mehefin 1888.[7] Roedd pob un o'r Rhyddfrydwyr yn cefnogi egwyddor y mesur er bod ganddynt rai amheuon am y manylion. Daeth yr ymateb mwyaf adeiladol, unwaith eto, oddi wrth Aelod Seneddol Meirionnydd:

> So far as Wales is concerned, it is, in one capital respect, unsatisfactory and inadequate. The Bill contains no provision for a central Welsh Council to deal with matters common to the thirteen Welsh counties . . . Such an authority, constituted of the 34 Parliamentary Representatives of Wales and 68 members selected proportionally by the Welsh County Councils, would open a new era of progress in Wales.[8]

Byddai hyn yn creu Cyngor Cenedlaethol o 102.

Daeth y mesur yn Ddeddf yn Awst 1888 a sicrhaodd yr Aelodau Seneddol Cymreig ei bod yn cael ei throsi i'r iaith Gymraeg.[9] Hon oedd y ddeddf gyntaf i gael ei throsi i'r Gymraeg. Yn yr hydref, dechreuodd yr ymgyrch ar gyfer yr etholiadau i'r cynghorau cyntaf yn y flwyddyn newydd. Cynhaliwyd cyfarfodydd gan Aelodau Seneddol Rhyddfrydol Cymreig, yn eu siroedd, i egluro'r Ddeddf newydd a dechrau'r ymgyrchoedd sirol. Yng nghyfarfod Meirionnydd ym Mlaenau Ffestiniog, amlinellwyd y Ddeddf gan Tom Ellis a dadlennodd ei phwysigrwydd:

> Os bydd i'r Cymry ddychwelyd i'r byrddau sirol ddynion wedi eu hysbrydoli gan grediniaeth yng nghymwyster Cymru i hunan-

lywodraeth, a chyda phenderfyniad di-ildio i weithredu ar y grediniaeth honno, fe fydd i Lywodraeth Ryddfrydol y dyfodol gyd-synio â'u gofynion, a throsglwyddo i Gyngor yn cynrychioli yr holl genedl, nid yn unig yr hawliau i weinyddu, ond hefyd awdurdod i ddeddfu.[10]

Siaradodd William O'Brien, AS Gwyddelig yn yr un cyfarfod ar 'y modd y camdrinir carcharorion politicaidd yn yr Iwerddon'.[11] Yn dilyn O'Brien, daeth Lloyd George:

Y mae yr Iwerddon yn haeddu y bendithion pennaf. Ond cofiwn, wrth ymladd dros iawnderau yr Ynys Werdd, am ein gwlad ein hunain. Yr ydym wedi bod yn ymladd dros iawnderau agos i bob gwlad, cenedl, ac iaith, ond ein cenedl ein hunain. Wrth helpu eraill, cofiwn ein hunain.[12]

Yr wythnos ganlynol, galwodd Lloyd George, ym Methesda, Caernarfon, am ethol cynghorwyr 'gwerinol, egwyddorol a gwlatgar'.[13] Ysgrifennodd Ellis at arweinydd y chwarelwyr: 'In Wales the immediate work to be done is to get good radicals on every County Council. Unless this is done it will be of little use passing resolutions or amendments at the Federation.'[14]

Diwrnod etholiadau y cynghorau sir oedd 24 Ionawr 1889. Roedd y pleidleisio yn drwm a phan gyhoeddwyd y canlyniadau, gwelwyd bod chwyldro gwleidyddol wedi digwydd yng Nghymru. Enillodd y Rhyddfrydwyr bob sir heblaw Brycheiniog a Maesyfed. Enillwyd 394 allan o 594 sedd ganddynt, sef tair rhan o bump neu 60 y cant o'r cyfanswm. Enillwyd hefyd 60 y cant o'r bleidlais genedlaethol. Mae hyn yn enghraifft berffaith o gynrychiolaeth gyfrannol (gweler tablau 5.1–5.3).

Os astudir Tabl 5.1 yn ofalus, gwelir nad oedd y Rhyddfrydwyr wedi gwneud mor dda ym Mhowys (hynny yw, Trefaldwyn, Maesyfed a Brycheiniog) ag yng ngweddill Cymru. Gellir awgrymu rhesymau daearyddol-economaidd am hyn, y ffaith bod Powys ar y goror â Lloegr ac nad oedd llawer o ddiwydiant yno. Gellir disgwyl felly y byddai dylanwad 'tir' yn aros yn hwy yn y parth hwn.[16]

Ar wahân i Bowys, roedd buddugoliaeth y Rhyddfrydwyr yn ysgubol.[17] Ond pwy oedd y cynghorwyr buddugoliaethus hyn – beth oedd eu cefndir? Roedd y rhan helaethaf ohonynt yn dod o

Tabl 5.1

Etholiadau'r Cynghorau Sir yng Nghymru, Ionawr 1889[15]

Sir	Rhyddfrydwyr	Ceidwadwyr	Annibynnol
Aberteifi	37	10	1
Brycheiniog	21	21	3
Caerfyrddin	40	8	3
Caernarfon	32	16	0
Dinbych	32	15	1
Fflint	27	13	2
Maesyfed	12	10	2
Meirionnydd	33	9	0
Môn	33	7	2
Morgannwg	45	15	6
Mynwy	29	16	3
Penfro	31	15	2
Trefaldwyn	22	18	2
Cyfanswm (13 sir)	394	173	27

Tabl 5.2

Cyfanswm Pleidleisiau'r Siroedd, 1889

Sir	Rhyddfrydol	Ceidwadol ac Eraill
Abertawe	8,490	4,477
Brycheiniog	2,254	2,223
Caerfyrddin	20,531	7,064
Caernarfon	13,030	6,941
Dinbych	6,557	4,963
Fflint	8,750	5,905
Maesyfed	566	447
Meirionnydd	4,990	3,033
Môn	8,282	4,520
Morgannwg	33,422	21,212
Mynwy	12,981	10,094
Penfro	9,075	6,356
Trefaldwyn	6,834	7,329
Cyfanswm (%)	135,762 (61.6%)	84,564 (38.4%)

Tabl 5.3

Cadeiryddion Cyntaf Cynghorau Sir Cymru, 1889

Sir	Cadeirydd	Plaid	Cefndir
Aberteifi	Peter Jones	Rh.	Marchnadwr Glo
Brycheiniog	Charles Evan-Thomas	C.	Tirfeddiannwr
Caerfyrddin	W. O. Brigstocke	Rh.	Bargyfreithiwr
Caernarfon	David Pierce Williams	Rh.	Fferyllydd
Dinbych	Thomas Gee	Rh.	Cyhoeddwr
Fflint	John Herbert Lewis	Rh.	Cyfreithiwr
Maesyfed	Arglwydd Ormathwaite	C.	Tirfeddiannwr
Meirionnydd	Dr Edward Jones	Rh.	Meddyg
Môn	Hugh Thomas	Rh.	Cigydd
Morgannwg	Syr H. H. Vivian, AS	Rh.	Diwydiannwr
Mynwy	Edwin Grove	Rh.	Cyfrifydd
Penfro	H. G. Allen	Rh.	Bargyfreithiwr
Trefaldwyn	A. C. Humphreys-Owen	Rh.	Tirfeddiannwr

un dosbarth: y dosbarth canol. Y ffordd orau i ddangos hyn yw trwy roi cefndir y cadeiryddion cyntaf a etholwyd yn 1889 ar ffurf tabl. Roedd cadeiryddion y cynghorau sir, fel petai, yn crisialu naws y mwyafrif, nid yn unig o safbwynt gwleidyddol ond, hefyd, yn gymdeithasol. Gwelir o dabl 5.3 fod y mwyafrif o gadeiryddion cyntaf Cymru yn dod o'r dosbarth canol Cymreig, sef 10 allan o 13. Mae hyn yn cadarnhau dadansoddiad o chwyldro Cymreig 1889 fel chwyldro dosbarth canol bwrgeisiol.

Yn ôl Thomas Gee, cadeirydd cyntaf Cyngor Sir Dinbych, roedd yr etholiadau wedi taflu yr awdurdod o ddwylo'r boneddigion a'r tirfeddianwyr 'i ddwylo dynion y bobl trwy siroedd Cymru a hynny megis ar un ergyd'.[18] Roedd y werin wedi 'diystyru' yr uwch ddosbarth:

> Ond am y dosbarth y mae Cymru wedi eu dewis – dynion ydynt sydd wedi meistroli eu hamgylchiadau eu hunain, yn gallu arolygu eu masnach a'u cyfrifon eu hunain, yn gallu edrych ar ôl eu gweithwyr ac wedi gallu byw yng ngwyneb ymgystadleuaeth ffyrnig y blynyddoedd diweddaf a llawer ohonynt wedi ennill cyfoeth mawr trwy eu llafur personol eu hunain.[19]

Mae hyn yn ddisgrifiad clasurol o'r dosbarth canol Cymreig a oedd wedi meddiannu'r wladwriaeth leol yng Nghymru.

Collodd yr uwch ddosbarth tirfeddiannol eu gafael ar wleidyddiaeth Cymru yn 1889. Roedd yr ysweiniaid wedi rheoli meinciau'r ynadon yn y wlad am dair canrif ond ni allent wrthsefyll yr ymosodiad arnynt gan y dynion newydd. Dyna fel roedd y cyfoeswyr craff yn gweld y newid ar y pryd; dyma, er enghraifft, oedd barn golygydd *Cymru Fydd*:

> Mae etholiad y Cynghorau Sirol drosodd, a Chymru eisioes yn edrych ar Ionawr 1889 yn ddechreuad cyfnod newydd yn ei hanes. Mor bell ag y mae gwaith y Cynghorau yn myned, mae mis Ionawr wedi creu chwyldroad na welodd Cymru ei gyffelyb. Pe buasai i ryw Rhyddfrydwr selog anturio proffwydo ymlaen llaw y gwelsid y fath gyfnewidiad yn cymeryd lle ynghorff un mis o amser, cyfrifasid ef yn rhyfygus yn ei hyder, a dweud y lleiaf. Y mae yr awdurdod sirol yng Nghymru nid yn unig wedi newid dwylo, ond wedi newid cymeriad yn gyfangwbl. Mae mainc y bendefigaeth wedi troi yn fainc y bobl. Nid yn unig y mae y Cynghorau wedi eu dewis gan y bobl, ond y maent wedi eu dewis o'r bobl; mae y rhai a lywodraethid wedi dyfod yn llywodraethwyr.[20]

Dyna, onide, yw hanfod chwyldro – sef trawsnewidiad lle mae un dosbarth yn cymryd lle dosbarth arall. Dyna a ddigwyddodd yng Nghymru yn Ionawr 1889. Cafwyd symbol gwych o hyn yn Llanuwchllyn, lle etholwyd Michael D. Jones ar Gyngor Sir Meirionnydd, gyda mwyafrif o wyth pleidlais dros y tirfeddiannwr Ceidwadol, Williams Gwernhefin. Barn Ellis yn ei ddyddiadur ar yr etholiadau oedd: 'dyma gam ymlaen. Daw Cyngor Cenedlaethol i Gymru cyn bo hir o hyn.'[21] Ysgrifennodd at Ellis Jones Griffith am ganlyniadau Mynwy: 'The Monmouthshire victory is of *immense* importance for it means that it will cast its lot with Wales.'[22] Yn ôl Gladstone roedd yr etholiadau yn cynrychioli 'chwyldro cyfansoddiadol'.[23]

Un agwedd ddiddorol o'r cyfnewid, o safbwynt Cymru Fydd, oedd ethol tri henadur ieuanc i Gyngor Sir Caernarfon: D. R. Daniel; Arthur Acland, AS Rotherham, a oedd yn berchennog ar fwthyn yng Nghlynnog; a'r 'Bachgen Henadur', David Lloyd George.[24] Yn gynharach, ar 3 Ionawr 1889, roedd Lloyd George wedi cael ei ddewis yn ymgeisydd seneddol Rhyddfrydol dros Fwrdeistrefi Caernarfon.[25] Roedd ennill yr ymgeisyddiaeth yn fuddugoliaeth i garfan Cymru Fydd oddi mewn i'r etholaeth, dros y Rhydfrydwyr ceidwadol.[26] Mewn cyfarfod yn Hope Hall, Lerpwl, y mis canlynol, datganodd yr ymgeisydd newydd fod Cymru Fydd yn ddwysâd o Ryddfrydiaeth Gymreig nes iddo ddod yn 'wenfflam'.[27]

Yn ogystal â dewisiad Lloyd George gwnaethpwyd tri apwyntiad arwyddocaol yn nhri mis cyntaf 1889. Yn Ionawr, apwyntiwyd John Morris-Jones yn ddarlithydd yn y Gymraeg yng Ngholeg Bangor – y penodiad cyntaf o'i fath mewn unrhyw goleg Cymreig.[28] Ef hefyd a drosodd y Ddeddf Llywodraeth Leol i'r Gymraeg – y tro cyntaf i unrhyw ddeddf gael ei throsi.[29] Roedd yn eironig felly ei fod yn darlithio ar y Gymraeg drwy gyfrwng y Saesneg.

Yn Chwefror, apwyntiwyd A. G. Edwards,[30] ficer Caerfyrddin, yn esgob Llanelwy yn olynydd i'r Esgob Hughes a oedd wedi ymddeol. Yr oedd 'A.G.' i fod yn bersonoliaeth bwysig a dadleuol ym mywyd Cymru am chwarter canrif – hyd basio Deddf Datgysylltiad yr Eglwys yng Nghymru yn 1914, ac ef a ddaeth yn archesgob cyntaf Cymru yn 1920 – ym mhresenoldeb y Prif Weinidog cyfredol, Lloyd George.[31] Ym Mawrth etholwyd Tom Ellis yn llywydd cyntaf Undeb Cymdeithasau Diwylliannol Cymreig Llundain.[32] Roedd yr undeb newydd yn fynegiad o hunanhyder newydd Cymry Llundain ac roedd yn cynnwys Cymdeithas Cymru Fydd Llundain.

Y digwyddiad diwylliannol pwysicaf yn 1889, fodd bynnag oedd pasio Deddf Addysg Ganolraddol Cymru – deddf a oedd yn sefydlu ysgolion uwchradd ymhob sir yng Nghymru ac a oedd yn gosod Cymru ddegawd a mwy o flaen Lloegr ym myd addysg. Fel y dywedodd Ellis Edwards:

> The unexpected always happens. Who would have thought that the session of 1889 would have seen a Tory Government, without any warning, likelihood or sign, admit an Opposition Bill, and declare it to be their unfeigned desire that it should pass this Session? . . . The pressure of a just cause never ceases to tell. The moment comes when, with a rush, expediency, and indifference, and postponement give way. Processes are usually slow, results usually sudden.[33]

Mesur a gyflwynwyd gan Rendel oedd hwn, fel llywydd y Blaid Seneddol Gymreig. Cafodd gymorth Tom Ellis a oedd yn ysgrifennydd Is-bwyllgor yr Aelodau Cymreig ar Addysg. Pan ddaeth y Mesur ymlaen am ei ail ddarlleniad ar 15 Mai 1889, cafodd gefnogaeth Gladstone.[34] Cynhwyswyd Mynwy yn y mesur yng Ngorffennaf wedi i'r Blaid Seneddol Gymreig basio penderfyniad: 'That the inclusion of Monmouthshire be considered an essential part of the Bill.'[35] Daeth y mesur yn ddeddf ar 12 Awst 1889, troswyd hi i'r iaith Gymraeg yn yr un flwyddyn.[36] Roedd yn rhaid i blant Lloegr aros tan y ganrif nesaf (1902) cyn cael system gymharol. Roedd y Cymry wedi ymateb yn llwydd-iannus i Frad y Llyfrau Gleision.

Agwedd y Cymru Fyddwyr at etholiadau'r cynghorau sir yn Ionawr 1889 oedd edrych arnynt fel sylfaen gwerthfawr ar gyfer Senedd Gymreig: 'the Local Government Act gives Wales the opportunity of putting into practice Socialistic principles.'[37] Yn ôl Ellis:

> Mae safle Cymru yn Nhŷ'r Cyffredin wedi newid yn fawr iawn mewn ychydig amser. Mae yn ddylanwad yn meddyliau yr aelodau, a gallwn enwi rhestr fawr i chwi o'r aelodau Radicalaidd mwyaf dylanwadol sydd wedi gwneud eu meddwl i fyny dros hunan reolaeth i Gymru.[38]

Pwysleisiodd wrth gadeirydd Cyngor Sir Fflint, J. Herbert Lewis, y byddai 'Cyngor Cyffredinol'[39] yn datblygu allan o'r cynghorau sir:

> It is brick by brick that a wall is built. The movement . . . will be looked back on with pride. You see how the tendency of the Home Rule question is towards Federalism. This General Council move-ment will help to secure the unity of Wales and help it to claim its right when the day of settlement comes.[40]

Cadarnhawyd yr agwedd adeiladol hon yng Nghyfarfod Blynyddol Cymdeithas Cymru Fydd Llundain ar 22 Mai 1889. Nododd ohebydd *Y Celt* bresenoldeb Ellis, 'yn ystafelloedd yr hwn . . . y cychwynwyd y mudiad Cymru Fydd'.[41] Pasiwyd pen-derfyniadau yn cefnogi'r Mesur Addysg Gymreig a oedd yn mynd trwy'r Tŷ, Datgysylltiad ac Ymreolaeth.[42] Hefyd, pender-fynwyd y dylid cynhyrchu maniffesto cyn diwedd y flwyddyn, yn mynegi bwriadau Cymru Fydd yng ngoleuni canlyniadau etholiadau Ionawr. Etholwyd y Cynghorydd T. Howell Williams – a oedd newydd gael ei ethol i Gyngor Sir Llundain – yn llywydd y gymdeithas, T. W. Owen yn drysorydd yn ei le a Thomas Williams yn ysgrifennydd. Erbyn hyn roedd ganddynt Swyddfa yn 3 West Street, Llundain. Ymddiriedwyd y gwaith o baratoi y maniffesto i'r is-bwyllgor llenyddol.

Yn y cyfamser, yng Ngorffennaf 1889, achoswyd is-etholiad arall yng Nghymru oherwydd marwolaeth Aelod Seneddol Rhyddfrydol Gorllewin Caerfyrddin, W. R. H. Powell, yswain Maesgwynne, Llanboidy. Dewiswyd J. Lloyd Morgan QC yn ei le, gŵr 28 oed a mab y Parch. W. Morgan, Coleg Presbyteraidd Caerfyrddin. Enillodd Gymru Fydd fwyafrif sylweddol unwaith eto, gyda Mabon yn mynd i lawr, yng ngeiriau Ellis, 'i gynhyrfu'r ysbryd Cymreig'.[43]

Ym mis Medi 1889, y gŵr gwâdd yng nghyfarfod blynyddol Rhyddfrydwyr Meirion oedd y cyfreithiwr disglair, H. H. Asquith; AS Dwyrain Fife. Ni wnaeth presenoldeb y Gweinidog Cartref nesaf lesteirio Ellis. Yn ei araith, edrychodd Aelod Seneddol Meirionydd ymlaen at yr etholiad cyffredinol nesaf:

> Os ydyw Cymru i ennill ei hawliau, a gwneud ei dyledswyddau fel cenedl, rhaid iddi gael cynrychiolaeth dda . . . Prin y gall ddisgwyl mwy, efallai, na 30 Rhyddfrydwr. Ond gall deg ar hugain dewr wneud *havoc* mawr ar gynlluniau plaid o 380. Gallant ddyrysu ac weithiau ddistrywio, eu cynlluniau, ac o leiaf eu newid a'u gwella, a gallant hefyd fynnu oddi arnynt aml i fesur da ac effeithiol. Ond rhaid i'r deg ar hugain, os ydynt i wneud gwaith y genedl, fod yn genedlaetholwyr pybyr, yn ddadleuwyr didderbynwyneb, ac yn weithwyr di-fefl – nid yn gŵn mudion, yn esgeulus, neu yn absenolion.[44]

Efallai bod 30 Rhyddfrydwr allan o 34 sedd yn edrych fel gor-optimistiaeth ond, yn 1892 fe fyddai 31 Rhyddfrydwr yn cael eu hethol.

Cyhoeddwyd *Maniffesto* Cymru Fydd yn 1889; mae'n un o'r dogfennau pwysicaf yn hanes gwleidyddol Cymru ac yn haeddu sylw manwl.[45] Rhennir y *Maniffesto* yn ddwy ran: Amcanion a Dulliau. Prif amcan y gymdeithas oedd sicrhau deddfwrfa i Gymru ond, yn awr, ychwanegwyd ei bod, yn y cyfamser, am weithio i sicrhau a chefnogi pob symudiad i 'leoli' llywodraeth Cymru, er enghraifft, y cynghorau sir newydd.[46]

Yn yr ail ran, o dan y teitl 'Dulliau Gweithredol', dywedir bod rhain yn 'gyfansoddiadol' ond yna mae'r *Maniffesto* yn mynd ymlaen i wneud datganiad chwyldroadol: 'the consciousness of a new national life, makes possible a powerful and irresistible combination – the combination of classes . . . Our right as a nation to self-government will not be granted unless *claimed* by the whole nation.'[47] Yn deillio o'r dadansoddiad uchod, cyhoeddir y bydd y gymdeithas yn ymdrechu i sefydlu 'oddi mewn ac oddi allan i'r Dywysogaeth, gymdeithasau cyffelyb a'u huno i greu trefniant cenedlaethol'.[48] Rhaid mynnu ar bob ymgeisydd seneddol yng Nghymru i addo cefnogi hunanreolaeth yn y Senedd. Dylid sefydlu cymdeithasau Cymru Fydd ym mhob etholaeth Gymreig i roi pwysau ar y strwythur swyddogol a chreu 'mudiad' a fyddai'n lleol yn ogystal â bod yn genedlaethol. Mewn geiriau eraill roeddent am greu celloedd cynhyrfol ym mhob ardal i hybu achos Ymreolaeth. Mae'r *Maniffesto* yn gorffen fel pob maniffesto da, gyda datganiad ymfflamychol:

The postponement of long-asked-for reforms, and the wilful and systematic disregard of our distinct national existence, prove that the Imperial Parliament cannot and will not legislate for our needs. Hence arises the supreme reason why we should strenuously co-operate with the Irish and Scots people in their demand for practical application of the principle of self-government. Now is the time for action.[49]

Gellir gwneud y sylwadau canlynol am y *Maniffesto*: yn gyntaf, dengys fod y Cymru Fyddwyr yn Rhyddfrydwyr Cymdeithasol yn yr ystyr eu bod yn gweld y posibilrwydd o 'gynghrair' rhwng y bwrgeiswyr goleuedig a'r gweithwyr, mewn mudiad cened-laethol. Yn ail, gwelir eu bod yn cymryd safbwynt rhyng-Geltaidd yn yr ymdrech am ymreolaeth. Ac yn drydydd, er bod Cymru Fydd, yn dactegol, yn cefnogi pob mudiad a fyddai'n 'dyrchafu y genedl', yn strategol mae'n amlwg eu bod am gymryd drosodd strwythur gwleidyddol Cymru yn y pen draw. Fel y dywedodd yr Adroddiad Blynyddol: 'The *Manifesto*, without entering into the details of a Home Rule Scheme, meets, we hope, the complaint made by some people that our objects and aims were not sufficiently defined.'[50] Yn ystod y flwyddyn, datblygodd y gymdeithas yn faterol, hefyd, trwy sefydlu canolfan effeithiol ar gyfer eu gweithgareddau: 'The Society has taken new offices for itself at 57–58, Chancery Lane. It is hoped that the work can be carried on more efficiently from fixed headquarters, where members can meet occasionally and obtain information and literature.'[51] Y mae cofnod diddorol iawn am y gymdeithas yn cymryd rhan mewn protest a gorymdaith yn ystod 1889: 'During the year, the Society took part in several out-door demonstrations, notably the O'Brien Demonstration in Battersea Park, and the Irish Prisoners Demonstrations in Hyde Park. The Banner of the Society was carried in the processions.'[52] Ar yr orymdaith i Battersea Park, gan mai 1889 oedd canmlwyddiant y Chwyldro Ffrengig, roedd 'seindorf pres yn eu harwain ac yn canu *La Marseillaise* holl nerth eu hytgyrn.'[53] Sylwer bod 'emyn y chwyldro, sef y *Marseillaise*, yn galw ar *Feibion* Ffrainc i ogoniant'.[54]

Roedd dyfodol Cymru yn edrych yn addawol – fel yr adlewyrchir yn 'Addewidion' golygyddion *Cymru Fydd* am flwyddyn newydd 1890:

> Fe allai na bu blwyddyn newydd erioed yn llawnach o addewidion i Gymru na'r flwyddyn sy'n ymagor o'n blaen . . . Mewn cyfoeth a masnach y mae'r Cymry wedi cynyddu mwy nag un rhan o'r deyrnas, y mae'r Cymro wedi darganfod y cyfoeth sydd o dan ei draed – aur a llechi'r Gogledd, glo a haearn y De . . . Y rheswm pam y darganfyddodd Prydain Cymru ydyw – y mae Cymru wedi darganfod ei chyfoeth ei hun, cyfoeth ei daear a chyfoeth ei meddwl. Ni fu erioed mor llawn o obaith ag ar ddechre'r flwyddyn hon.[55]

Dengys hyn gyd-effaith y meddyliol a'r materol yn natblygiad Cymru. Ar drothwy'r 1890au, roedd un Cymro yn arbennig yn dangos 'addewid'.

Gadawodd ymgeisydd Rhyddfrydol Bwrdeistrefi Caernarfon argraff mawr ar Ffederasiwn Rhyddfrydol De Cymru yn eu cynhadledd flynyddol yng Nghaerdydd ar 4 Chwefror 1890:

> A word is due also to Mr Lloyd George of Cricieth, the candidate for the Caernarfon Boroughs. We hope no stone will be left unturned to ensure his return, because we believe that he belongs to that class of young and rising Welshmen who will in a future, and no distant future period, be the pride of the Welsh people.[56]

Dewiswyd Lloyd George yn ymgeisydd y Bwrdeistrefi canol-
oesol yn Ionawr 1889 a bu'n magu'r etholaeth am flwyddyn.
Cymerodd gyngor Tom Ellis mai'r 'cofrestr ydyw'r mwyn mawr
i'w weithio',[57] ac ysgrifennodd at Schnadhorst am ei gyngor ef.[58]
Hyd yn oed cyn iddo gael ei ethol yn Aelod Seneddol, ceisiodd uno
dau ffederasiwn cecrus Cymru i mewn i un corff cenedlaethol.
Yn Hydref 1889, yng nghyd-gyfarfod Ffederasiwn y Gogledd a'r
Cyngor Cenedlaethol Rhyddfrydol Cymreig yng Nghaernarfon,
eiliodd gynigiad a roddwyd gerbron y gynhadledd gan ei ffrind-
gyfreithiwr, R. A. Griffith (Elphin), i'r perwyl 'y dylid cyfuno'r
Ffederasiynau a'r Cyngor Cenedlaethol i mewn i un Cynghrair
Cenedlaethol, gyda changhennau ymhob cwr o'r Dywysogaeth'.[59]
Yn ei eiliad, dangosodd Lloyd George synnwyr hanesyddol:

One of the great historical blunders of our forefathers, which
conduced to the loss of our national independence, was the
division of Wales into the two provinces of North and South. And
what is the practical outcome of the institution of two independent
federations? . . . Instead of unity and cooperation we find perpetual
bickering and dissensions – the two Federations wasting their
energies in attacking each other instead of concentrating their
activity in an attack upon the enemy. A kind of Punch and Judy
exhibition is made of Welsh Liberalism.[60]

Collwyd y cynnig yn y bleidlais oherwydd gwrthwynebiad yr
Hen Ryddfrydwyr ond credai llawer fod Cymru Fydd wedi
ennill y ddadl.

Bu farw AS Ceidwadol Caernarfon, Edmund Swetenham, ar
19 Mawrth 1890, ar ôl cael damwain wrth hela llwynog.
Ysgrifennodd Cadfridog y Degwm, John Parry, Llanarmon at
Lloyd George: 'Annwyl Ffrind, Cyhoeddir marwolaeth Edmund
Swetenham yn llawen yma. Dyma eich cyfle.'[61] Roedd yr
etholaeth yn un anodd i'w gweithio, gan ei bod yn cynnwys
chwe bwrdeistref gwasgar, tri yng ngogledd y sir: Caernarfon,
Bangor a Chonwy; tri yn y de: Cricieth, Pwllheli a Nefyn. Fodd
bynnag, roedd Lloyd George a'i gefnogwyr wedi gweithio'r gof-
restr yn ddygn yn ystod y flwyddyn ers ei ddewisiad. Roedd
cwestiwn yn aros a fyddai siopyddiaeth y trefi hyn yn cefnogi
radicaliaeth y gŵr ieuanc 27 oed o Lanystumdwy.

Roedd gan ei wrthwynebydd yn yr is-etholiad gysylltiad â
Llanystumdwy hefyd: Ellis-Nanney, Plas Gwynfryn, Sgweiar

Llanystumdwy, un a oedd wedi bod yn bresennol yn yr ysgol Anglicanaidd leol yn y 1870au pan arweiniodd Lloyd George streic yn erbyn yr holwyddoreg.[62] Roedd yr is-etholiad yn rhyfel dosbarth rhwng nai'r crydd a'r sgweiar, rhwng Anghydffurfiaeth ac Anglicaniaeth ac, felly, yn symbol perffaith o'r frwydr genedlaethol yng Nghymru yn y cyfnod hwn.[63] Yn ei faniffesto, yn ogystal â 'Chyfiawnder i'r Iwerddon a Datgysylltiad i Gymru' galwodd Lloyd George am 'estyniad rhyddfrydol o egwyddor datganoli'.[64] Ymateb y Torïaid i hyn oedd ei alw'n Ymwahanydd.

Yn ôl y cylchgrawn Torïaidd, *Gwalia*:

> Mae yn hysbys ymhob un o'r bwrdeisdrefi fod rhan fawr o'r Blaid Ryddfrydol na fynnent ddim ohonno (Lloyd George) oherwydd iddo gael ei wthio ymlaen gan fechgynnos dibrofiad ac uchelgeisiol, ac y mae pobl bwyllog yn mynegi eu barn yn rhydd, tra yn hoffi Rhyddfrydiaeth, nad ydynt yn hoffi egwyddorion Mr George.[65]

Daeth Mabon i'r etholaeth i ganu, 'Unwch y Blaid!'' a siaradodd Gee, Herbert Gladstone a Herbert Evans o blaid Lloyd George. O Ganol Morgannwg, yn newydd-etholedig, daeth Samuel T. Evans[66] i ddatgan ei gefnogaeth iddo. Ysgrifennwyd llythyrau at y wasg leol gan W. E. Gladstone, Tom Ellis, 'Cochfarf' a Michael D. Jones a chyhoeddwyd llythyr cynorthwyol oddi wrth Ap Ffarmwr ar ran undeb y gweithwyr fferm yn *Y Werin*.[67]

Ar drothwy yr etholiad daeth y Postfeistr-Cyffredinol, Cecil Raikes i Gaernarfon i ymosod yn bersonol ar Lloyd George: 'his election as a boy alderman was only paralleled by the medieval scandal of child cardinals'.[68] Cynhaliwyd yr etholiad ar 10 Ebrill ac roedd y canlyniad mor agos fel y bu'n rhaid cael ailgyfrif; yna, cyhoeddwyd y ffigurau o blatform castell Caernarfon:[69]

Tabl 5.4

Canlyniad Is-etholiad Bwrdeistrefi Caernarfon, 1890

Etholwyr	4,366	Canran
Pleidleiswyr	3,928	89.5
D. Lloyd George (Rh.)	1,963	50.2
H. J. Ellis-Nanney (C.)	1,945	49.8
Mwyafrif	18	0.4

Buddugoliaeth o drwch blewyn, felly; ond rhaid ychwanegu bod Lloyd George wedi dal y sedd yn ddi-dor tan 1945. Croesawyd y canlyniad gan gylchgrawn glowyr Aberdâr fel buddugoliaeth asgell chwith.[70] Derbyniwyd Lloyd George yng ngorsaf Euston gan ddirprwyaeth o Gymdeithas Cymru Fydd Llundain a gyrrwyd ef yn *landau* y cadeirydd, Alfred Davies, i Dŷ'r Cyffredin.[71] Cyflwynwyd yr Aelod Seneddol newydd i'r Tŷ ar Ddydd Cyllideb 1890, 17 Ebrill.[72] Mae darlun diddorol iawn o fywyd ymysg siopwyr Cymry Llundain mewn llythyr adref ganddo ym Mehefin 1890:

> After chapel I went to Mr D. H. Evans'. Evans is a young Welshman who keeps a drapery establishment in Oxford St. Although he is only 33 yrs. of age and started with £500 now he has already amassed a large fortune. He lives in a small house in Regents Park, keeps a liveried valet or butler to serve. He showed me one of his pictures, a Landseer picture of a dog which cost him *£800*!! He had also a Turner which must have cost him some hundreds. He had numerous RAs and in fact I should fancy his picture gallery alone must have aggregated £10,000 in value.
>
> But what about him. Well he is a light-headed feather-brained fellow with some good nature and much practical shrewdness. Concerning her, she is clever but purse proud and consequently contemptible. Of course she was alright with [Alfred] Thomas and I – we are MPs and therefore fit company for a beatified draper's wife, but I hated and despised her from the moment she talked about the Welsh society in London being 'led by drapers' assistants'. I asked fiercely – "Why not drapers' assistants? Every great movement has been initiated by men of that class." [73]

Ar 14 Mehefin, rhoddodd Lloyd George ei araith gyntaf yn Nhŷ'r Cyffredin, ar y Mesur Treth Lleol. Drannoeth ysgrifennodd adref: 'Tom Ellis – who is genuinely delighted because one of his own men has succeeded – told me that several members had congratulated *Wales* upon my speech.'[74] Lloyd George fyddai Napoleon y Chwyldro Cymreig.

Nodiadau

[1] R. A. Griffith, 'Rhyddfrydiaeth a Sefydliadau Rhyddfrydol yng Nghymru', *Cymru Fydd* (Medi 1888), 544. Ailgyhoeddwyd pamffled Jac Glan-y-Gors, *Seren Tan Gwmwl* (1795), ibid. (Medi 1889), 475–88.

2   *North Wales Observer and Express*, Ionawr 1889; gweler Emlyn Sherrington, 'Welsh Nationalism and the French Revolution', yn D. Smith (gol.), *A People and a Proletariat* (1980), t. 132.

3   T. E. Ellis, 'The Influence of the Celt in the Making of Britain', *Addresses and Speeches* (Wrecsam, 1912), t. 101: 'that great Celtic upheaval, the French Revolution.' Traddodwyd yr anerchiad o flaen Cymdeithas Genedlaethol Cymry Manceinion, 13 Ionawr 1889. Gweler hefyd D. Davies, *Influence of the French Revolution on Welsh Life and Literature* (Caerfyrddin, 1926).

4   'Y Mesur ar Lywodraeth Leol', *Cymru Fydd* (Mai 1888), 265.

5   Hansard, Parl. Debs. (cyfres 3) cyfrol 324, colofn 1243. Gweler hefyd T. E. Ellis, *Cymru a Deddf Llywodraeth Leol 1888* (Wrecsam a Chaerdydd, 1888).

6   W. Hugh Jones, 'Herbert Lewis a Llywodraeth Leol', yn K. Idwal Jones (gol.), *Syr Herbert Lewis* (Caerdydd, 1958).

7   'Welsh Members and the Local Government Bill', *Cymru Fydd* (Mehefin 1888), 355–62.

8   Ibid., t. 356.

9   *Welsh Liberal Members of Parliament Committee Minute Book*, 15–29 Tachwedd, 1888, tt. 67–76.

10   *BAC*, 17 Hydref 1888.

11   Ibid. Gweler hefyd, William O'Brien, 'Cymru and Gael', *Young Wales* (Ebrill 1897), 73–5.

12   *BAC*, 17 Hydref 1888.

13   *BAC*, 22 Hydref 1888.

14   Tom Ellis at W. J. Parry, 8 Rhagfyr 1888 (Prifysgol Cymru, Bangor, Papurau Coetmor).

15   Ffynhonnell: T. J. Hughes (Adfyfyr), 'Y Cynghorau Sirol', *Cymru Fydd* (Chwefror 1889), 98. Gweler hefyd *BAC*, 30 Ionawr, 13 Mawrth 1889 ac *Atodiad*.

16   Gweler T. J. Hughes, 'Y Cynghorau Sirol', *Cymru Fydd* (Chwefror 1889), t. 98. Ceir adroddiadau lleol yn y papurau sirol; am adroddiadau cyffredinol o'r gogledd a'r de o ganlyniadau'r etholiadau, gweler *BAC*, Ionawr–Chwefror 1889; *Y Genedl*, 30 Ionawr 1889; *SWDN*, 29 Ionawr 1889. Gweler hefyd A. C. Humphreys-Owen (cadeirydd Cyngor Sir Drefaldwyn), 'Y Cynghorau Sirol', *Y Traethodydd* (Mai 1889), 195–205.

17   Byddai'r effaith tiriogaethol yn parhau ym Maesyfed hyd 1914: 'Every squire in the county is a rampant Tory, and every conceivable influence brought to bear on the voters.' Yr ymgeisydd Rhyddfrydol, William Lewis at William Jones, 6 Mawrth 1914. (Prifysgol Cymru, Bangor, Papurau William Jones, 5472, 83).

18   *BAC*, 30 Ionawr 1889.

19   Ibid., 13 Mawrth 1889.

20   T. J. Hughes, 'Y Cynghorau Sirol', 96.

21   *Dyddiadur Tom Ellis*, 17 Ionawr 1889 (Papurau Ellis, LlGC).

22   T. E. Ellis at Ellis Griffith, 21 Ionawr 1889 (LlGC, Papurau Ellis Griffith, 342).

23   Gweler 'Gwent', 'The Revolution in Monmouthshire', *Cymru Fydd* (Mawrth 1889), t. 131: 'a very striking example of the 'constitutional

revolution", as Mr Gladstone has aptly called it.'

24 *North Wales Observer and Express*, 5 Ebrill 1889. Ysgrifennodd Acland at Robert Hudson, 26 Ionawr 1889: 'the Welsh national feeling is very strongly brought out by these county council elections.' (Dyfynnwyd yn J. A. Spender, *Sir Robert Hudson* (Llundain, 1930) 22.)

25 *Dyddiadur Lloyd George*, 3 Ionawr 1889 (LlGC, Papurau Lloyd George).

26 Gweler R. Emyr Price 'Lloyd George's Pre-Parliamentary Political Career' (Traethawd MA, Prifysgol Cymru, Bangor, 1974).

27 *Caernarvon Herald*, 15 Chwefror 1889.

28 *Y Goleuad*, 31 Ionawr 1889; J. E. Caerwyn Williams, 'Syr John Morris Jones: Y Cefndir a'r Cyfnod Cynnar', Rhan II, *THSC* (1966), t. 57; Edward Edwards, 'Coleg y Gogledd', *Cymru Fydd* (Gorffennaf 1889), t. 393.

29 John Morris-Jones, *Deddf Llywodraeth Leol 1888* (Llundain, 1889).

30 Alfred George Edwards (1848–1937). Ganwyd ym Meirionnydd, ac addysgwyd yng Ngoleg Iesu, Rhydychen. Gweler *Cymru Fydd* (Mawrth 1889), tt. 148–58.

31 Gweler A. G. Edwards, *Memories* (Llundain, 1927); George Lerry, *Alfred George Edwards, Archbishop of Wales* (Croesoswallt, 1940).

32 Gweler Dewi F. Lloyd (gol.), *Cymry Llundain Ddoe a Heddiw* (Llundain, 1956), t. 6. Gweler hefyd *Goleuad*, 16 Mai 1889.

33 Ellis Edwards, 'The New Education Bill', *Cymru Fydd* (Mehefin, 1889) 308.

34 Hansard, Parl. Debs. (cyfres 3) cyfrol 336, colofn 135. Gweler 'Nodiadau', *Cymru Fydd* (Mehefin, 1889) 326. Gweler hefyd J. R. Webster, 'The Welsh Intermediate Education Act of 1889, *WHR*, Rhagfyr 1968.

35 *Committee Minute Book*, 2 July 1889, t. 86.

36 Tom Ellis at Herbert Lewis, 24 Gorffennaf 1889 (LlGC, Papurau T. E. Ellis, 2883). Am fanylion y ddeddf, gweler David Evans, 'Y Ddeddf Addysg Ganolraddol Gymreig 1889, *Y Traethodydd* (Ionawr 1890), 5–21.

37 Richard Roberts (Llundain), 'Wales and Socialism', *Cymru Fydd* (Ionawr 1889) 38.

38 Tom Ellis at Owen Rowland Jones, 18 Mawrth 1889 (LlGC, T. E. Papurau Ellis).

39 Tom Ellis at J. H. Lewis, 29 Mai 1889 (LlGC, Papurau T. E. Ellis, 2881).

40 Tom Ellis at J. H. Lewis, 21 Mehefin 1889 (LlGC, Papurau T. E. Ellis, 2882).

41 *Y Celt*, 31 Mai 1889.

42 *BAC*, 29 Mai 1889.

43 T. I. Ellis, *Thomas Edward Ellis*, Cyfrol II (Lerpwl, 1948), t. 82.

44 *BAC*, 18 Mai 1889.

45 *Maniffesto Cymru Fydd* (Llundain, 1889); cynwysedig yn y casgliad *Welsh Political Pamphlets* (Llyfrgell Hugh Owen, Prifysgol Cymru, Aberystwyth, Casgliad Celtig, JN1151A2W4C.R).

46 Ibid., t. 3. Gweler hefyd, John Roberts, 'Y Cynghorau Sir a Chymru Fydd', *Cymru Fydd* (Rhagfyr 1890) 721: 'Bydd y Cynghorau Sir yn foddion i baratoi ac aeddfedu'r genedl at ymreolaeth ehangach.'

47 *Maniffesto*, t. 4.

48 Ibid.
49 Ibid., t. 6.
50 *Third Annual Report of the Council of Cymru Fydd* (Chwefror 1890) 4 (LlGC, Adran Llyfrau Printiedig, Bocs XHS 1817 U55). Rhoddir rhestr o'r is-lywyddion: William Abraham, AS, Dr. G. B. Clark, AS (Albanwr), Alfred Davies (LCC), T. E. Ellis, AS, T. P. Lewis, AS, J. Wynford Phillips, AS, Alfred Thomas AS, D. A. Thomas, AS ac R. D. Roberts, D.Sc. (1851–1911) darlithydd mewn coleg yng Nghaergrawnt ac (o 1885) ysgrifennydd y London Society of University Extension Teaching.
51 Ibid., t. 7.
52 Ibid., t. 6. William O'Brien (1852–1928) oedd AS Gwyddelig Cork.
53 H. Francis Jones, 'Tom Ellis', *Y Ddraig Goch*, Hydref 1932.
54 Hywel D. Lewis a J. Alun Thomas, *Y Wladwriaeth* (Caerdydd, 1943), t. 96. Gweler adroddiad am gefnogaeth Cymru Fydd Llundain i'r 'Mudiad Gwrth-ddegymol', *BAC* 13 Tachwedd 1889; gweler hefyd 'Welsh Politics and Welsh Home Rule', *The Times*, 27 Rhagfyr 1889, t. 9.
55 'Addewidion', *Cymru Fydd* (Ionawr 1890) 1–3.
56 *SWDN*, 5 Chwefror 1890.
57 Ellis at Lloyd George, 8 Ionawr 1889 (LlGC, Papurau Lloyd George).
58 W. R. P. George, *The Making of Lloyd George* (Llundain, 1976), t. 161.
59 H. Du Parcq, *The Life of David Lloyd George*, cyfrol I (Llundain, 1912), tt. 90–1.
60 Ibid., t. 92. Gweler hefyd *Munudau Ffederasiwn Rhyddfrydol Gogledd Cymru*,
61 John Parry at Lloyd George, 21 Mawrth 1890 (LlGC, Papurau Lloyd George).
62 George, *The Making of Lloyd George*, tt. 74–5.
63 Ceir adroddiad dyddiol am yr etholiad yn y *SWDN* ac adroddiad wythnosol yn *BAC*, Mawrth–Ebrill 1890.
64 Pwysleisiwyd cefnogaeth 'Cymru Fydd' Llundain i'r maniffesto hwn yn 'Llythyr Llundain', *BAC*, 2 Ebrill 1890. Gweler R. Emyr Price, 'Lloyd George and the 1890 by-election in the Caernarfon Boroughs', *Transactions of the Caernarvonshire Historical Society* xxxvi (1975).
65 *Gwalia*, 26 Mawrth 1890.
66 Samuel Thomas Evans (1859–1918); ganwyd yn Sgiwen yn fab i'r groser lleol. Addysgwyd yng Ngholeg Prifysgol Cymru, Aberystwyth; cyfreithiwr. Etholwyd dros Ganolbarth Morgannwg, 20 Chwefror 1890, wedi marwolaeth C. R. M. Talbot, sef 'Tad' Tŷ'r Cyffredin ers 1874.
67 *Y Werin*, 29 Mawrth 1890.
68 'Mr Raikes with his Muck Rake', *SWDN*, 10 Ebrill 1890; *The Times*, 9 Ebrill 1890.
69 F. W. S. Craig (gol.), *British Parliamentary Election Results, 1885–1918* (Llundain, 1974), t. 453.
70 *Tarian y Gweithiwr*, 17 Ebrill 1890.
71 David Lloyd George at Margaret Lloyd George, 'Mercher', Ebrill 1890 (LlGC, Papurau Lloyd George).

[72] *Caernarvon Herald*, 2 Mai 1890. Gweler hefyd 'Lloyd George', *Cymru Fydd* (Hydref 1890), 624.

[73] David Lloyd George, llythyr adref, 10 Mehefin 1890 (LlGC, Papurau Lloyd George).

[74] David Lloyd George, llythyr adref, 14 Mehefin 1890 (LlGC, Papurau Lloyd George).

6

Yr Ymgyrch Gyntaf am
Swyddfa Gymreig

(1890–1892)

Hanfod ideoleg Cymru Fydd oedd y cysyniad o ddatganoli neu 'decentralization'.[1] Roeddent yn credu bod gormod o rym wedi ei ganoli ar echel Llundain–Caergaint, yn llywodraethol ac yn ddiwylliannol – ac roeddent yn argymell datganoli cyfannol ('Home Rule All Round') i ddatrys y broblem. Yng ngeiriau golygydd y *Welsh Review*, Ernest Bowen-Rowlands: 'We object to centralisation as a general principle.'[2]

Olrheiniwyd effaith Iwerddon ar Gymru, ond roedd cysylltiad Celtaidd arall hefyd, sef esiampl yr Alban. Roedd yr Alban, wedi'r cyfan, yn rhan ddaearyddol o Ynys Prydain – onid oedd posibilrwydd o gydweithio mewnol rhwng y ddwy genedl?

Sefydlwyd Cymdeithas Hunanreolaeth Albanaidd (Scottish Home Rule Association) yng Nghaeredin yn 1886, yr un flwyddyn â sefydlu Cymru Fydd. Roedd Keir Hardie (1856–1915) yn un o'r is-lywyddion, a'r ysgrifennydd yn Llundain oedd J. Ramsay MacDonald (1866–1937), y ddau ohonynt yn sosialwyr.[3] Prif arweinydd y mudiad Albanaidd oedd Dr Gavin Clark, AS Caithness ac arweinydd Plaid y Crofftwy; roedd wedi bod yn aelod o Gymdeithas Ryngwladol y Gweithwyr yn y 1870au.[4]

Awgrymodd Clark gynhadledd o'r Cymry a'r Albanwyr yn Llundain, a derbyniwyd yr argymhelliad gan Bwyllgor Gwaith Ffederasiwn Rhyddfrydol De Cymru mewn cyfarfod yng Nghastell-nedd ar 7 Ionawr 1890.[5] Pwrpas y cyfarfod fyddai trafod, yn gyntaf, trefn ymgyrch hunanreolaeth; yn ail, sut y dylai hunanreolaeth gael ei lunio; ac yn olaf, sut y gallasai Cymru a'r Alban gydweithredu i sicrhau eu hunaniaeth.

Ar 4 Chwefror 1890, yn Neuadd Cory, Caerdydd, cynhaliwyd Cyfarfod Blynyddol Ffederasiwn y De a rhoddwyd y penderfyniad canlynol ymlaen gan David Randell, AS Gŵyr:

> That this Federation declares that the people of Wales should be entrusted with the management of the purely domestic affairs of the Principality, and recognises in the movement to secure self-government for Wales, the solution of the grave difficulties under which the Principality suffers, by reason of neglect of succeeding Governments to meet the legislative requirements of its people. It further confirms that action of the executive in arranging for a conference of Scots and Welsh Home Rulers to consider what joint action shall be taken to further the cause of Home Rule for Scotland and Wales.[6]

Eiliwyd yr uchod gan W. J. Parry, Mabon a Lloyd George. Roedd y tri yn pwysleisio'r agwedd *economaidd* i ddatganoli. Daeth y Rhyddfrydiaeth Newydd allan yn glir yn araith gadarnhaol Lloyd George:

> You have pledged yourself to a great programme – Disestablishment, Land Reform, Local Option, and other great reforms. But however drastic and broad they may appear to be, they after all simply touch the fringes of that vast *social question* which must be dealt with in the near future . . . I feel sanguine that were self-government conceded to Wales she would be a model to the nationalities of the earth of a people who have driven oppression from their hillsides, and initiated the glorious reign of freedom, justice and truth.[7]

Sylwer ar y pwyslais a roddir ar y 'cwestiwn cymdeithasol' – yr oedd hwn ar yr un lefel yn ei feddwl â'r 'cwestiwn Cymreig' – yn wir, roedd y ddau gwestiwn yn cydblethu. Pasiwyd yr alwad am hunanreolaeth yn *unfrydol* gan Ffederasiwn De Cymru. Roedd hyn yn fuddugoliaeth fawr i Gymru Fydd. Fel y dywedodd y *South Wales Daily News* yn eu hadroddiad ar y cyfarfod:

> Never before from a public platform has the case for Home Rule been so clearly and so effectively put. Mr David Randell, MP, Mr W. Abraham (Mabon), MP, Mr Lloyd George and Mr W. J. Parry – both of them, we trust, future MPs – and other speakers touched the keynote of the people's feelings in their speeches.[8]

Dyma, hefyd oedd barn Tom Ellis, yn ysgrifennu o Westy Luxor yn yr Aifft, lle'r roedd yn gwella o salwch:

> The unanimous adoption of Welsh Home Rule was a striking indication of the ripening of opinion. The fear entertained by some that it will in some vague, mysterious way retard Disestablishment is, I think, unfounded. The whole mind of the four countries is now profoundly concerned with the question of the rights and limits of nationality. Now, therefore, is the time for Wales to develop its programme in its fullness so as to establish its identity and its claims as a nationality.[9]

Dywedwyd yn gynharach mai prif wendid Cymru Fydd, yn y 1880au yn arbennig, oedd diffyg disgrifiad a diffiniad o beth yn union roeddent yn ei feddwl gan hunanreolaeth. A bod yn deg, roedd rhai unigolion, fel Tom Ellis,[10] wedi ceisio unioni'r cam-gymeriad hwn, ac ym mis Mawrth 1890 cafwyd ymdrech arall – y tro yma yn *Y Traethodydd* gan W. J. Parry, Bethesda, arweinydd chwarelwyr Caernarfon.[11] Teitl ei draethawd oedd 'Hunan Reolaeth i Gymru'.[12] Mae'n draethawd trawiadol o fodern am ei fod yn gweld mai problem Brydeinig oedd datganoli ac nid problem Gymreig yn unig:

> Gwell cael ein cyfrif yn 'ddynion chwyldroadol' nac yn arweinwyr ansicr. Mae Hunan Reolaeth fel egwyddor, o ran ei gwerth, erbyn hyn yn cael ei chydnabod gan y Blaid Ryddfrydol. Nid yw mwyach yn agored i'w dadlau. Mae wedi gorchfygu y blaid, ac wedi cael ei derbyn ganddi. Nis gellir mwyach fyned yn ôl oddi wrthi. Mae tynged y blaid a'i harweinwyr yn glymedig wrthi. Mae tir dadlau wedi ei basio ac amser trefnu pa mor bell, a pha mor helaeth i'w defnyddio, yn ein gwynebu.[13]

Gwelwyd yng nghanol y 1890au nad oedd 'tir dadlau wedi ei basio' o gwbl. Fodd bynnag, mae ymdrech canlynol Parry i fynegi strwythur datganoli, yn dreiddgar dros ben. Dechreua gydag ymosodiad ar Dŷ'r Arglwyddi: 'Os na diddymir, dylai gael ei ddiwygio.'

Mae hyn yn rhan resymegol o'r athrawiaeth ddatganoledig, a rhyfedd yw sylwi bod neb bron ers y traethawd hwn, wedi cysylltu y mudiad datganoli â mudiad yn erbyn Tŷ'r Arglwyddi.

O dan y pennawd: 'Talaethol' mae Parry yn troi ei feddwl at ranbarthau Prydain ac yn rhannu Lloegr yn dair talaith ac yna yn mynegi'r syniad o 'Chwech Awdurdod Talaethol': un i bob talaith yn Lloegr ac un i'r Alban, Cymru a'r Iwerddon.

Gellir barnu hyn yn syth: nid yw tair talaith yn ddigon i Loegr a byddai'n ddoethach yng ngoleuni hanes pe byddai dwy dalaith yn Iwerddon wedi'u huno mewn system cydffederalaidd. Ers amser y Saith Deyrnas yn y seithfed ganrif, mae o leiaf saith 'talaith' wedi bodoli y tu mewn i genedl Lloegr.[14] Ond, o leiaf, roedd Parry yn torri tir newydd drwy argymell rhannu Lloegr yn hytrach na meddwl amdani fel un uned. Ymhellach, awgrymodd:

(A) Fod Aelodau y Seneddau neu'r Cynghorau Taleithiol i'w dewis am dair blynedd, a hynny gan yr un etholaeth ag a ddychwel Aelodau Tŷ'r Cyffredin.

(B) Fod awdurdod y cyfryw dros y materion canlynol: Trethiad; Benthyca; Gwasanaeth Sifil Talaethol; Carchardai; Tiroedd y Crown; Trwyddedau; Gwaith lleol; Cwmniau; Llysoedd; Addysg; Amaethyddiaeth; Masnach a Llafur; yn gyffredinol ym mhob achos a ddwg berthynas leol neu bersonol o fewn y Dalaeth.

Mae un paragraff yn taro cloch gyfoes iawn cyn oes bathu'r gair 'cwango':

Galwch chwi ef yn uniad o'r Cynghorau Sirol, neu Gyngor Cenedlaethol, neu Ymreolaeth, – nid yw o un gwahaniaeth gennym am yr enw a roddir iddo; ond bydded yn ddigamsyniol yr awdurdod etholedig gan bleidleiswyr rheolaidd y Dywysogaeth; ac nid yn awdurdod hunan-etholedig, fel y rhan liosocaf o awdurdodau presennol Cymru.[15]

Roedd y traethawd hwn yn dangos meddwl dwfn am agweddau technegol datganoli, yn arbennig yng nghyd-destun y dimensiwn Seisnig ac roedd yn rhestru'r pwerau y dylid eu trosglwyddo i Awdurdod Talaethol Cymru; ond ni ddaeth yn bolisi swyddogol Cymru Fydd – parhaodd y rhan fwyaf o aelodau'r mudiad i feddwl yn annelwig.

Ategwyd penderfyniad y De gan Ffederasiwn Rhyddfrydol

Gogledd Cymru yn y Drenewydd ar 18 Ionawr 1890 pan gytunwyd i gymryd rhan yn y gynhadledd Geltaidd yn Llundain. Yn y cyfamser, cynhaliwyd Cyfarfod Blynyddol Cymru Fydd Llundain lle'r etholwyd Dr G. B. Clark, AS, yn is-lywydd o'r gymdeithas.[16] Arwyddwyd yr hysbysiad yn galw'r cyd-gynhadledd Cambro-Sgotaidd gan ysgrifennydd Cymru Fydd, William Griffith, ysgrifennydd yr Albanwyr, J. Ramsay MacDonald, ac ysgrifenyddion y ffederasiynau yng Nghymru. Llywydd y gynhadledd, yn y National Liberal Club ar 25 Chwefror 1890, oedd Dr G. B. Clark. Cynrychiolwyd y Cymry gan W. J. Parry, William Jones (Cymru Fydd), D. Lleufer Thomas (Cymru Fydd), W. H. Tilston (Wrecsam), y Parch. Aaron Davies (Pontlottyn), Henry Lewis (Bangor), Alfred Thomas AS, Arthur Williams AS, S. T. Evans AS, D. A. Thomas AS. Cytunwyd i sefydlu Cyd-bwyllgor Albanaidd–Gymreig ar Hunanreolaeth yn cynnwys 24 aelod: 12 o'r Alban a 12 i'w cyd-ethol gan Ffederasiynau Gogledd a De Cymru a Chymru Fydd Llundain.[17] Cyfarfu'r Cyd-bwyllgor hwn am y tro cyntaf ar ddechrau Ebrill a daethant i'r pender-fyniad pwysig mai'r hyn a olygwyd ganddynt trwy'r term 'Hunanreolaeth' oedd system ffederalaidd. Fel yr ysgrifennodd MacDonald at Lloyd George: 'The Home Rule question should be settled on a Federal basis . . . having for its aim the attainment of national self-government for England, Ireland, Scotland and Wales'.[18]

Buddugoliaeth Rhyfel y Degwm

Roedd cyd-gysylltiadau rhwng pob mudiad yng Nghymru ar ddiwedd y bedwaredd ganrif ar bymtheg, ac fe'u crisialwyd gan Lloyd George pan wahoddwyd ef i Ferthyr gan D. A. Thomas AS, yn Nhachwedd 1890: 'crefydd rhydd a phobl rydd mewn tir rhydd'.[19] Sylwer bod y ddau Aelod yn gyfeillgar ar ddechrau'r 1890au. Pwrpas Cymru Fydd oedd asio pob mudiad yn un mudiad cenedlaethol. Yn ôl golygyddion *Cymru Fydd*, 1890 oedd 'Blwyddyn Cydnabod Hawliau Cymru'.[20] Addawyd datgysylltiad i Gymru yn Sheffield gan John Morley: 'It is not merely as a question of religious equality, as I understand it, that it is raised in Wales. In Wales, disestablishment is as much a national question as Home Rule is a national question in Ireland.'[21] Roedd

datgysylltu yn un agwedd ar ddatganoli. Gobaith y Rhydd-
frydwyr Cymreig oedd y byddai datganiad Morley yn cael ei
ddilyn gan ddatganiad yr 'Hen Ŵr Mawr' ei hun, Gladstone.
Croesodd ef y Rubicon Gymreig yn y flwyddyn newydd ar 20
Chwefror 1891 mewn araith yn Nhŷ'r Cyffredin yn cefnogi
Datgysylltiad am y tro cyntaf: 'The Nonconformists of Wales are
the people of Wales.'[22] Creodd y dröedigaeth hwn lawenydd
mawr yng Nghymru, lle'r roedd helynt y degwm yn dal i fyrlymu
ers dechrau'r 'rhyfel' bum mlynedd yn gynharach.[23]

Gorfodwyd y llywodraeth Geidwadol i ddod â Mesurau Degwm
i mewn yn 1889 ac 1890 ond, oherwydd gwrthwynebiad, rhaid
oedd eu tynnu'n ôl. Ceisiwyd am y trydydd tro gyda mesur
newydd ar 27 Tachwedd 1890. Pwrpas y mesur hwn oedd tros-
glwyddo'r baich o dalu'r degwm o'r tenant i'r tirfeddiannwr, o'r
deiliad i'r perchennog.[24] Roedd hyn, wrth gwrs, yn llawer tecach
na'r *status quo* oherwydd bod y tirfeddiannwyr yn tueddu i fod
yn Anglicaniaid tra oedd eu deiliaid, fel arfer, yn Anghydffurfwyr.
Fodd bynnag, roedd y Rhyddfrydwyr Newydd eisiau diddymu'r
degwm yn gyfan gwbl. Dengys llythyrau y ddau Aelod Seneddol
newydd (Sam Evans a Lloyd George) ar y llaw arall, eu bod yn
meddwl bod y mesur yn un da yn yr amglychiadau: 'We should
take care not to fight it except as a protest against the idea of its
being a settlement of our grievance.'[25]

'It will be an invaluable measure for us when we once get
Disestablishment'.[26] Pasiodd y mesur yn ddeddf ar 26 Mawrth
1891. Ysgrifennodd Lloyd George at Ellis: 'It was a glorious
struggle for Wales. Wales practically monopolised the attention
of the House for fully three weeks.'[27] Cytunai Sam Evans:

> My *private* opinion of the Bill is that it is a good one and will suit us
> admirably hereafter . . . it is acknowledged on all sides of the House
> that this has been the toughest and best sustained fight ever made
> by the Welsh Party.[28]

Yng Nghymru, roedd y werin yn gweld y ddeddf newydd fel
buddugoliaeth foesol,[29] a pheidiodd yr aflonyddwch bron dros
nos. Yn 1936 diddymwyd y degwm yn gyfangwbl, hanner canrif
ar ôl dechrau'r 'rhyfel'.[30]

Rhagleniaeth

Dangosai Rhyfel y Degwm fel roedd y Rhyddfrydwyr Newydd Gymreig yn dechrau ymddiddori mewn cwestiynau economaidd, yn ogystal â rhai gwleidyddol. Gwahaniaeth arall rhyngddynt a'r Hen Ryddfrydwyr oedd eu bod yn rhoi llai o bwyslais ar Ragluniaeth. Fel y dangoswyd ym mhennod 1, roedd Gwilym Hiraethog a'i gyfoeswyr yn credu mai Rhagluniaeth oedd yn rheoli ac yn tywys hanes. Roedd y Neo-Ryddfrydwyr fodd bynnag, yn credu bod dyn yn gwneud ei hanes i raddau helaeth ac erbyn y 1890au datblygwyd agwedd newydd at wleidyddiaeth y gellir ei grynhoi yn y gair 'Rhagleniaeth' neu 'Programism'. Tueddai'r Gladstoniaid i gredu mewn polisi 'ymbarél': hynny yw cael un polisi mawr uwchben popeth arall, boed Iwerddon neu Datgysylltiad. Roedd y Rhaglenwyr eisiau mwy o drefn mewn gwleidyddiaeth Ryddfrydol, roeddent am gael maniffesto neu blatfform i'r blaid yn ogystal ag i ymgeiswyr seneddol unigol ac roedd hynny'n golygu gweithio allan rhaglen gynhwysfawr o ddiwygiadau (neu 'planciau').

Y gŵr a oedd yn fwyaf cyfrifol am gyflwyno'r 'Rhaglen' i wleidyddiaeth Gymreig oedd Alfred Thomas, Aelod Seneddol Dwyrain Morgannwg.[31] Yn 1890 cynigiodd Thomas benderfyniad yn Nhŷ'r Cyffredin y dylid creu Ysgrifennydd Gwladol tros Gymru.[32] Gwrthwynebwyd y syniad gan y llywodraeth Dorïaidd, ond y flwyddyn ganlynol cyhoeddodd Thomas ei fwriad i gyflwyno Mesur Sefydliadau Cenedlaethol Cymru.[33] Roedd hwn yn fesur *omnibus*, yn cynnwys sefydlu Ysgrifennydd Gwladol tros Gymru, gyda sedd yn y Cabinet, Swyddfa Gymreig gydag Adran Addysg, Cyngor Gwladol i Gymru ac Amgueddfa Genedlaethol. Pasiodd y Darlleniad Cyntaf yn Nhŷ'r Cyffredin yng Nghorffennaf 1891.[34] Y bwriad oedd creu isadeiledd cenedlaethol Cymreig. Byddai'r Cyngor Cymreig yn cael ei ethol yn anuniongyrchol, oherwydd y byddai'n rhaid i'r aelodau fod yn Gynghorwyr Sir. Hefyd, fe fyddai'r Ysgrifennydd Cymreig yn cynrychioli un o'r etholaethau Cymreig. Croesawyd y mesur gan Gymru Fydd a chan nifer o gynghorwyr sirol Cymru, ond yn Awst 1891, pan drefnwyd cynhadledd ymgynghorol yn Llandrindod i drafod y mesur, Alfred Thomas oedd yr unig Aelod Seneddol yn bresennol. Fel y cwynodd Llywelyn Williams:

Whether it was true or not, the general impression at the Conference was that the Welsh members purposely absented themselves. We would be very sorry to think that this was the case, but the very cautious and carefully-worded letter of Mr T. E. Ellis led one to suspect that he was not as thorough in his support of the measure as Welshmen would naturally expect him to be.[35]

Dro ar ôl tro yn ystod ei ymgyrch, pwyntiodd Alfred Thomas at yr Alban, a oedd wedi cael Ysgrifennydd Gwladol a Swyddfa Wladol er 1885.[36]

Yn y cyfamser, pasiwyd Rhaglen Newcastle yng nghyfarfod Prydeinig y Blaid Ryddfrydol – cyfuniad o'r Hen Ryddfrydiaeth a'r Newydd: Hunanlywodraeth i Iwerddon yn gyntaf, Dat-gysylltu i Gymru a'r Alban yn ail, ac yna rhestr o ddiwygiadau 'cymdeithasol' megis estyniad o'r Deddfau Ffatri.[37] Gellir gwneud cymhariaeth ffrwythlon rhwng Rhaglen Newcastle a Rhaglen Erfurt y blaid Ddemocrataidd-Gymdeithasol Almaenaidd, a basiwyd yn yr un mis. Ysgrifennwyd Rhaglen Erfurt gan Eduard Bernstein (1850–1932) a Karl Kautsky (1854–1934) ac mae'n llawer mwy sosialaidd na Rhaglen Newcastle. Y mae llythyr syfrdanol oddi wrth Friedrich Engels (1820–95) at Kautsky ynghylch drafft Rhaglen Erfurt. Wrth drafod y cwestiwn o strwythur gwleidyddol, mae Engels yn datgan y byddai 'gweriniaeth ffederalaidd . . . yn gam ymlaen ym Mhrydain, lle mae pedair cenedl ar y ddwy ynys'.[38] Gellir damcaniaethu bod Cymru Fydd yn rhannol gyfrifol am y ffaith bod Engels yn cyfrif Cymru yn genedl; roedd Cymdeithas Genedlaethol gref ym Manceinion, ei gartref.

Cynhaliwyd ail gyfarfod am Fesur Sefydliadau Cenedlaethol Alfred Thomas ar 12 Rhagfyr 1891 yng Nghaerdydd. Unwaith eto, roedd Tom Ellis yn absennol:

The representatives of Wales in Parliament were, by accident or design, unable to be present. We confess that we are disappointed with the result. We had hoped that the meetings would have marked the commencement of a new era in Welsh political history . . . but the conference has shown how disorganised and disunited we still are.[39]

Ysgrifennodd Alfred Thomas amlinelliad eglur o'i argymhellion a'r angen am 'Raglen Gymreig' ar droad y flwyddyn yn y cylchgrawn newydd, *Welsh Review*:

It seems to me that is unwise to concentrate attention on Disestablish-
ment to the exclusion of other desirable and necessary reforms . . .
there has been a tendency to look upon Disestablishment as the
Alpha and the Omega of our political aspirations . . . We require
something more . . . It is a recognition of this fact that has prompted
me to frame my Welsh National Institutions Bill.[40]

Newidiodd Thomas rai agweddau ar ei fesur, a oedd yn awr yn
cynnwys y 34 Aelod Seneddol Cymreig yn y 'Cyngor Cened-
laethol', yn ogystal ag 16 cynghorydd a fyddai'n etholedig o'r
cynghorau lleol – cyfanswm o 50 aelod – o dan gadeiryddiaeth
llywydd etholedig. Ychwanegwyd at restr pwerau yr Ysgrifennydd
Gwladol arfaethedig.[41] Cyflwynwyd y mesur diwygiedig (Rhif
115) wedi'i lofnodi gan 18 Aelod Seneddol Cymreig – i Dŷ'r
Cyffredin yn Chwefror 1892. Cefnogwyd y Mesur gan 17 o'r
Aelodau Cymreig ond gwrthwynebwyd ef gan Bryn Roberts
(Eifion) oherwydd y byddai'n 'gwanhau' y Blaid Ryddfrydol[42]
ac, yn argoelus, gan D. A. Thomas (Merthyr) oherwydd y byddai'n
rhoi gormod o rym i'r siroedd llai.[43] Ar y llaw arall, roedd y
cynghorau llai 'yn gwrthod yn gyfangwbl gadael eu hunain gael
eu boddi gan Forgannwg a Mynwy'.[44] Disgrifiodd Herbert Lewis
(Cadeirydd Cyngor Sir Fflint) wrth Tom Ellis y ddau eithaf-
bwynt: Morgannwg, a oedd eisiau un cynrychiolydd ar y Cyngor
Cenedlathol am bob 50,000 poblogaeth, a Maesyfed, a oedd
yn mynnu un cynrychiolydd dros bob sir, ar linellau y Senedd
Americanaidd.[45] Dengys hyn pa mor anodd ydoedd i ennyn
cytundeb cenedlaethol rhwng y siroedd.

Trefnwyd cyfarfod cyhoeddus i drafod y mesur yn y Barri yn
Ebrill 1892 gan Gymdeithas Cymru Fydd. Llywydd y cyfarfod
oedd Llewelyn Williams, cadeirydd y Gymdeithas a golygydd y
South Wales Star, a'r prif siaradwyr oedd A. J. Williams (AS De
Morgannwg) a David Lloyd George. Roedd araith A. J. Williams
yn ofalus ac yn pwysleisio bod Datgysylltu yn dod o flaen
Datganoli yn ei feddwl ef. Mae'n amlwg ei fod yn un o'r Hen
Ryddfrydwyr:

The late Richard Cobden had said that, in order to attain great
things, they had to do, or try to do, one thing at a time, and to that
one thing, particularly if it was a matter of supreme importance,
they would have to direct all their energy, ability and resources.[46]

Er bod 'un peth ar y tro' yn gyngor da i unigolyn, gellir cwestiynu a oedd yn gyngor da i blaid fodern, yn cynnwys, wrth gwrs, mwy nag un unigolyn ac, felly, yn gallu gwneud mwy nag un peth ar y tro. Dyma, mae'n amlwg oedd agwedd y Rhydd-frydwr Newydd, Lloyd George, yn yr un cyfarfod. Defnyddiodd ei dechneg nodweddiadol o ofyn cwestiwn ac yna ei ateb ei hun: Beth oedd yr alwad am hunanreolaeth? 'It was simply a demand that in matters pertaining exclusively to Wales that Welshmen should not only have a voice, but the dominating voice.'[47] Yna, aeth ymlaen i roi dadleuon economaidd a rhyngwladol dros hunanreolaeth:

> Did it not stand to reason, that if the conferring upon Wales of national self-government would affect commerce at all, it would simply affect it in this way – that men could naturally place more confidence in a people who were considered fit for such functions. They had heard that long word, 'cosmopolitan', which was often used in regard to a town like Cardiff. It *was* cosmopolitan . . . But, after all, New York was much more cosmopolitan, and New York had a separate Legislature of her own. In New York they had power with which Welshmen would be perfectly satisfied.[48]

Fodd bynnag, gwrthododd yr Hen Ryddfrydwyr – Rendel, Vivian, Osborne Morgan, gefnogi'r mesur yn Nhŷ'r Cyffredin. Ysgrifennodd Rendel at ei asiant yn Nhrefaldwyn: 'I told him (Alfred Thomas) long ago that a Welsh Secretary under a Tory Government was not my idea of helping the national cause of Wales.'[49] Byddai rhai yn cydymdeimlo â hyn ganrif yn ddiwedd-arach. Erbyn Haf 1892, roedd y mesur wedi suddo'n dawel ond mae'n dal i fod yn garregfilltir yn natblygiad sefydliadol a chyfan-sodiadol Cymru. Mewn gwirionedd, roedd y mesur yn fwy na mesur – roedd yn Rhaglen Rhyddfrydiaeth Newydd Gymreig, yn dangos y gallai Cymru Fydd fod yn ymarferol yn ogystal â bod yn weledigaethol.

Nodiadau

¹ Mae'n bwysig nodi mai'r gair 'decentralization' oedd y Cymru Fyddwyr yn ei arfer yn Saesneg. Mae hwn yn air gwell na 'devolution', sydd â naws 'gwrth-esblygiadol' amdano.

[2] 'Welsh Notes', *Welsh Review* (Chwefror 1892), 848.

[3] Keith Webb, *The Growth of Nationalism in Scotland* (Harmondswoth, 1978), tt. 59–64. Gweler hefyd Syr R. Coupland, *Welsh and Scottish Nationalism* (Llundain 1954), H. J. Hanham, *Scottish Nationalism* (Llundain, 1969) a K. G. Robbins, 'Wales and the Scottish Connexion', *THSC* (1985), 57–69.

[4] Gweler D. W. Crowley, 'The Crofters' Party, 1885–1892', *Scottish Historical Review*, 35 (Ebrill 1956), 110–26.

[5] *SWDN*, 8 Ionawr 1890. Cf. *The Scotsman*, 2 Chwefror 1890.

[6] *SWDN*, 5 Chwefror 1890.

[7] Ibid. Gweler hefyd D. Lloyd George, W. J. Parry a David Randell, *Ymreolaeth i Gymru* (Caernarfon 1890) a W. J. Parry, 'Hunan Reolaeth i Gymru', *Y Traethodydd* (Mawrth 1890), 139–43.

[8] *SWDN*, 5 Chwefror 1890. Cf. *Caernarvon and Denbigh Herald*, 7 Chwefror 1890: 'The Annual Meeting of the S.W.L.F. held at Cardiff last week will be memorable as being the first important political gathering at which the principle of Home Rule for Wales, as a fundamental plank in the Welsh Liberal platform was adopted.'

[9] Tom Ellis at W. J. Parry, 25 Chwefror 1890 (Prifysgol Cymru, Bangor, Papurau Coetmor).

[10] Gweler ei erthygl yn *Cymru Fydd* (Hydref 1888).

[11] Gweler J. Roose Williams, *Quarrymen's Champion* (Dinbych, 1978).

[12] Parry, 'Hunan Reolaeth i Gymru'.

[13] Ibid. 139–40.

[14] Gweler D. Read, *The English Provinces 1760–1960* (Llundain, 1964).

[15] Ibid. Gweler hefyd W. J. Parry 'Undebau Gweithfaol', *Y Traethodydd* (Gorffennaf 1890), 288–92.

[16] *BAC*, 26 Chwefror 1890; *Adroddiad Blynyddol Cymdeithas Cymru Fydd Llundain*, Chwefror 1890. Dr Gavin Bowen Clark oedd Aelod Seneddol Caithness, ac adnabuwyd ef fel 'Aelod y Crofftwyr'; gweler Crowley, 'The Crofters' Party 1885–92', *Scottish Historical Review*, 35 (1956).

[17] *BAC*, 3 Mawrth 1890.

[18] J. R. MacDonald at David Lloyd George, 25 Ebrill 1890 (LlGC, Papurau Lloyd George).

[19] H. Du Parcq, *The Life of David Lloyd George* (Llundain, 1912), t. 130.

[20] 'Yr Hen Flwyddyn', *Cymru Fydd* (Ionawr 1891), 1.

[21] 'Ein Rhagolygon', *Cymru Fydd* (Rhagfyr 1890), 757. Gweler hefyd, John Morley, *A Free Church in a Free State* (Llundain, 1891).

[22] Hansard, Parl. Debs. (cyfres 3) cyfrol 349, colofn 241.

[23] Gweler *Maniffesto Pwyllgor Ymgyrch Dadsefydliad Cymreig (Manifesto of the Welsh Disestablishment Campaign Committee)* yn Llyfrgell St David, Penarlâg, Papurau Glynne–Gladstone, 697. Cyhoeddwyd y *Maniffesto* ym Mai 1891.

[24] Hansard, Parl. Debs. (cyfres 3) cyfrol 350, colofn 1265.

[25] Lloyd George at William George, 3 Rhagfyr 1890 (LlGC, Papurau Lloyd George).

[26] Ibid., 27 Ionawr 1891.

[27] Lloyd George at Tom Ellis, 11 Ebrill 1891 (LlGC, Papurau T. E. Ellis, 683).

[28] S. T. Evans at Tom Ellis, 'Whit Monday', 1891 (LlGC, Papurau T. E. Ellis, 620).

[29] John Owen, *Moesoldeb Rhyfel y Degwm* (Dinbych, 1891).

[30] Donald Richter, 'The Welsh Police, the Home Office and the Welsh Tithe War of 1886–91', *WHR*, Mehefin 1984, t. 68.

[31] Alfred Thomas (1840–1927): diwydiannwr, maer Caerdydd (1882), llywydd Undeb y Bedyddwyr Cymreig (1886–93), Cymro dwyieithiog, ffrind i Lloyd George. Gweler hefyd, H. Jephson, *The Platform, Its Rise and Progress* (Llundain, 1892).

[32] Hansard, Parl. Debs. (cyfres 3) cyfrol 341, colofn 1069 (1890): 'Amendment to the Address'. Cf. Evan David, *Ymreolaeth i Gymru* (Ystalyfera, 1890).

[33] Gweler 'Proposed State Department for Wales', *The Times*, 17 Ionawr 1891, t. 6.

[34] *South Wales Star*, 24 Gorffennaf 1891.

[35] Ibid., 4 Medi 1891. Gweler hefyd *BAC*, 2 Medi 1891, t. 3; a'r cyfweliad ag Alfred Thomas yn y *South Wales Star*, 6 Medi 1891.

[36] Gweler H. J. Hanham, 'The Creation of the Scottish Office 1881–1887', *Juridical Review*, x (1965), 205–44, a J. G. Kellas, 'The Liberal Party in Scotland 1876–95', *Scottish Historical Review*, xliv (1965).

[37] *The Times*, 3 Hydref 1891.

[38] F. Engels at K. Kautsky, 29 Mehefin 1891; cyhoeddwyd y llythyr gan Kautsky yn ei gylchgrawn, *Die Neue Zeit*, xx, rhif 1 (1901–2); dyfynnwyd hefyd gan V. I. Lenin yn *The State and Revolution* (Petrograd 1917).

[39] *South Wales Star*, 18 Rhagfyr 1891. Gweler hefyd, am ymgais aflwyddiannus i sefydlu Cyd-bwyllgor Cynghorau Sir Cymru yn Amwythig, 'The Local Government of Wales', *SWDN*, 4 Rhagfyr 1891, t. 6.

[40] Alfred Thomas, 'A Welsh Programme', *The Welsh Review* (Ionawr 1892), 230–3.

[41] Cyhoeddir y mesur yn llawn yn *SWDN*, 11 Ionawr 1892. Gweler hefyd Edgar L. Chapell, *Wake Up! Wales* (Llundain, 1943), 20–30. Cafodd Thomas gymorth Theodore Dodd QC i lunio'r mesur. Mae copi o'r mesur yn LlGC, Adran Llyfrau Printiedig, Bocs XJN 272–5.

[42] *SWDN*, 14 Mawrth 1892.

[43] *SWDN*, 30 Mawrth 1892.

[44] Herbert Lewis at Tom Ellis, 7 Mawrth 1892 (LlGC, Papurau T. E. Ellis, 1397).

[45] Ibid., 9 Mawrth 1892. Gweler hefyd W. O. Brigstocke 'Welsh County Councils', *Welsh Review* (Mawrth 1892), t. 485–92.

[46] *South Wales Star*, 22 Ebrill 1892.

[47] Ibid.

[48] Ibid. Gweler Alfred Thomas, 'Welsh Home Rule', *Welsh Review* (Ebrill 1892), 545–59. Gweler hefyd Emrys ap Iwan, 'At y Cymry o'r Cymry', *Y Geninen* (Ebrill 1892).

[49] S. Rendel at A. C. Humphreys-Owen, 27 Awst 1891 (LlGC, Papurau Glansevern, 555). Gweler hefyd 'Welsh Notes', *Welsh Review* (Ebrill 1892), 629. Sefydlwyd Ysgrifennydd Gwladol dros Gymru gyda Swyddfa Gymreig yng Nghaerdydd yn 1964.

7

O'r Bala i Dde Affrica

(1886–1892)

Ar 19 Mawrth 1886, yn ei araith olaf yn Nhŷ'r Cyffredin, cyflwynodd yr 'Apostol Heddwch', Henry Richard, benderfyniad a allai fod wedi newid hanes y byd:

> That in the opinion of this House, it is neither just nor expedient to embark on war contract engagements involving grave responsibilities, or to add territories to the Empire, without the knowledge and consent of Parliament.[1]

Ymosododd Richard ar y 'mania' am diriogaethau; dywedodd fod Lloegr yn berchennog ar un rhan o bump o wyneb y ddaear a chondemniodd 'filitariaeth' llywodraethau Ewrop. Cefnogwyd ef gan Henry Labouchere (1831–1912), arweinydd asgell 'Lloegr Fach' y Rhyddfrydwyr Seisnig.[2] Collwyd y bleidlais gan fwyafrif o bedwar yn unig (112–108). Yn ôl un arbenigwr ar hanes imperialaeth, A. P. Thornton, 'had it been carried, the history of the next thirty years might well have been absolutely otherwise'.[3] Fodd bynnag, nid felly y bu; imperialaeth oedd *Zeitgeist* y cyfnod. Gellir gweld y seiliau ideolegol yn llyfrau Charles Dilke, *Greater Britain* (1868); John Seeley, *The Expansion of England* (1883) a J. A. Froude, *Oceana, or England and her Colonies* (1886). Magwyd yr ysbryd oruchafol mewn nofelau megis *King Solomon's Mines* (1885) a *She* (1886) gan Rider Haggard (1856–1925) a cherddi ei ffrind Rudyard Kipling (1865–1936), prifardd imperialaeth. Roedd haen gref o hiliaeth yn yr imperialaeth hwn: roedd Dilke, er enghraifft, yn proffwydo yn 1868 y byddai 370 miliwn o 'Eingl-Sacsoniaid' ym 'Mhrydain Fwy', erbyn 1970.[4] Mewn awyrgylch fel hyn, roedd llais Henry Richard fel un yn llefain yn yr anialwch.

Yn sicr, ni chafodd Henry Richard gefnogaeth yr Ysgrifennydd Tramor Rhyddfrydol, Archibald Primrose, pumed Iarll Rosebery (1847–1929), sylfaenydd Rhyddfrydiaeth Imperialaidd. Apwyntiwyd Rosebery yn Ysgrifennydd Tramor gan Gladstone yn Chwefror 1886 pan oedd yn 39, a gellir dyddio Rhyddfrydiaeth Imperial-aidd o'r apwyntiad hwnnw, oblegid cyhoeddodd Rosebery bolisi o barhad gyda pholisi imperialaidd y Ceidwadwyr: 'our foreign policy has become more of a colonial policy'.[5] O amgylch Rosebery, ymgasglodd grŵp o Aelodau Seneddol Rhyddfrydol: R. B. Haldane (1856–1928), Edward Grey (1862–1933), H. H. Asquith (1852–1928) ac eraill. Adnabuwyd y grŵp dan y teitl, 'Rhydd-frydwyr Imperialaidd', a'u prif glwb oedd yr Eighty Club.[6] Roeddent yn credu y dylid cael polisi unedig tuag at yr Ymerod-raeth, beth bynnag oedd y gwahaniaeth rhwng y pleidiau dros bolisi cartref.

Oherwydd bod y Cymry, fel y cyfryw, yn llai imperialaidd na'r Saeson a'r Albanwyr, nid yw hynny'n golygu nad oedd y ffasiwn beth ag imperialaeth Gymreig. Wedi'r cyfan, onid un o Gymry Llundain, Dr John Dee (1527–1608) a fathodd y term, 'Ymerod-raeth Brydeinig'?[7] Cymerodd wŷr busnes a chenhadon Cymreig ran yn yr Ymerodraeth, fel cyd-imperialwyr gyda'r Saeson. Mae papurau newydd Cymreig y bedwaredd ganrif ar bymtheg yn tystiolaethu mai lleiafrif oedd y gwrth-imperialwyr.[8]

Mor fuan ag 1886, gwelir yn yr ymateb Cymreig i H. M. Stanley[9] fod haen bendant o falchder imperialaidd yn y boblogaeth: 'Y mae yn cael cynulleidfaoedd mawrion, a derbyniad brwdfrydig lle bynnag yr ymwela.'[10] Roedd Stanley yn fwy na 'theithiwr Affricanaidd'; roedd yn asiant i'r Ymerodraeth Brydeinig yn Uganda a Brenin Leopold Gwlad Belg yn y Congo.[11] Safodd Stanley fel ymgeisydd seneddol dros y Rhyddfrydwyr Unoliaeth-ol yn 1892, heb lwyddiant; etholwyd ef yn Aelod Seneddol Gogledd Lambeth yn 1895. Mae Ysbyty Llanelwy yn dal yn arddangos ei enw.

Roedd rhai Aelodau Seneddol Cymreig yn imperialwyr agored yn y 1880au, er enghraifft, AS Caerdydd, Syr Edward Reed, a ym-unodd â'r Rhyddfrydwyr Unoliaethol yn 1905[12]; AS Bwrdeistrefi Caerdydd, Syr Arthur Cowell-Stepney, a ymunodd â'r Rhydd-frydwyr Unoliaethol yn 1891; ac W. Pritchard Morgan, AS Merthyr. Etholwyd Morgan mewn is-etholiad yn Hydref 1888, yn dilyn marwolaeth Henry Richard.[13] Prif wrthwynebydd Morgan oedd ymgeisydd Cymru Fydd, R. Ffoulkes-Griffith, QC.[14] Er gwaethaf cefnogaeth Tom Ellis, D. A. Thomas a Mabon i Ffoulkes-Griffith, cipiwyd y sedd gan Morgan fel Rhyddfrydwr Annibynnol gyda 7,149 pleidlais i 4,956 – oherwydd cefnogaeth yr Unoliaethwyr lleol i'w agweddau imperialaidd. Roedd hyn yn arwydd bygythiol i Gymru Fydd – y posibilrwydd y gallasai Imperialaeth Newydd fod yn gryfach na Rhyddfrydiaeth Newydd hyd yn oed yng Nghymru, a hyd yn oed ym Merthyr.

Fodd bynnag, grŵp bach anghysylltiedig o dri oedd yr Aelodau Seneddol hyn. Prin bod gan un ohonynt ddylanwad cyffredinol ar wleidyddiaeth Cymru – fel Tom Ellis, er enghraifft. Ni ellir meddwl am imperialwr llai nag arweinydd Cymru Fydd yn y 1880au. Ond, yn syfrdanol, erbyn 1892, byddai Tom Ellis ei hun yn cael ei gyfrif yn Rhyddfrydwr Imperialaidd. Sut y gallai Radical Cymreig y 1880au fynd i wersyll yr Imperialwyr yn y degawd canlynol?

Yn 1890, yn sicr, yr oedd yn iach yn y ffydd radicalaidd Gymreig, er dioddef o deiffoid yn yr Aifft. Cyhoeddwyd llythyr o wely claf Ellis yng ngwesty Luxor, at Owen Edwards, a ddangosai fod ei feddwl yn llawn o Gymru:

> Rwy'n gweled yn glir na chaiff Cymru ei gwared o afael Llundain hyd nes y cawn Brifysgol i Gymru. Yr wyf yn distaw gredu, pe bai y Colegau ac addysgwyr Cymru yn gwneud egni, yn crynhoi eu nerth ac yn gwneud y trefniadau angenrheidiol, y gallem gael Prifysgol mewn dwy neu dair blynedd.[15]

Roedd ei broffwydoliaeth yn gywir: sefydlwyd Prifysgol Cymru yn 1893. Ar Ddydd Gŵyl Dewi 1890, yn dal yn ei wely yn Luxor, cododd ei feddyliau am Gymru at lefel gweledigaeth:

> Meddwl llawer am Gymru heddiw. Fy nghydgenedl drwy'r byd heddiw yn falch o'u Cymreigyddiaeth ac yn llawn awydd i wneud rhywbeth dros Gymru. Dyma'r flwyddyn a dyma'r Dydd Gŵyl Dewi y cefais fwyaf o hamdden i feddwl am Gymru, ei hanghenion, ei gobeithion, a dyledswydd ei meibion a'i merched . . . Hyd yn oed pe ceid yr Eglwys yn rhydd oddiwrth y Llywodraeth, a'r ysgolion a'r tir yn nwylaw y bobl, eto rhyddid fyddai hynny heb unoliaeth. Er mwyn cael unoliaeth rhaid cael Senedd, Prifysgol a Theml i Gymru. Dyma fy adduned heddiw – i weithio hyd angau i ennill Unoliaeth i Gymru yn ystyr lawnaf y gair. Rhodded Duw nerth i mi i fod yn ffyddlon i'r adduned hon. ADDYSG–RHYDDID–UNOLIAETH.[16]

Roedd salwch Ellis wedi achosi pryder i Ryddfrydwyr Cymru, a chasglwyd arian ar ei gyfer pan ddaeth adref. Cyflwynwyd tysteb iddo, gyda siec am £1,000, mewn cyfarfod mawr yn y Bala ar 18 Medi 1890. Mae'r araith dderbyn a roddodd Ellis yn un o'i areithiau pwysicaf. Yn gyntaf, disgrifiodd y datblygiad yn y pum mlynedd oddi ar 1886:

> Y deffroad crefyddol a chenedlaethol, a elwir, o achos bodolaeth Eglwys Sefydledig Seisnig, yn Anghydffurfiaeth, a'r deffroad politicaidd, sydd wedi nodweddu y chwarter olaf o'r ganrif ac wedi bod mor arbennig o amlwg er 1886. Blwyddyn bwysig oedd honno i Gymru.[17]

Y ddau allu cyfoes cryfaf yng Nghymru oedd 'brawdgarwch a chenedlaetholdeb', ac 'i'r ddwy wyddor hon y bu Cymru yn bur yn 1886'. Roedd Cynghorau Sir yn paratoi y ffordd at gael perffeithio hawl cenedl i reoli ei materion ei hun, ac ar ei daear ei hun. Tanlinellodd agwedd ffederalaidd, ryngwladol Cymru Fydd:

> Er mor awyddus y byddem i gyfranogi o fywyd a meddwl cyffredin dynoliaeth, i Gymru y mae ein prif ddyletswydd; i Gymru mae ein teyrngarwch pennaf, a'i buddiannau hi sy'n rhoddi inni ein gobaith mwyaf. Gweithiwn er mwyn cyflenwi ei hangenion arbennig hi.[18]

Ac yna, daeth i'w beroriaeth:

> Dros y pethau hyn y gweithiwn, ond, yn bennaf bwysicaf oll, gweithiwn dros Gynulliad Deddfwriaethol, wedi ei hethol gan ddynion a merched Cymru, ac yn gyfrifol iddynt hwy. Bydd yn symbol ac yn rhwymyn o'n hundeb cenedlaethol, yn erfyn i weithio allan ddelfrydau cymdeithasol a buddiannau diwydiannol . . . yn gennad i'n neges a'n hesiampl i'r ddynoliaeth, yn fan cyfarfod i'n cenedligrwydd, yn ymgorfforiad ac yn gyflawniad o'n gobaith fel pobl.[19]

Hwn oedd pinacl gweledigaeth Tom Ellis o Gymru Fydd. Y mis canlynol, ar 29 Hydref, hwyliodd am wyliau chwe mis, dros y gaeaf, yn Ne Affrica. Hwyliodd gyda Mary Owen, cariad ei ffrind, Ellis Griffith (ac roedd hithau, hefyd, yn wael ei hiechyd.)

Ar y fordaith, darllenodd Ellis lyfrau gan ac am yr imperialydd, John Ruskin (1819–1900): *Time and Tide* (1867) a *Studies in Ruskin* gan E. T. Cook.[20] Roedd wedi hwylio 6,272 o filltiroedd erbyn iddo gyrraedd Cape Town ar 26 Tachwedd 1890. Daeth dirprwyaeth o Gymry Cape Town i'w gyfarfod a chanddynt 'teligram croes-awgar oddi wrth Gymry Kimberley yn fy ngwahodd i ymweled â'm cyd-genedl ym maesydd yr adamant'.[21] Roedd Cymry Cape Town wedi dathlu Dydd Gŵyl Dewi yn gynharach yn y flwyddyn, mewn awyrgylch imperialaidd dros ben.[22]

Gydag ef yn ei god, roedd gan Ellis lythyr o gyflwyniad oddi wrth Charles Dilke i Brif Weinidog newydd y Penrhyn, Cecil Rhodes.[23] Ganwyd Cecil John Rhodes (1853–1902) yn Bishop's Stortford, de Lloegr, yn fab i weinidog Anglicanaidd. Aeth i Rydychen, lle cafodd ei ddylanwadu gan araith Ruskin yn 1872 yn dadlau mai'r ffordd i ddatrys diweithdra oedd trwy ehangu'r Ymerodraeth. Aeth Rhodes i Dde Affrica ar y cychwyn am yr un rheswm ag Ellis – er mwyn ei iechyd.[24] Ond darganfu resymau eraill dros aros yno. Roedd aur wedi cael ei ddarganfod yn y Transvaal yn 1886 ac yn y flwyddyn ganlynol, ffurfiodd Rhodes y Gold Fields of South Africa Company a gafodd siarter yn 1889. Yn y cyfamser roedd wedi cymryd drosodd gwmni deiamwntau De Beers. Erbyn diwedd y 1880au, ef oedd y dyn mwyaf pwerus yn Ne Affrica ac etholwyd yn Brif Weinidog y Penrhyn yn 1890. Credai mai'r 'hil' Eingl–Sacsonaidd oedd y cryfaf ar y ddaear ac roedd â'i fwriad ar ehangu i'r gogledd (Rhodesia) a ffurfio tiriogaeth Brydeinig 'o Cairo i'r Cape'. Hoffai'r megalomaniac hwn ddweud y byddai'n 'meddiannu'r lleuad i'r Ymerodraeth Brydeinig' pe gallasai. Yr oedd yn 'ŵr gwael ar frys'.[25]

Nid oedd Rhodes yn y Penrhyn pan gyrhaeddodd Ellis, felly aeth ymlaen ar ei daith i ymweld â Chymry Port Elizabeth, Madagascar[26] a Mauritius. Cafodd lythyr dadlennol oddi wrth Ellis J. Griffith: 'Dwed wrtha'i a fyddai gen i obaith gwneud arian yno (De Affrica); £1,500 y flwyddyn sydd arnaf eisiau (fel y gallwn roi £1,000 heibio) a dychwelyd i Gymru yn 45 oed gyda £12,000.'[27] Fodd bynnag, nid i Dde Affrica, wedi'r cyfan, yr aeth Ellis Griffith i wneud arian, ond i Bersia (1891–2) i weithio i'r Imperial Tobacco Company.

Dychwelodd Ellis i Port Elizabeth yng nghanol Ionawr 1891. Y mis canlynol, cyfarfu â theulu enwog y Schreiners. Y ddau aelod enwocaf o'r teulu hwn oedd W. P. Schreiner,[28] Twrnai Gwladol ac, yn hwyrach, Prif Weinidog y Penrhyn (1898–1900), a'i chwaer, Olive Schreiner (1855–1920), awdures y nofel enwog, *The Story of an African Farm* (1883), am deulu o Foeriaid. Roedd Ellis wedi cael llythyr o gyflwyniad i 'W.P.' gan Ellis Griffith a fu yng Ngholeg Downing, Caergrawnt gydag ef yn y 1880au. Ar ddechrau y 1890au roedd y Schreiners yn gefnogwyr i Cecil Rhodes, er iddi hi droi yn ei erbyn yn fuan wedyn.[29]

Ellis oedd y gŵr gwâdd yng nghinio Gŵyl Dewi Cymry Kimberley (Diamond Field Cambrian Society). Daeth tyrfa i'w gyfarfod yn yr orsaf.[30] Y noson honno, atebodd i'r llwncdestyn 'Y Cymry Dros y Byd' gydag anerchiad a ddangosai ei fod yn symud at safbwynt Rhyddfrydwr Imperialaidd:

> Edrychai ymlaen yn ffyddiog at yr adeg pryd y gellid drwy'r gyfundrefn addysg gyfoethogi bywyd y Cymry ac anfon allan feibion Cymru i gymryd eu lle fel arloeswyr a llywodraethwyr yn yr Ymerodraeth . . . Cefais drwy fy nheithiau oleuni ar nifer o bynciau na wyddwn i o'r blaen nemor ddim amdanynt. Y mae'n syndod mor anwybodus yw'r cyhoedd ym Mhrydain ynghylch materion De Affrig: ac nid y cyhoedd yn unig, ond Tŷ'r Cyffredin hefyd. Cyfaddefaf yn rhwydd fod f'anwybodaeth innau'n debyg i dywyllwch Eifftaidd: ond mae gennyf hyn o gysur, fod y rhan fwyaf o'm cyd-aelodau yn rhodio mewn tywyllwch sydd yn fwy dudew fyth. Eithr agorwyd fy meddwl gan f'ymweliad â'r drefediageth hon a'm hastudiaeth o lywodraeth Natal a Mauritius.[31]

O Kimberley aeth i Bechuanaland a Bloemfontein, lle bu'n annerch Gwyddelod a Chymry ar Ddydd Gŵyl Padrig (17 Mawrth). Ysgrifennodd lythyr at Robert Hudson o'r Orange Free State Hotel, yn cynnwys toriad o'r *Bloemfontein Gazette* a oedd yn amlwg wedi'i blesio:

> Mr Ellis, MP, who is at present in our midst is, though young, a man who has already made his mark in the House of Commons. His quaint [*sic*] questions to the Home Secretary, respecting the action of the Government in exacting the tithes in Wales, having been so artfully framed as to move the Government in bringing a Bill before the House to deal with the Welsh question. His untiring efforts in the cause of intermediate and higher education in the Principality have also been most productive, as the proposed system for that country promises to be the most complete system in the world. His organizing abilities and his close reasonings in debate

have won for him the high esteem of Mr Gladstone and Mr John Morley; and *it is rumoured in political circles that at the first opportunity a seat in the Cabinet will be offered to him.*[32]

Mae Ellis wedi tanlinellu'r frawddeg olaf yn y gwreiddiol. Ar 10 Ebrill, rhoddwyd trydedd gwledd iddo – y tro hwn gan faer Cape Town. Amddiffynnodd bolisi ymerodrol Ryddfrydol Brydeinig mewn iaith hynod o nawddoglyd: 'Mae'r Dutchmen [*sic*] yn gydradd â chwi: rhaid i chwi eu trin yn oddefgar a pharchu eu dyheadau. Mae'r brodorion yn isradd i chwi: rhaid i chwi eu cyfodi.'[33] Edrychodd ymlaen at yr adeg y byddai cynrychiolwyr Cymru a De Affrica yn cydeistedd mewn 'Senedd Ymerodrol'. Byddai Chamberlain wedi bod yn hapus gyda sylwadau fel hyn. Roedd barn arall o'r bobl hyn gan y bardd Isaac Rosenberg a dreuliodd chwe mis yn Ne Affrica hefyd yn 1914–15 cyn dychwelyd i'w farwolaeth yn ffosydd Ffrainc. Ysgrifennodd o Cape Town:

I am in an infernal city by the sea. This city has men in it – and these men have souls in them – or at least have the passages to souls. But these passages are dreadfully clogged up, – gold dust, diamond dust, stocks and shares, and heaven knows what other flinty muck.[34]

Y noson cyn iddo hwylio adref, ar ddiwedd Ebrill 1891, crisialodd tröedigaeth imperialaidd Ellis mewn cinio gyda Phrif Weinidog y Penrhyn, Cecil Rhodes. Ymddengys fod y 'Colossus' wedi mesmereiddio Ellis:

I dined with Cecil Rhodes the night before I left, and spent with him one of the most interesting evenings of my life. He is truly a *strong* man, with powerful personality and clear brain and large views. I wish he were in British politics. He would soon be leader of the Liberal party.[35]

Yn yr un llythyr, dengys yr effaith yr oedd y daith i Dde Affrica wedi cael ar ei feddwl:

Somehow . . . on the sea, between the scenes I have gone through and the anticipation of re-entering the old life, my mind seems closed up. Like my luggage it is all under the bunk.[36]

Gellir dehongli hyn fel cyfeiriad at y newid a oedd yn mynd ymlaen yn ei is-ymwybod, fel canlyniad i'r profiadau a gafodd ar ei daith chwe mis.[37]

Gellir tynnu cymhariaeth drawiadol rhwng asesiad Ellis o Rhodes a'i ganmoliaeth o Parnell yn ei Ddyddiadur yn ôl yn 1889: 'Yr wyf ers talwm wedi barnu y gallai Parnell fod yn Brif Weinidog Prydain pe dymunai hynny.'[38] Y pwynt yw, wrth gwrs, nad oedd ar Parnell eisiau bod yn Brif Weinidog Prydain. Ond, erbyn 1891, roedd Rhodes wedi cymryd lle Parnell ym meddwl Ellis. Pan ddychwelodd i Lundain ar ddechrau Mai, darganfu fod Parnell wedi syrthio o'i safle fel arweinydd y Gwyddelod.[39]

Daw agwedd newydd Ellis allan yn glir mewn araith yn Neuadd Penrhyn, Bangor ar 21 Mai 1891. Cyfarfod Rhyddfrydol oedd hwn, ar y cyd â Lloyd George, ac mae'r gwahaniaeth pwyslais yn eu hareithiau yn arwyddocaol. Canolbwyntiodd Ellis ar ei daith i Dde Affrica:

> Our countrymen, there are prosperous, influential . . . In merchant offices, in banks and in newspaper offices they hold responsible positions. The Mayors of the chief towns are Welshmen, and Welshmen manage the Government railway system of the whole colony . . . the more generously the claims of Wales are recognised, the greater will be the awakening of Wales' interest in the widening concerns of the Empire.[40]

Mewn geiriau eraill, roedd Ellis eisiau i Gymru gael ei 'lle yn yr haul'. Roedd pwyslais araith Lloyd George yn gwbl wahanol. Ymosododd yn ergydiol ar system dosbarth Prydain:

> We are connected with a movement which, if it succeeds, as I am confident it must, will free the sacred soil of our country from the grinding exactions of every landlord and monopolist [Cheers] . . . If you mean to get better hours, better wages, better conditions of life, you can only do so by trenching upon the enormous rent-rolls and revenues of landlords and monopolists of every description . . . Incalculable wealth and indescribable poverty dwell side by side . . . Things must be equalised! [Cheers].[41]

Gellir dyddio yr ymwahaniad rhwng Tom Ellis a Lloyd George o'r cyfarfod hwn ym Mangor ar 21 Mai 1891. Symudodd Ellis i'r

dde tra oedd Lloyd George yn symud i'r chwith, mewn symud-
iad siswrn.

Yn Hydref 1891, gwahoddodd Ellis, Syr Charles Dilke, awdur
Greater Britain i Feirionnydd; a chafodd lythyr yn condemnio ei
ymddygiad oddi wrth olygydd Anghydffurfiol y *British Weekly*,
Robertson Nicoll.[42] Cyhoeddodd Nicoll ymosodiad agored ar
Ellis yn Ionawr 1892:

> The Welsh members have long been yearning for a leader . . . There
> was a false hope raised of a 'Parnell of Wales' who would gather
> together the scattered ranks under one leadership. But his Parnellism
> turned out, on nearer acquaintance, something of a disappointment.
> We should be far from denying Mr Thomas Ellis' many qualities, or
> questioning his courtesy and genial amiability. But though a
> pleasant-spoken young Welshman, he is far from being a Parnell. He
> has been out-distanced by Mr Lloyd George.[43]

Ar 29 Ebrill 1892, camodd Ellis yn gyfan gwbl i'r gwersyll
imperialaidd, drwy annerch cinio y British Empire Club yn
Llundain: 'The more Wales has the power of initiative and
decision in her own affairs, the more closely will she be bound to
the very texture of the imperial fabric.'[44]

Roedd taith Ellis i Dde Affrica wedi ei droi o fod yn Rhydd-
frydwr Radicalaidd i fod yn Rhyddfrydwr Imperialaidd.[45] Dim
ond trwy ddeall hyn y gellir egluro ymddygiad Ellis yn y 1890au.

Y cwestiwn tyngedfennol a wynebai Ellis yn 1892 oedd: a
fyddai'n derbyn swydd mewn llywodraeth Ryddfrydol y tu allan
i'r Cabinet, pe cynigid un iddo? Rhoddwyd y cwestiwn iddo gan
arweinydd y blaid ei hun – Gladstone, wedi araith gan Ellis yn
cyflwyno Mesur Tir ym Mawrth 1892.[46] Galwodd Gladstone ef
i'w ystafell: 'Dywedodd y G.O.M. ei fod wedi edrych dros ei
ffigurau yn fanwl ac wedi eu cael yn "right to the decimal"; –
addawodd Gomisiwn Brenhinol yn y man. A gofynnodd hefyd i
Tom a gymerai swydd yn ei Weinyddiaeth.'[47] Sylwer mai'r gair
'Gweinyddiaeth' a ddefnyddiodd Gladstone – nid oedd yn
cynnig swydd i Ellis yn y Cabinet; ond gwelai y gallasai Ellis fod
yn beryglus heb ei ffrwyno. Y mis canlynol, awgrymwyd swydd
penodedig i Ellis gan ei ffrind, Arthur Acland: gofynnodd a fyddai
Ellis yn fodlon bod yn is-chwip pe bai Acland yn cael ei apwyntio
yn Brif-chwip?[48] Mae'r cynnig yn ymddangos yn chwerthinllyd –

awgrymu y dylai arweinydd Cymru Fydd ddod yn is-chwip, ond roedd Acland o ddifrif.[49]

Trafododd Ellis yr awgrymiad â Chadeirydd Cyngor Sir Fflint ac ymgeisydd Rhyddfrydol Bwrdeistrefi Fflint, Herbert Lewis, ac mae'n amlwg ei fod wedi cynghori Ellis i wrthod. Ym Mai, mewn ymateb i wrthodiad Ellis, ysgrifennodd Acland ddau lythyr hysterig, yn cyhuddo Ellis o'i fradychu ef: 'It is the heaviest of blows in connection with public life or private friendship that I have up to now experienced in my life.'[50] Dilornodd gyngor Lewis: 'who knows as yet nothing about parliamentary life and whose notice was perhaps inevitably such as it was.'[51]
Ar y llaw arall, yr oedd Lewis yn gofyn:

> Why is Acland in such a hurry and so peremptory? Are you sure your constitution is strong enough to stand the strain? . . . And, apart from your health, the great question is – have we most to gain from cooperation or independence? If the former, will you, as a member of the ministry, be allowed to preach Welsh Home Rule?[52]

Roedd Llewelyn Williams yn gofyn yr un cwestiynau yn y *South Wales Star*:

> Mr T. E. Ellis . . . able and gifted as he is, derives his greatest power from the fact that he is so representative a Welshman . . . The time of his trial is yet to come. He has done great and noble work for Wales as one of Her Majesty's Opposition; it remains to be seen what he and his colleagues will do for Wales when the Liberals are in office . . . Will the Welsh members be prepared to vote against a Liberal Government which refuses to satisfy Welsh aspirations?[53]

Y mis cyn yr etholiad cyffredinol, roedd Acland yn dal i geisio perswadio Ellis i fod yn Is-chwip, ond, o leiaf, pasiodd ymlaen iddo, yn ei lythyr, ddisgrifiad Edward Grey o'r hyn roedd derbyn swydd Chwip yn ei olygu:

> You will be asked to sacrifice all your time, to drop the threads which are at present in your hands and to give up the independent position which it will perhaps be most difficult to reoccupy after having once been in office.[54]

Ni allai Ellis ddadlau nad oedd wedi cael ei rybuddio. Cynhaliwyd Etholiad Cyffredinol Gorffennaf 1892 chwe mlynedd i'r mis ar ôl etholiad 1886. Roedd paratoadau helaeth o du'r Rhyddfrydwyr, yn arwain at ymgyrch rymus, dan gyfarwyddyd y trefnyddwr athrylithgar, Schnadhorst. Ymddangosodd Datgysylltiad ar bob un o faniffestos yr ymgeiswyr Rhyddfrydol Cymreig; rhoddwyd pynciau Cymreig ymlaen gan saith ymgeisydd yn unig: David Lloyd George, J. Herbert Lewis, J. Herbert Roberts,[55] A. J. Williams, D. A. Thomas, T. P. Lewis a Stuart Rendel. Ym Mhrydain, cafwyd mwyafrif i'r Rhyddfrydwyr a'u cefnogwyr o 355 yn erbyn 315 i'r Ceidwadwyr – mwyafrif o 40. Yng Nghymru, roedd y fuddugoliaeth Ryddfrydol yn ysgubol: 31 yn erbyn 3 Ceidwadwr – mwyafrif o 28 – y fuddugoliaeth fwyaf i Ryddfrydiaeth yng Nghymru yn y bedwaredd ganrif ar bymtheg.

Fel y gwelir o Dabl 7.1, adenillwyd seddi Maesyfed, Mynwy a Phenfro gan y Rhydfrydwyr, a chadwasant y seddi a enillwyd ganddynt mewn is-etholiadau er 1886. Roedd dros ddwy ran o dair ohonynt yn enedigol yng Nghymru a daeth mwyafrif ohonynt o gefndir mewn diwydiant, busnes neu'r gyfraith; dim ond dau ohonynt (AS Brycheiniog a Maesyfed) oedd yn dirfeddianwyr. Disgynnodd y cyfartaledd oedran o dan hanner cant, ac roedd dwywaith cymaint o garfan Cymru Fydd ag yr oedd yn cefnogi y Rhyddfrydwyr Imperialiadd.

Wedi buddugoliaeth Lloyd George dros Syr John Puleston yng Nghaernarfon, dilynodd prosesiwn mawr y tu ôl i faner yn darllen: 'Buddugoliaeth Cymru Fydd!'[56] Yna, mewn araith yng Nghonwy, rhoddodd Lloyd George rybudd i Gladstone:

> It is very important that Liberal statesmen should understand clearly why Wales is so overwhelmingly Liberal at the present moment. It is not to install one statesman in power. The Welsh Members want nothing for themselves, but they must this time get something for our country, and I do not think they will support a Liberal Ministry – I care not how illustrious the Minister may be who leads it – unless it pledges itself to concede to Wales those great measures of reform upon which Wales has set its heart.[57]

Tabl 7.1

Yr Aelodau Seneddol Cymreig wedi Etholiad 1892

Etholaeth	Aelodau Seneddol	Oed	Plaid	Enwad	Cefndir
Abertawe (Rhanbarth)	Syr Henry Vivian	71	Rh.	Y.	Diwydiannwr
Abertawe (Tref)	Robert Burnie	50	Rh.	Y.	Gŵr Busnes
Arfon	William Rathbone	73	Rh.	Y.	Gŵr Busnes
Brycheiniog	W. Fuller-Maitland	50	Rh.	A.	Tirfeddiannwr
Caerdydd	Syr Edward Reed	62	Rh.	A.	Adeiladwr Llongau
Caerfyrddin (Bwrd.)	Uwch-gapten Evan R. Jones	53	Rh.	Y.	Consyl
Caerfyrddin (Gn.)	J. Lloyd Morgan	31	Rh.	Y.	Bargyfreithiwr
Caerfyrddin (Dn.)	Abel Thomas	46	Rh.	Y.	Bargyfreithiwr
Caernarfon (Bwrd.)	D. Lloyd George	29	Rh.	Y.	Cyfreithiwr
Ceredigion	W. Bowen Rowlands	56	Rh.	A.	Bargyfreithiwr
Dinbych (Dn.)	G. Osborne Morgan	58	Rh.	A.	Bargyfreithiwr
Dinbych (Gn.)	J. Herbert Roberts	29	Rh.	Y.	Marchnadwr
Dinbych (Bwrd.)	Anrh. G. T. Kenyon	52	C.	A.	Tirfeddiannwr
Eifion	J. Bryn Roberts	49	Rh.	Y.	Bargyfreithiwr
Fflint (Bwrd.)	J. Herbert Lewis	33	Rh.	Y.	Cyfreithiwr
(Sir) Fflint	Samuel Smith	56	Rh.	Y.	Gŵr Busnes
Maesyfed	Frank Edwards	40	C.	A.	Tirfeddiannwr
Meirionnydd	T. E. Ellis	33	Rh.	Y.	Ysgrifennydd
Merthyr Tudful	D. A. Thomas	36	Rh.	Y.	Perchennog Glo
Merthyr Tudful	W. P. Morgan	48	Rh.	Y.	Cyfreithiwr
Môn	Thomas Lewis	71	Rh.	Y.	Marchnadwr
Morgannwg (Ganol)	S. T. Evans	33	Rh.	A.	Bargyfreithiwr
Morgannwg (De)	Arthur J. Williams	56	Rh.	Y.	Bargyfreithiwr
Morgannwg (Dw.)	Alfred Thomas	52	Rh.	Y.	Gŵr Busnes
Morgannwg (Gn.)	David Randell	40	Rh.Ll.	Y.	Cyfreithiwr
Mynwy (De)	Anrh. F. C. Morgan	58	C.	A.	Tirfeddiannwr
Mynwy (Gog.)	T. P. Price	48	Rh.	A.	Bargyfreithiwr
Mynwy (Gn.)	C. M. Warmington	50	Rh.	Y.	Bargyfreithiwr

(Parhad)

Etholaeth	Aelodau Seneddol	Oed	Plaid	Enwad	Cefndir
Mynwy (Trefynwy)	Albert Spicer	45	Rh.	Y.	Diwydiannwr
Penfro	W. R. Davies	28	Rh.	Y.	Bargyfreithiwr
Penfro (Rhanbarth)	C. F. Egerton Allen	45	Rh.	A.	Bargyfreithiwr
Rhondda	W. Abraham ('Mabon')	50	Rh. Ll.	Y.	Undebwr
Trefaldwyn (Rhanbarth)	Syr P. Pryce-Jones	58	C.	A.	Tirfeddiannwr
Trefaldwyn	Stuart Rendel	58	Rh.	A.	Diwydiannwr

Nodyn:	Rh	Rhyddfrydwr
	C.	Ceidwadwr
	Rh. U.	Rhyddfrydwr Unoliaethol
	Rh. Ll.	Rhyddfrydwr Llafur (Lib–Lab)
	Y.	Ymneilltuwr
	A	Anglicanwr

Tabl 7.2

Dadansoddiad o Aelodau Seneddol Rhyddfrydol Cymru, 1892

Cyfartaledd Oed	Ymneilltuwyr	Anglicanwyr	Diwydiant a Busnes	Y Gyfraith	Tirfeddianwyr
47	22	9	12	15	2

Ar 8 Awst, cyfarfu'r Blaid Gymreig yn ystafell bwyllgor 7 yn Nhŷ'r Cyffredin ac ailetholwyd Stuart Rendel yn gadeirydd a D. A. Thomas a Herbert Lewis yn chwipiaid. Pasiodd yr Aelodau benderfyniad yn unfrydol y dylai Datgysylltiad ddod yn ail i'r Iwerddon yn Araith y Frenhines.[58] Drwy bleidleisio gyda'i gilydd fel bloc, gallasent gael effaith sylweddol ar gwrs y llywodraeth.

Tabl 7.3

Agweddau Gwleidyddol Aelodau Seneddol Rhyddfrydol Cymru,
1892

Cymru Fyddwyr	Rhyddfrydwyr Gladstonaidd	Rhyddfrydwyr Imperialaidd
David Lloyd George	Syr Henry Vivian	Tom Ellis
J. Herbert Lewis	Robert Burnie	Syr Edward Reed
J. Herbert Roberts	William Rathbone	W. Pritchard Morgan
Alfred Thomas	W. Fuller-Maitland	Albert Spicer
Thomas P. Lewis	J. Lloyd Morgan	
William Abraham	Abel Thomas	
D. A. Thomas	W. Bowen Rowlands	
Frank Edwards	G. Osborne Morgan	
David Randell	J. Bryn Roberts	
Evan Rowland Jones	Samuel Smith	
	S. T. Evans	
	A. J. Williams	
	T. P. Price	
	C. M. Warmington	
	W. R. Davies	
	C. F. Egerton Allen	
	Stuart Rendel	

Is-chwip

Yr oedd disgwyliad cyffredinol, answyddogol, yng Nghymru y
byddai penodiad Cymreig i'r Cabinet yn dilyn yr etholiad ac
roedd siom pan na chafwyd hyn. Cynigiodd Gladstone swyddi i
George Osborne Morgan, Syr Edward Reed a Stuart Rendel, ond
gwrthododd y tri, gyda Rendel yn dweud wrth Thomas Gee fod
yn well ganddo ddefnyddio ei gyfeillgarwch bersonol â Gladstone
i'w gael i roi 'blaenoriaeth swyddogol i Gymru'.[59]
    Y cwestiwn mawr oedd: a fyddai Tom Ellis yn derbyn y swydd
o Is-chwip a gynigiwyd iddo? Roedd Gladstone yn gyfrwys yn
ogystal â bod yn ddeallus; nid oedd arno eisiau Parnell Cymreig,
a gwelai y byddai'n ddefnyddiol iddo glymu arweinydd cyd-
nabyddedig Cymru Fydd wrth gyfrifoldebau blinedig swydd
Chwip. Cofier bod Ellis wedi gwrthod swydd fel Chwip y Blaid

Seneddol Gymreig yn 1888. Aeth Ellis i dŷ Beriah Evans yng Nghaernarfon i drafod y sefyllfa ag ef, Lloyd George a Herbert Lewis. Mae Evans yn adrodd hanes y cyfarfod:

> Ellis and George, together with S. T. Evans and Herbert Lewis, had mutually agreed that none of them should accept office without the consent of his three colleagues. Ellis was thus placed in a difficult situation. Before accepting, he came to Caernarfon, and at my house met Lloyd George and Herbert Lewis. Together we discussed the situation. Lloyd George was strongly opposed to the idea of his friend taking office. Herbert Lewis took the same view.[60]

Roedd cylch mewnol Cymru Fydd, felly, yn erbyn i Ellis dderbyn y swydd. Ond rhoddwyd pwysau mawr arno gan yr arweinwyr Seisnig: 'Gwnaeth Morley imi aros am ginio. Aethom dros y maes, a dywedodd yn bendant y byddai rhaid imi gymeryd rhwyf. "No nonsense" – meddai.'[61] Yna, ymddangosai fod y sefyllfa wedi newid:

> Mae y trefniant ynghylch A. H. D. Acland fel Prif Chwip wedi torri i lawr. Yr oedd Mr Gladstone eisiau un o'i gyfeillion arferol fel Chwip, a dewisodd Marjoribanks. Mae Mr Gladstone hefyd am wneud ei Weinyddiaeth o'r hen ddwylo. Nid wyf yn credu y cynygir unrhyw swydd i mi, fel nad wyf yn y pryder a deimlwn o'r blaen . . . mae'r Blaid Gymreig â golwg wahanol y tro hwn. Mae'r byd yn myned yn ei flaen . . . [62]

Roedd y trafodaethau hyd yn hyn wedi bod ar sail dealltwriaeth mai ffrind Ellis, Arthur Acland, fyddai'r Prif Chwip, ond penodwyd ef i swydd bwysicach fel Gweinidog Addysg gyda sedd yn y Cabinet. Roedd Edward Marjoribanks (1849–1909) yn Rhyddfrydwr o'r hen ysgol ac, felly, naturiol fyddai tybio nad oedd gan Ellis unrhyw ddiddordeb pellach mewn swydd bitw o dano fel Is-chwip. Cafodd gyngor clir o Gricieth: 'Y mae disgwyliad mawr yn bodoli ynghylch cysylltiad Cymru â'r Weinyddiaeth. Os na bydd yn un anrhydeddus, gwn na ymuni â hi o gwbl.'[63] Mae ystyr y llythyr yn eglur, roedd Lloyd George yn awgrymu na ddylai Ellis dderbyn swydd os nad oedd yn y Cabinet. Anwybyddodd Ellis y cyngor doeth hwn ac ysgrifennodd yn ôl ato cyn diwedd y mis yn dweud ei fod wedi derbyn y swydd: 'The whole matter caused me more searching anxiety than anything else in my life. It is an experiment under difficult circumstances, but my election in 1886 was an experiment.'[64] Roedd y potsiwr wedi troi yn gipar. Cyfaddefodd Ellis, mewn llythyr at Ellis J. Griffith, fod agweddau negyddol i'w benderfyniad:

> After very full consideration I told John Morley, after he had urged and pressed me very hard, that the only post which I was prepared to accept was the Second Whipship: of course it has some disadvantages, e.g. it is a sore puzzle to Welsh people; it is arduous and very responsible during Session. Lloyd Geroge gave me little advice on the point. We chatted freely on the matter and he was inclined to urge the acceptance of a post of influence if the Ministry contained some new Radical blood . . . He is not wholly pleased with the Cabinet.[65]

Mae disgrifiad Ellis o farn Lloyd George yn gamarweiniol. Roedd Lloyd George a Sam Evans yn meddwl bod Ellis wedi gwneud camgymeriad mawr:

> I quite agree with you that Ellis has made a great mistake in accepting office in such a broken-winded Ministry. He could have done much better work outside as an independent member without being involved in the discredit which, I fear, must befall this Administration . . . Duw a'u helpo nhw. Siôr *syn*.[66]

Ymhelaethodd Lloyd George ar hyn pan ddaeth yn Ganghellor y Trysorlys yn 1908:

> Gwelaf nawr y camgymeriad ofnadwy a wnaeth Tom yn derbyn y swydd a gynigiwyd iddo gan Gladstone. Talodd ormod o sylw i'r rhai a'i berswadiodd ei fod yn bwysig cael eich traed ar yr ysgol. Dylai fod wedi gwrthod y cynnig gyda dirmyg a phrotestio yn y wlad. Gyda'r mwyafrif o'i gyd-wladwyr yn ei gefnogi buasai'r G.O.M. wedi gorfod cynnig swydd iddo yn y Cabinet o fewn mis. Do, fe wnaeth Tom gamgymeriad mawr.[67]

Meddai J. Arthur Price, 'all hope of Welsh Nationalism doing anything for some time ended when Ellis grasped the Saxon gold'[68] – cyfeiriad at y ffaith y byddai Ellis yn cael ei dalu cyflog o £1,000 y flwyddyn fel Is-chwip. Roedd penderfyniad Ellis i dderbyn swydd ddibwys yn fradychiad oherwydd bod y penodiad, mewn gwirionedd, yn ei gagio ac yn golgyu na allai mwyach arwain Cymru Fydd. Yng ngeiriau Price: 'Ellis in office dare not speak, for is he not a Saxon minister?'[69] Dyma hefyd oedd barn John Gibson, golygydd y *Cambrian News*: 'Ellis is lost to Liberal Wales . . . he has become an official hack.'[70] Mae llythyr pathetig o law Ellis at y Prif Chwip yn Awst 1892:

> I hesitated to accept Mr Gladstone's offer because I did not know whether its acceptance would carry with it the duty of being your co-teller in Government divisions. I desire to be assured on this point, because I consider that the position of co-teller with you would be a visible recognition of the position of Welsh Liberalism and of its recent success. In that position I would do my utmost to serve you loyally.[71]

Roedd y cyd-imperialydd yn awr eisiau bod yn gyd-chwip. Sylw T. Marchant Williams ar hyn oedd bod Ellis 'wedi cyfnewid arwein-yddiaeth Cymru Fydd am swydd bachgen-dal-drws yn Nhŷ'r Cyffredin'.[72] Roedd Ellis wedi derbyn swydd heb ddylanwad ac roedd ei gysylltiad â Chymru Fydd ar ben.[73] Ond nid yn unig yr oedd wedi bradychu Cymru Fydd, yr oedd hefyd wedi bradychu ei hun, oherwydd bod y swydd yn sarhad arno a bod y gwaith yn rhy galed i'w gyfansoddiad. O fewn saith mlynedd (1899) fe fyddai'n farw.

Amhosibl fyddai deall penderfyniad Ellis – a gafodd effaith mor andwyol ar ddatblygiad gwleidyddol Cymru – oni bai ein bod wedi astudio effaith ei daith i Dde Affrica ar ei feddwl. Dim ond trwy ei weld fel Rhyddfrydwr Imperialaidd o 1891 ymlaen y gellir egluro – ond nid esgusodi – ei ddewis. Erbyn 1892 yr oedd wedi dod yn gyd-imperialydd ac felly yr oedd yn hawdd ei gyf-ethol i mewn i'r sefydliad Seisnig fel cyd-chwip. Os oedd taith ei ffrind, O. M. Edwards, wedi arwain *O'r Bala i Genefa* (1889), roedd Ellis wedi teithio, mewn mwy nag un ystyr, o'r Bala i Dde Affrica.

Nodiadau

[1] Hansard, Parl. Debs. (cyfres 3) cyfrol 303, colofn 1400. Gweler hefyd Lewis Appleton, *Henry Richard, Apostle of Peace* (Llundain, 1889), 204–11. Cf. llythyr W. E. Gladstone at y Frenhines Victoria, 25 Chwefror 1886, yn cwyno am y cynnydd yn yr 'amcanu' milwrol; dyfynnwyd yn J. M. Golby, *Culture and Society in Britain 1850–90* (Rhydychen, 1986), t. 277.

[2] Gweler Hesketh Pearson, *Labby* (Llundain, 1936).

[3] A. P. Thornton, *The Imperial Idea and its Enemies* (Llundain, 1959), t. 85.

[4] Gweler Charles Dilke, *Problems of Greater Britain* (Llundain, 1890); gweler hefyd Rhagair newydd Patrick Brantlinger i *She* (Llundain, 2004); Wendy R. Katz, *Rider Haggard and the Fiction of Empire* (Caergrawnt, 1987); Ann McClintock, *Imperial Leather* (Llundain, 1995); B. Porter, *Critics of Empire* (Llundain, 1968); Alan Sandison, *The Wheel of Empire* (Llundain, 1967); D. Wormell, *Sir John Seeley and the Uses of History* (Caergrawnt, 1980). Am ymosodiad cyfoes ar syniadau Seeley, gweler adolygiad John Morley, 'The Expansion of England', *Macmillan's Magazine* (Chwefror 1884).

[5] Araith yn Leeds, 11 Hydref 1888, cynwysedig yn Arglwydd Rosebery, *The Foreign Policy of Lord Rosebery* (Llundain, 1901). Nododd Syr Henry Maine yn yr un flwyddyn, 'war appears to be as old as mankind, but peace is a modern invention': *idem, International Law* (Llundain, 1888), t. 8. Am ddadansoddiad beirniadol o safbwynt rhyddfrydol, gweler J. A. Hobson, *Imperialism* (Llundain, 1902).

[6] H. C. G. Matthew, *Liberal Imperialists* (Rhydychen, 1973), t. 4. Sefydlwyd y clwb yn 1881.

[7] G. A. Williams, *Welsh Wizard and British Empire* (Caerdydd, 1980), t. 9: 'It was then, a London-Welshman . . . who seems to have invented the expression, *British Empire.*' Gweler hefyd G. A. Williams, *The Welsh in their History* (Llundain, 1982), t. 16 ac *idem, When Was Wales?* (Harmondsworth, 1985), tt. 124–5.

[8] Ychydig iawn o astudiaeth o imperialaeth Gymreig sydd wedi bod cyn Rhyfel De Affrica (1899–1902). Gweler Henry Pelling a K. O. Morgan, 'Wales and the Boer War', *WHR* (Rhagfyr 1969).

[9] Henry Morton Stanley (1841–1904); cofrestrwyd 'John Rowlands, Bastard' yn Eglwys Dinbych, dihangodd o wyrcws Llanelwy ac ymfudodd i Efrog Newydd yn 1858. Brwydrodd ar ochr y De yn y Rhyfel Cartref; aeth i Affrica fel newyddiadurwr y *New York Herald* a'r *Daily Telegraph.*

[10] *BAC*, 20 Tachwedd 1886; Anon, *Hanes Bywyd Henry M. Stanley* (Dinbych, 1890). Gweler A. J. A. Symons, *H. M. Stanley* (Llundain, 1933).

[11] Gweler H. M. Stanley, *Through the Dark Continent* (Llundain, 1878), *The Congo* (Llundain, 1885), *In Darkest Africa* (Llundain 1890) a *Through South Africa* (Llundain, 1898). Mae ymosodiad ar Stanley yn 'Welsh Notes', *Welsh Review* (Gorffennaf 1892), 953 ac ibid. (Awst 1892), 1053. Gweler hefyd, am ddarlun cyfoes o'r Congo, Joseph Conrad, *The Heart of Darkness* (Llundain, 1899) ac Adam Hochschild, *King Leopold's Ghost* (Llundain, 1998).

[12] Gweler K. O. Morgan, 'The Liberal Unionists in Wales', *Cylchgrawn Llyfrgell Genedlaethol Cymru* XVI, Rhif 2 (1969).

[13] Gweler *Merthyr Express*, Awst–Hydref 1888; *SWDN*, Awst–Hydref 1888. Oherwydd ei ymdrechion i ddarganfod aur yn y Dwyrain, adnabuwyd ef gan *Tarian y Gweithiwr* fel, 'yr Aelod dros China'.

[14] Gweler R. Ffoulkes Griffith, 'The Responsibility of Young Wales in Relation to Historical Research', *Cymru Fydd* (Chwefror 1889), 74–85.

[15] Tom Ellis at O. M. Edwards, 12 Chwefror 1890; cyhoeddwyd fel 'Llythyr o'r Aipht', *Cymru Fydd* (Mawrth 1890), 191.

[16] Dyddiadur Tom Ellis, 1 Mawrth 1890 (LlGC, Papurau T. E. Ellis).

[17] *BAC*, 24 Medi 1890. Paratôdd Ellis yn fanwl ar gyfer yr araith – gweler ei nodiadau yn LlGC, Papurau T. E. Ellis, 9630B. Gweler hefyd 'Welsh Testimonial to T. E. Ellis', *The Times*, 19 Medi 1890, t. 10. Roedd y siec am £1,000 yn swm sylweddol – yn cyfateb i oddeutu £30,000 heddiw.

[18] *BAC*, 24 Medi 1890.

[19] Ibid. Gweler hefyd *Y Genedl*, 24 Medi 1890; *Y Goleuad*, Medi 1890; 'Llythyr Llundain', *BAC*, 1 Hydref 1890, a 'Tysteb T. E. Ellis', *Cymru Fydd* (Tachwedd 1890).

[20] Tom Ellis at D. R. Daniel, 23 Tachwedd 1890 (LlGC, Papurau D. R. Daniel). Gweler hefyd Dyddiadur Tom Ellis, 1890–1 (LlGC, Papurau T. E. Ellis).

[21] Tom Ellis at M. E. Ellis, 24–26 Tachwedd 1890 (LlGC, Papurau T. E. Ellis, 2767–74).

[22] Tom Watkins (gol.), *Excalibur*, 7 Mawrth 1890, papur Cymry De Affrica. Gweler 'Cymry ar Wasgar', *Cymru Fydd* (Mai 1890), 318–20.

[23] H. K. Hudson at T. E. Ellis, 23 Tachwedd 1890 (LlGC, Papurau T. E. Ellis).

[24] Gweler A. F. B. Williams, *Cecil Rhodes* (Llundain, 1968).

[25] N. Masterman, *The Forerunner* (Abertawe, 1972), t. 154.

[26] Gweler llythyr Tom Ellis o Madagascar at y *SWDN*, 12 Rhagfyr 1890.

[27] E. J. Griffith at T. E. Ellis, 11 Rhagfyr 1890 (LlGC, Papurau T. E. Ellis, 736). Ganwyd Ellis Jones Griffith (1860–1926) yn Birmingham a gweithiodd fel bargyfreithiwr. Gweler T. I. Ellis, 'Ellis Jones Griffith', *THSC*, (1961), 125–37.

[28] Uchel Gomisiynydd De Affrica yn Llundain (1914–18). Bu farw W. P. Schreiner yn Llandrindod yn 1919; *DNB* (1912–21), t. 484.

[29] E. J. Griffith at T. E. Ellis, 31 Hydref 1890 (LlGC, Papurau T. E. Ellis, 782). Ceir disgrifiad o ymweliad Ellis yn ei lythyrau at Mary Ellis, 17 Chwefror 1891 (LlGC, Papurau T. E. Ellis, 2767–2774) ac R. Hudson, 23 Chwefror 1891 (LlGC, Papurau T. E. Ellis, 2796–2801). Mae O. Schreiner, *Trooper Peter Halkett of Mashonaland* (1897) yn ymosodiad ar Rhodes. Cf. Mark Twain, *More Tramps Abroad* (Efrog Newydd, 1897). Roedd Olive Schreiner yn ffrind i Eleanor Marx a gwelir ei dylanwad hi yn O. Schreiner, *Women and Labour* (Llundain, 1911).

[30] Tom Ellis at Mary Ellis, 1 Mawrth 1891 (LlGC, Papurau T. E. Ellis, 2770–4).

[31] *Kimberley Daily Independent*, 7 Mawrth 1891. Y mae rhaglen gŵyl y Diamond Fields Cambrian Society yn dangos bod y gynulleidfa wedi canu 'Rule Britannia'; (LlGC, Cardiau T. E. Ellis, 4413). Gweler llythyr

Tom Ellis at W. P. Evans, 11 Mawrth 1891.

[32] Toriad o'r *Bloemfontein Gazette*, 13 Mawrth 1891; cynwysedig mewn llythyr o T. E. Ellis at Robert Hudson, 15 Mawrth 1891 (LlGC, Papurau T. E. Ellis, 2801). Mae Ellis wedi tanlinellu'r frawddeg olaf. Am adroddiad am ei anerchiad Gŵyl Padrig gweler y *Bloemfontein Gazette*, 20 Mawrth 1891.

[33] *Cape Argus*, 9 Ebrill 1891.

[34] Dyfynnwyd gan Dan Jacobson yn Olive Schreiner, *The Story of an African Farm* (Llundain, 1995), t. 8.

[35] Tom Ellis at D. R. Daniel, 1 Mai 1891 (LlGC, Papurau D. R. Daniel, 376).

[36] Ibid.

[37] Gweler traethawd ymosodol D. Gwenallt Jones, 'Tom Ellis', *Y Fflam* (Awst 1949), 3–8, lle ceir beirniadaeth lem iawn o gymeriad Ellis yn dilyn ei daith i Dde Affrica.

[38] Dyddiadur Tom Ellis, 22 Chwefror 1889 (LlGC, Papurau T. E. Ellis).

[39] Gweler F. S. L. Lyons, *The Fall of Parnell 1890–91* (Llundain, 1960). Sylwer bod cyfnod cwymp Parnell yn cyfateb yn union i daith Tom Ellis.

[40] W. R. P. George, *Lloyd George: Backbencher* (Llandysul, 1983), t. 58. Gweler R. Robinson, J. Gallagher ac A. Denny, *Africa and the Victorians* (Llundain, 1963).

[41] H. du Parcq, *The Life of David Lloyd George* (Llundain, 1912), tt. 130–2.

[42] W. Robertson Nicoll at T. E. Ellis, 22 Hydref 1891 (LlGC, Papurau T. E. Ellis, 1546). Gweler hefyd amheuon y *South Wales Star*, 20 Tachwedd 1891.

[43] *British Weekly*, Ionawr 1892.

[44] Dyfynnwyd yn N. Masterman, *The Forerunner* (Abertawe, 1972), tt. 195–6.

[45] Cf. Masterman, wrth gyfeirio at yr araith uchod: 'His humanitarianism had turned into a mild kind of imperialism.' Dau hanesydd arall sy'n cynnwys Ellis ymysg y Rhyddfrydwyr Imperialaidd yw D. A. Hamer, *Liberal Politics in the Age of Gladstone and Rosebery* (Llundain, 1972), tt. 333–4, a H. C. G. Matthew, *Liberal Imperialists* (Llundain, 1973), t. 9.

[46] Hansard, Parl. Debs. (cyfres 3, 16 Mawrth 1892).

[47] Tystiolaeth Owen Rowland Jones yn T. I. Ellis, *Thomas Edward Elllis*, cyfrol II (Lerpwl, 1948), tt. 193–4.

[48] A. H. D. Acland at Tom Ellis, 14 Ebrill 1892 (LlGC, T. E. Papurau Ellis). Gofynnodd Acland i Ellis losgi ei lythyrau, ond ni wnaeth. Llosgodd Acland atebion Ellis.

[49] A. H. D. Acland at Tom Ellis, 22 Ebrill 1892 (LlGC, Papurau T. E. Ellis).

[50] A. H. D.Acland at Tom Ellis, 17–20 Mai 1892 (LlGC, Papurau T. E. Ellis).

[51] Ibid.

[52] J. H. Lewis at Tom Ellis, 19 Mai 1892 (LlGC, Papurau T. E. Ellis). Mewn llythyr at D. R. Daniel, dywedodd Ellis, 'I am still in torturing perplexities about the matter we discussed that Sunday afternoon.' Tom Ellis at D. R. Daniel, 23 Ebrill, 1892 (LlGC, Papurau D. R. Daniel).

[53] *South Wales Star*, 20 Mai 1892.

[54] Nodyn gan Edward Grey at A. H. D. Acland, cynwysedig mewn llythyr oddi wrth Acland at Tom Ellis, 7 Mehefin 1892 (LlGC, Papurau T. E. Ellis).

55 John Herbert Roberts (1863–1955); mab John Roberts, marchnadwr coed ac AS Fflint (1885–92). Roedd y tad a'r mab yn byw yn 'Bryn-gwenallt', Abergele. Aeth J. H. Roberts ar daith o amglych y byd gyda J. H. Lewis; gweler J. H. Roberts, *A World Tour; being a Year's Diary, written 1884–85* (Llundain, 1886). Etholwyd J. H. Roberts yn AS Gorllewin Dinbych (1892–1918), cyn cael ei greu yn Arglwydd Clwyd yn 1919. Roedd yn gefnogwr mudiad Cymru Fydd.

56 Gweler Beirah Evans *The Life Romance of Lloyd George* (Llundain, 1915), t. 52. Adnabuwyd Lloyd George yn ei etholaeth fel y 'Grand Young Man'.

57 *North Wales Observer and Express*, 29 Gorffennaf 1892.

58 *SWDN*, 9 Awst 1892. Gweler hefyd *British Weekly*, 14 Gorffennaf, 24 Awst 1892.

59 Stuart Rendel at Thomas Gee, 30 Hydref 1892 (LlGC, Papurau T. Gee, 8308C, 274).

60 Beriah Evans, *The Life Romance of Lloyd George* (Llundain, 1915), t. 75.

61 Tom Ellis at D. R. Daniel, 24 Gorffennaf 1892 (LlGC, Papurau D. R. Daniel).

62 Tom Ellis at D. R. Daniel, 10 Awst 1892 (LlGC, Papurau D. R. Daniel).

63 David Lloyd George at Tom Ellis, Awst 1892 (LlGC, Papurau T. E. Ellis).

64 Tom Ellis at David Lloyd George, 21 Awst 1892 (LlGC, Papurau T. E. Ellis).

65 Tom Ellis at Ellis J. Griffith, 25 Awst 1892 (LlGC, Papurau Ellis Griffith).

66 David Lloyd George at Sam Evans, 19 Awst 1892 (LlGC, Papurau S. T. Evans). Dyma hefyd oedd agwedd D. A. Thomas, yn ôl Ellis ei hun: 'As a matter of fact, he was not friendly with me since Mr Gladstone invited me to join his Government in 1892.' T. I. Ellis, *Thomas Edward Ellis*, t. 277.

67 David Lloyd George mewn cyfweliad â D. R. Daniel, Medi 1908 (LlGC, Papurau D. R. Daniel).

68 J. A. Price at John Edward Lloyd, 14 Hydref 1892 (Prifysgol Cymru, Bangor, Papurau J. E. Lloyd, 314, 449).

69 Ibid., 314, 450).

70 Golygyddol, *Cambrian News*, 28 Hydref 1892.

71 Tom Ellis at E. Marjoribanks, 'Dydd Mawrth', Awst 1892 (LlGC, Papurau T. E. Ellis).

72 T. Marchant Williams, *The Welsh Members of Parliament* (Caerdydd, 1894), t. 14.

73 Gweler H. Du Parcq., *Life of David Lloyd George*, t. 134–5.

8

Cynghrair Cymru Fydd

(1892–1895)

Pan gyrhaeddodd Gladstone Lundain wedi etholiad 1892, arhos-odd, yn arwyddocaol, yn nhŷ ei ffrind Stuart Rendel, sef rhif 1 Carlton Gardens.[1] Rendel oedd cadeirydd y Blaid Seneddol Gymreig ac roedd yn rhaid i Gladstone gael cefnogaeth y Cymry; fel yr ysgrifennodd Rendel at Thomas Gee:

> When this government was formed I felt the opportunity had arrived for establishing Welsh claims . . . Welsh support was essential. Mr Gladstone had hardly reached London than he practically asked me for the Welsh terms.[2]

Beth, felly, oedd y 'termau Cymreig?' Gosododd Rendel dri o flaen y Prif Weinidog: Comisiwn Brenhinol ar y Tir yng Nghymru, Siarter Prifysgol i Gymru a Mesur Ataliol i ragflaenu Dat-gysylltiad yr Eglwys yng Nghymru.[3] Cytunodd Gladstone i'r tri ar unwaith ac addawodd Rendel gefnogaeth y Blaid Seneddol Gymreig.

Y mis canlynol, ar 12 Medi 1892, teithiodd Gladstone i sir Gaernarfon i roi araith ar lethrau'r Wyddfa. Cyfarfu'r AS lleol, Lloyd George, ag ef yng ngorsaf Caernarfon, a chadeiriodd gyfarfod croeso ar sgwâr y castell. Y diwrnod canlynol aethant i Gwmllan, yn Eryri, i agor llwybr Syr Edward Watkin i fyny'r Wyddfa. Mewn araith gynnes, gyda Tom Ellis a Lloyd George yn sefyll gydag ef ar y llwyfan-garreg, condemniodd Gladstone y ffordd yr oedd llywodraethau Prydain wedi anwybyddu Cymru.[4] Roedd yr ymweliad a'r araith yn cyfateb i'w daith i Abertawe ym Mehefin 1887. Erbyn 14 Rhagfyr, roedd Gladstone wedi penderfynu yn swyddogol i sefydlu Comisiwn Brenhinol.[5] Penodwyd y Comisiwn o naw ym Mai 1893 ac eisteddodd tan Rhagfyr 1895. Cyhoeddwyd yr *Adroddiad* pum cyfrol yn 1896 a disgrifiwyd ef gan O. M. Edwards fel 'Llyfr Domesday i Gymru'.[6] Anwybyddwyd ei argymhellion gan y llywodraeth Geidwadol, ond roedd y dirwasgiad amaethyddol wedi pasio erbyn hynny.

Ail ddeisyfiad Rendel ar ran y Blaid Gymreig oedd Siarter ar gyfer Prifysgol i Gymru. Erbyn diwedd y 1880au, roedd galwad rymus gan ddeallusion ac academwyr am do dros y colegau Cymreig, hynny yw, am brifysgol genedlaethol.[7] Mae'n bwysig nodi mai ffederalaidd oedd syniad yr addysgwyr Cymreig am strwythur y brifysgol – roedd ffederaliaeth yn hanfodol i syniadaeth Cymru Fydd. Ar awgrymiad Acland, apwyntiwyd O. M. Edwards yn gomisiynydd (Tachwedd, 1892) i archwilio i'r anghenion manwl; cwblhaodd ei waith yn gyflym a chyflwyn- odd ei adroddiad i'r Cyfrin Gyngor yn gynnar yn y flwyddyn newydd. Yn y drafodaeth ar y cwestiwn yn Nhŷ'r Cyffredin ar 29 Awst 1893, roedd cefnogaeth cyffredinol i'r syniad o sefydlu Prifysgol,[8] gyda Sam Evans yn dyfynnu ffigurau a oedd yn dangos bod 1,857 o'r 2,718 myfyrwyr (68 y cant) a oedd wedi mynychu'r colegau Cymreig er 1872, yn dod o'r dosbarth gweithiol. Ar 30 Tachwedd 1893, cafodd yr *Universitas Cambrensis* ei siarter – yr unig brifysgol genedlaethol yng ngorllewin Ewrop. Y Canghellor cyntaf oedd Arglwydd Aberdâr.[9] Meddai Viriamu Jones (1856– 1901), yr Is-Ganghellor cyntaf: 'the history of Wales during the last twenty-five years has been little else than the history of its educational progress.'[10]

Trydedd ochr y triongl Rendelaidd oedd Mesur Ataliol i rag- flaenu Datgysylltiad yr Eglwys yng Nghymru. Pwrpas y Mesur oedd rhoi yn nwylo'r Llywodraeth, dros dro, yr hawl i benderfynu sut y gwerid arian yr Eglwys yng Nghymru. Lluniwyd y mesur yn Hydref 1892 gan Gladstone ac Asquith. Ymddangosodd yn Araith y Frenhines a chyflwynwyd y mesur gan Asquith ar 23 Chwefror 1893. Siaradodd Gladstone yn egnïol: 'Vote! Vote! Vote! for Irish Home Rule and Welsh Disestablishment!'[11] Yn yr un mis, cyflwynwyd ail fesur Hunanreolaeth i'r Iwerddon; erbyn Medi, roedd y ddau fesur wedi cael eu gorchfygu – y mesur Gwyddelig gan Dŷ'r Arglwyddi a'r mesur Cymreig gan ddiffyg amser.

Arweinydd newydd Cymru Fydd

Tanlinellwyd y gwahaniaeth agweddol rhwng Lloyd George a Tom Ellis yn Awst 1892 – y mis y derbyniodd Ellis swydd Is-chwip, pan aeth AS Caernarfon ar ei daith dramor gyntaf – i'r Swistir. Mae nod ei daith yn arwyddocaol; roedd gan Ellis ddiddordeb yn imperialaeth De Affrica, ond roedd gan Lloyd George (fel O. M. Edwards) mwy o ddiddordeb yn ffederaliaeth y Swistir. Teithiodd yno gyda'i ffrind, Sam Evans (AS Morgannwg Ganol). Roeddent yn mynd i brifddinas y Swistir, Berne, ar gyfer pedwaredd gynhadledd flynyddol yr Undeb Rhyng-Seneddol a sefydlwyd ym Mharis ar 29 Mehefin 1889 gan seneddwyr – yn cynnwys D. A. Thomas, AS Merthyr – a oedd eisiau hybu dealltwriaeth rhyngwladol.[12] Ysgrifennodd Lloyd George gartref fod Senedd-dy Berne mor syml â chapel.[13]

Ar 24 Hydref 1892, sefydlwyd Cymdeithas Cymru Fydd Lerpwl, dan lywyddiaeth ei ffrind, J. Herbert Lewis, AS. Ymhlith y rhai oedd yn bresennol yn Hope Hall oedd Alfred T. Davies, cyfreithiwr ieuanc a fyddai'n cael ei apwyntio yn Ysgrifennydd Parhaol cyntaf yr Adran Addysg Gymreig yn 1907. Yn ei araith agoriadol fel llywydd, dywedodd Lewis eu bod:

> yn ymladd am lywodraeth Cymru yng Nghymru. Yr oedd yn rhaid iddynt wneud eu gorau dros roddi Cymru y dyfodol, yn ei llywodraeth, yn llaw ei meibion eu hun:– nid gan rai ag oeddynt yn meddwl eu bod wedi cael eu geni yn ddeddfwyr i bob gwlad, pa un a welsant hi ai peidio.[14]

Roedd y gymdeithas newydd wedi tyfu allan o Gymdeithas Genedlaethol Gymreig Lerpwl;[15] roedd Cymru Fyddwyr Lerpwl yn amlwg eisiau cymdeithas fwy gwleidyddol. Etholwyd Lloyd George yn is-lywydd.

Ni wastraffodd Lloyd George unrhyw amser yn cadarnhau ei arweinyddiaeth o Gymru Fydd wedi i Ellis gael ei gladdu yn swyddfa'r chwipiaid. 'L.G.' oedd y 'seren' yn awr. Ef, er enghraifft, oedd y prif siaradwr mewn cyfarfod mawr dan lywyddiaeth Thomas Gee yn yr un Neuadd Gobaith yn Ionawr 1893. Roedd ei arddull yn filwriaethus: 'Wales was prepared, if need be, to sacrifice her political connections, her devotion to great statesmen, and even her respect for law, in order to ensure the freedom and

equality upon which her soul was bent.'[16] Nid oedd ots ganddo
sawl mesur a daflai yr Arglwyddi allan:

> the peers will be doing their own order more harm than they can
> possibly inflict upon our movement . . . The more good bills they
> reject the merrier, and they will soon be overwhelmed in the debris
> of beneficient measures that they have wrecked.[17]

Agorwyd Clwb Cymru Fydd Lerpwl yn ffurfiol ar 24 Ionawr
1893, mewn ystafelloedd uwchben siop ar gornel Stryd Granby a
Stryd Arundel.[18] Un o amodau aelodaeth y Clwb oedd cefnogaeth
i Ryddfrydiaeth Gymreig: 'Sefydlwyd Llyfrgell a derbynnid yno
nifer o gyfnodolion Cymraeg a Saesneg. Trefnid darlithoedd a
dadleuon yn ystod tymor y gaeaf. Bob blwyddyn arferid rhoi
parti i blant tlodion yr ardal, beth bynnag fo'u cenedl.'[19] Ysgrifen-
nodd Lloyd George dri llythyr hir at *Y Genedl*,[20] ac un at y *British
Weekly* yn hanner cyntaf 1893,[21] yn amlinellu safbwynt Cymru
Fydd ar ddatganoli ac yn diffinio Datgysylltiad fel agwedd ar
ddatganoli rheolaeth o dde-ddwyrain Lloegr, hynny yw, o *axis*
Llundain–Caergaint.[22]

Yn ninas enedigol Lloyd George, ar 14 Gorffennaf 1893, sefyd-
lwyd Cymdeithas Cymru Fydd Manceinion. Fel yn Llundain a
Lerpwl, datblygodd allan o gymdeithas ddiwylliannol gynharach
(Cymdeithas Genedlaethol Cymry Manceinion). Gwnaethpwyd
yn glir o'r dechrau 'fod y Gymdeithas Cymru Fydd i gynnwys
gwleidyddiaeth'.[23] Llywydd y cyfarfod sefydlu a'r gymdeithas
newydd oedd D. S. Davies,[24] gŵr busnes ym Manceinion a oedd
wedi priodi June, merch Thomas Gee, yn 1886. Roedd F. E.
Hamer, bywgraffydd Stuart Rendel, yn is-lywydd, ac un o'r
aelodau amlycaf oedd R. J. Derfel, a ddarllenodd bapur gerbron
y gymdeithas ar Tachwedd 1894 yn egluro 'Paham yr wyf yn
Gymdeithaswr' – sef ei derm ef am sosialwr. Fel mae Dylan
Morris wedi sylwi: 'Ceir yng ngwaith Derfel ymgais ymwybodol i
gysoni gwlatgarwch a syniadau sosialaidd. Cefnogodd bolisïau
ymreolaeth Cymru Fydd oherwydd y byddai Cymru yn llywod-
raethu ei hun mewn dull sosialaidd.'[25] Mae'n glir o'r penderfyniad
a sefydlodd Cymru Fydd Manceinion fod Cymru Fydd yn awr
yn fudiad: roedd y Gymdeithas 'wedi ei seilio ar gynllun y
gwahanol Gymdeithasau Cymru Fydd'.[26] Dengys hyn fod Cymru
Fydd yn dod yn fwy na swm y rhannau.

Gwrthryfel y Pedwar

Adlewyrchwyd dylanwad cynyddol Lloyd George pan gynig-
iodd wrth y Blaid Seneddol Gymreig y dylai'r cadeirydd (Rendel)
ysgrifennu at y Prif Weinidog yn mynnu blaenoriaeth i Ddat-
gysylltiad Cymreig. Pasiwyd ei gynigiad o 30 pleidlais i 1 (Bryn
Roberts, AS Eifion). Ysgrifennodd Rendel ddwywaith ar ran y Blaid
(26 Mehefin, 28 Gorffennaf) ond cafodd ddau ateb annelwig oddi
wrth Gladstone (5 Gorffennaf, 8 Awst), yn gwrthod gosod dyddiad
ar gyfer Mesur Datgysylltiad.[27]

Yn y cyfamser, yr oedd 'seren' arall yn codi yn ffurfafen y De:
D. A. Thomas. Cynhaliwyd cyfarfod blynyddol Ffederasiwn
Rhyddfrydol De Cymru yn Aberdâr ar 14 Awst 1893 ac etholwyd
'D.A.' yn olynydd i Lewis Dillwyn (1814–92) fel Llywydd.[28]
Roedd wedi codi i safle strategol bwysig yn 37 mlwydd oed. Yn
yr un cyfarfod pasiwyd penderfyniad cryf yn datgan y dylid
ffurfio plaid annibynnol pe na châi Mesur Datgysylltiad y flaen-
oriaeth yn sesiwn seneddol 1894. Roedd D. A. Thomas yn awr yn
ffactor pwysig yn yr hafaliad Cymreig, a gallasai'r craff broffwydo
yn 1893 y byddai dyfodol gwleidyddiaeth Cymru yn dibynnu i
raddau helaeth ar y berthynas rhwng arweinydd newydd Cymru
Fydd a llywydd newydd Ffederasiwn y De.

Mewn cyfarfod tair-awr o'r Blaid Seneddol Gymreig yn un o
ystafelloedd pwyllgor Tŷ'r Cyffredin, ar 1 Medi 1893, rhoddwyd
tri chynnig gerbron. Y cyntaf, gan David Randell, oedd y dylid
ffurfio plaid annibynnol yn syth – collwyd hwn gan 14 pleidlais i
7, y saith oll yn Aelodau Seneddol Deheuol, yn cynnwys D. A.
Thomas. Yr ail gynnig, gan Alfred Thomas, oedd y dylid ffurfio
Plaid annibynnol ar ddechrau'r sesiwn nesaf; cefnogwyd hyn
gan Lloyd George, Herbert Lewis, Frank Edwards a'r Uwch-gapten
Jones, ond collwyd hwn hefyd, o 19 pleidlais i 6. Cynigiwyd y
trydydd penderfyniad gan Lloyd George:

> Ar ôl ystyried yn ofalus yr ohebiaeth rhwng Mr Gladstone a'r Blaid
> Gymreig ar sefyllfa bresennol cwestiwn Dadsefydliad i Gymru, ym-
> ddiriedwn y bydd i'r Llywodraeth yn ddiffael roddi Mesur Dad-
> sefydliad i Gymru yn y fath safle yn rhaglen y Weinyddiaeth am y
> sesiwn nesaf ag a alluoga Dŷ'r Cyffredin i'w gario drwy ei holl raddau,
> a'i anfon i Dŷ'r Arglwyddi, cyn bod y sesiwn drosodd; a dymunwn
> rybuddio'r Llywodraeth oni roddir y mesur yn y safle honno, y
> byddwn fel plaid o dan yr anghenraid o orfod ail-ystyried ein hagwedd
> o gefnogaeth i'r Llywodraeth.[29]

Cefnogwyd hyn gan Gadeirydd Rendel ei hun, a phasiwyd ef gan 15 yn erbyn 5 (Bryn Roberts, J. Lloyd Morgan, A. J. Williams, R. D. Burnie ac Albert Spicer). Mewn cysylltiad â'r cyfarfod hwn, ysgrifennodd Ellis at D. R. Daniel yn cwyno am ymddygiad deheuwyr a oedd eisiau annibyniaeth: 'the extremely ambitious little group mainly stirred up by D. A. Thomas who hates and envies me and George.'[30]

Llwyddiant olaf gweinyddiaeth olaf Gladstone oedd Mesur Llywodraeth Leol i sefydlu Cynghorau Dosbarth a Chynghorau Plwyf. Roedd hyn yn estyniad naturiol o Ddeddf Cynghorau Sir 1888 ac, i raddau, yn gwthio democratiaeth yn nes at y bobl. Croesawyd y Ddeddf newydd gan un Cymru Fyddwr fel: 'Siarter y Bobl'.[31] Daeth y Mesur yn gyfraith ar Ddydd Gŵyl Dewi 1894 ac, ar yr un diwrnod, ymddiswyddodd Gladstone fel Prif Weinidog.[32] Ar yr un pryd, aeth Stuart Rendel i Dŷ'r Arglwyddi. Ysgrifennodd at Ellis o'i fila yn ne Ffrainc: 'My work was a special one and such as it was it is accomplished . . . it is best now, both for the cause and for my credit in connection with it, that I should go.'[33] Roedd wedi gwasanaethu Cymru fel Aelod Seneddol am 14 mlynedd. Roedd cyfnod Rendeliaeth yn awr drosodd.

Yn hytrach na'r dewis democrataidd, Syr William Harcourt, galwodd y Frenhines ar yr Arglwydd Rosebery i gymryd lle Gladstone fel Prif Weinidog. Nid oedd Anghydffurfwyr Prydain yn hapus gyda'r syniad o gael arglwydd yn 'Rhif Deg'.[34] Yn ôl Lloyd George, roedd Rosebery yn 'gi diog'.[35] Roedd gan yr arglwydd niwrotig hwn mwy o ddiddordeb mewn ceffylau na dim arall – ond ef oedd arweinydd carfan y Rhyddfrydwyr Imperialaidd. Ysgrifennodd Lloyd George ato yn syth:

> Today I wrote Lord Rosebery asking him to receive a deputation of Welsh members this week . . . Supposing he refuses to give us the undertaking we ask for, what would you say to our withholding our support from the Govt.? There would be ten of us, I should say, ready to do so.[36]

Roedd y Prif Chwip, Edward Marjoribanks, wedi mynd gyda Stuart Rendel i Dŷ'r Arglwyddi ac, yn ei le, gwahoddodd Rosebery yr Is-chwip, Tom Ellis i ddod yn Brif Chwip. Y Rhagfyr blaenorol, roedd Ellis wedi cael llythyr myfyriol oddi wrth Acland:

Our position in politics seems to me so strange. Are we straining ourselves and spending so much time to any real purpose? No time is left to think on human affairs or human improvement . . . and all is choked with petty and narrow and personal details. It is a miserably poor way to spend our lives unless we are really working for something which is real – some *real* victories over the vile and the cross-grained and the retrogressive in the world's affairs . . . It is a sordid fate.[37]

Er gwaethaf amheuon Acland, derbyniodd y ddau y swyddi a gynigiwyd iddynt gan Rosebery. Roedd Ellis wedi gwneud ei wir benderfyniad yn Awst 1892 – cam arall ar hyd yr un llwybr oedd hwn. Cafodd lythyr o gymeradwyaeth gan un o'r Rhyddfrydwyr Imperialaidd, Edward Grey: 'May the news of your promotion give to every member of the party, the same stimulus to loyalty that it has given to me.'[38] Ymosodwyd ar ddyrchafiad Ellis gan John Gibson yn y *Cambrian News* fel 'bradychiad pellach'.[39] Roedd T. Marchant Williams yr un mor ddeifiol: 'Mr Ellis's career has been the grimmest of fiascos . . . having talked so bravely of and for Welsh Nationalism, he has, in accepting office, done so much to stultify and degrade it.'[40] Dyma hefyd oedd barn Aelod Seneddol Caernarfon:

Rosebery evidently thinks a deputation unnecessary. Ellis has done nothing. He has simply allowed us to do all the disagreeable work, whilst he is reaping all the good things. Had he made Dis-establishment a condition of acceptance of office, all would be right, but he was afraid to lose all.[41]

Ar 8 Mawrth cafodd ef a Frank Edwards (AS Maesyfed) gyfweliad ag Ellis gan fynnu addewid am Ddatgysylltiad – ymddangosodd adroddiad yn y *Caernarvon Herald* drannoeth:

unless the required pledge were given it was understood that ten or a dozen of the younger and more advanced representatives of the Principality would not hesitate, if necessary, on some early and critical occasion, to withhold their support from the Ministry.[42]

Nid oedd Ellis yn llwyddiant fel Prif Chwip – nid oedd yn addas i'r swydd, a bu'n rhaid iddo ddioddef ymosodiadau hiliol oddi wrth Aelodau Seneddol Seisnig, fel yr adroddodd Lloyd George:

Ellis is not getting on at all. He has fallen on bad times. He is sometimes compelled to submit to the grossest personal insults. There is a fellow called Captain Fenwick,[43] a brewer who got in as a Liberal for a Durham constituency. Ellis stopped him the other day as he was walking into the Tory Lobby. He turned round and said, "Don't you think I know how to vote without your telling me, you damned Welshman?" Isn't that abominable? I think he ought to have been knocked down.[44]

Yn Araith y Frenhines, 12 Mawrth 1894, ni chafodd Datgysylltaid y flaenoriaeth yr oedd y Cymru Fyddwyr yn mynnu.[45] Nid oedd y Radicaliaid yn hapus chwaith gydag araith gyntaf Rosebery fel Prif Weinidog, a llwyddodd Labouchere, gyda chefnogaeth y Celtiaid, i basio penderfyniad yn Nhŷ'r Cyffredin i ddiddymu Tŷ'r Arglwyddi o 147 pleidlais i 145. Cefnogwyd y penderfyniad gan Lloyd George, D. A. Thomas, Herbert Lewis, Alfred Thomas a Sam Evans – dechreuad annifyr i'r Prif Chwip newydd.[46]

Ar ôl Araith y Frenhines, roedd y Blaid Seneddol Gymreig wedi cyfarfod yn ystafell pwyllgor 7 i ethol cadeirydd newydd – Syr George Osborne Morgan (1826–97), 'G.O.M.' gwleidyddiaeth Gymreig.[47] Roedd ei etholiad yn unfrydol. Etholwyd ef hefyd yn olynydd Stuart Rendel fel llywydd Ffederasiwn Rhyddfrydol Gogledd Cymru, 1894–95. Apwyntiwyd Herbert Lewis a Frank Edwards yn gyd-chwipiaid. Cynigiodd Lloyd George y dylai dirprwyaeth ymweld â Syr William Harcourt, Arweinydd Tŷ'r Cyffredin, i gael ei sicrhad personol y byddai Mesur Datgysylltiad yn cwblhau ei gwrs yn ystod y sesiwn. Derbyniodd Harcourt y ddirprwyaeth, yn cynnwys Osborne Morgan, Lloyd George, S. T. Evans a'r Uwch-gapten Jones, ar 16 Mawrth. Addawodd y câi Mesur Datgysylltiad ei gyflwyno yn ystod y sesiwn ond ni allai addo mwy na hynny.[48]

Fis union ar ôl Araith y Frenhines, ar 12 Ebrill 1894, dechreuodd y 'Gwrthryfel Cymreig' yn erbyn y Chwip Rhyddfrydol. Ar 14 Ebrill, mewn cyfarfod mawr yng Nghlwb Rhyddfrydol Caernarfon, cyhoeddodd tri Aelod Seneddol Cymreig – Lloyd George, D. A. Thomas a Frank Edwards – na fyddent mwyach yn derbyn chwip y llywodraeth. O flaen tyrfa frwdfrydig, cyhoeddasant Ddatganiad Annibyniaeth Gymreig.[49] Ar Galan Mai, ymunodd Herbert Lewis â hwy ac adnabuwyd y gwrthryfelwyr fel 'Y Pedwar' o hynny ymlaen.[50] Roedd dau ohonynt yn cynrychioli'r

De a dau yn cynrychioli'r Gogledd. Roedd y Pedwar yn arweinwyr Cymru Fydd. Teithiodd y 'gwrthryfelwyr' trwy Gymru yn egluro eu safiad.[51] Yn ôl Lloyd George, yn siarad yn Nhrelawnyd, roeddent wedi 'mynd ar streic dros Gymru'.[52] Roedd Tom Ellis yn awr yn ymddangos yn 'euog'.[53] Ysgrifennodd Herbert Lewis at Ellis yn erfyn arno i ddod i'w harwain:

> Wales is simply being led on from step to step without any definite goal . . . we have nothing to gain by subservience to the Liberal party and we shall never get the English to do us justice until we show our independence of them. This is the critical hour. You now stand at the parting of the ways. On the one hand is an official career, on the other the hardship of a nation. To go into the wilderness without you would be terribly disheartening, but go I must.[54]

Fodd bynnag, roedd Ellis yn gwrthwynebu'r gwrthryfel fel y dadlennodd wrth ei hen ffrind, D. R. Daniel: 'George is very threatening. He means to be on the warpath. His whole attitude is to upset the apple cart!'[55] Roedd ei feddylfryd wedi newid yn hollol ers ei araith fawr yn y Bala:

> The blessed Revolt. It was surely the hop, skip and jump policy developing into a common or garden picnic . . . You ask, what are the relations between us? . . . Undoubtedly a barrier has been raised between the 4 and the rest of us MPs.[56]

Yn y cyfamser, roedd yr Ysgrifennydd Cartref, Asquith, wedi cyflwyno'r Mesur Datgysylltiad Cymreig cyntaf ar 26 Ebrill.[57] Yn ôl y mesur, byddai'r Eglwys yn y 13 sir yn cael ei datgysylltu ar 1 Ionawr 1896; ni fyddai'r esgobion Cymreig yn eistedd yn Nhŷ'r Arglwyddi, byddai'r Eglwys yn cael ei dadwaddoli a'r degwm yn mynd i'r cynghorau sir.

Fodd bynnag, penderfynodd y Pedwar aros allan a cheisio rhoi pwysau ar y llywodraeth i sicrhau datblygiad. Ymddangosodd gwahaniaeth rhwng agweddau'r ffederasiynau – gyda'r Gogledd yn pasio penderfyniad o gefnogaeth i'r Pedwar[58] ond y Rhyddfrydwyr ceidwadol yn y De yn mynegi amheuaeth – er gwaetha'r ffaith mai D. A. Thomas oedd eu llywydd.[59]

Ar 23 Mai, rhoddodd Rosebery addewid (ffals) yn Birmingham na fyddai'r llywodraeth yn ymddiswyddo nes bod Datgysylltiad Cymreig wedi ei basio yn Nhŷ'r Cyffredin. Ar yr un diwrnod, ysgrifennodd Lloyd George fel a ganlyn, gan gyfeirio at olygydd *Baner ac Amserau Cymru*, papur Cymraeg mwyaf dylanwadol Cymru:

> Gee is with us heart and soul. He is not in favour of giving in whether we get assurances or not. Go on with the formation of an independent party – that is his and my idea.[60]

Trennydd, cynhaliwyd cyfarfod o'r Blaid Seneddol Gymreig yn Nhŷ'r Cyffredin lle pasiwyd penderfyniad gan y mwyafrif yn derbyn addewid Rosebery.[61] Pam mai dim ond Pedwar oedd yn y gwrthryfel? Efallai bod y ffactor economaidd yn chwarae rhan. Disgrifiodd AS newydd Drefaldwyn, A. C. Humphreys-Owen, wrth ei ragflaenydd, Rendel, sgwrs a gafodd ef ag un o'r Pedwar:

> Lloyd George asked me how one would expect men who were getting Treasury briefs to do anything to inconvenience Government? Which of the half-dozen or so practising barristers he meant, I don't know and didn't ask. He went on to say he will not be satisfied with anything but an organization like the Irish pledged to take no favours – money or office – from the Government. I am sure it will be the programme of the Four at the next election.[62]

Roedd Lloyd George eisiau troi gwrthryfel y Pedwar yn chwyldro cenedlaethol.

Maniffesto Cynghrair Cymru Fydd

Ynghanol berw gwrthryfel y Pedwar, ym Mai 1894, ymddangosodd maniffesto dwyieithog Cynghrair Cymru Fydd, dan y teitlau: *At Wŷr Ieuainc Cymru / To Young Wales*.[63] Roedd y maniffesto hwn yn deillio o Gymdeithasau Cymru Fydd Lerpwl a Manceinion:

> Er byw yn Lloegr, yr ydym ninnau, fel chwithau, yn Gymry: ac ers tro bellach wedi ffurfio undeb yn ein plith ein hunain . . . Mae mesur da o lwyddiant wedi dilyn yr ymdrechion hyn eisioes yn Lerpwl a Manceinion: ond byddai yn ychwanegiad dirfawr at

nerth yr achos sydd gennym mewn llaw pe byddem yn rhan o drefniant mawr a'i ganolbwynt yng Nghymru, ac yn gallu llefaru gydag awdurdod y genedl Gymreig y tu cefn iddo . . . Mae gallu cenedl yn gorwedd yn ei dynion ieuainc. Yr ydym yn argyhoedd-iedig nad yw y gallu hwn yn awr yn cael gwneud defnydd llawn ohonno yng Nghymru, a bod trefniad o fath yr hyn sydd gennym mewn golwg yn un y gellir yn dda ddisgwyl y bydd iddo fod yn effeithiol i'w ddwyn i ymarferiad llawer mwy cyflawn.[64]

Yna, â ymlaen i egluro Amcanion Cynghrair Cymru Fydd:

i   Uno holl Gymdeithasau Cymru Fydd ac undebau eraill cyffelyb trwy y wlad mewn un Cynghrair er hyrwyddiad amcanion cenedlaethol Gymreig.

ii   Sefydlu canghennau ymhob tref a phentref yng Nghymru ac ymhob canolbwynt yn Lloegr lle mae poblogaeth Gymreig i'w chael.

iii   Arfer moddion effeithiol i ddwyn hawliau Cymru i sylw ethol-wyr Seisnig ac Aelodau Seneddol.

iv   Cefnogi symudiadau yn ffafr:– (a) Datgysylltiad; (b) Diwygiad ar ddeddf y tir er budd yn neilltuol i ddeiliaid amaethyddol a'u gweithwyr yng Nghymru; (c) Gosod y fasnach feddwol o dan reolaeth y bobl yng Nghymru; (d) Lledaeniad addysg yng Nghymru; (e) Gwellhad yn sefyllfa mwynwyr a chwarelwyr Cymreig; (f) Parhad yr iaith Gymraeg a phenodiad swyddogion cyhoeddus abl i siarad Cymraeg; (g) Cynllun hunan-reolaeth i Gymru.[65]

O dan y teitl 'Cynllun o Drefniant', argymhellir: canghennau lleol (aelodaeth i fod yn agored i bawb a fyddo mewn cyd-ymdeimlad ag amcanion y Gynghrair) a chymdeithasau sirol:

Uwchlaw pob peth fe ddylid cofio fod hwn yn Symudiad Gwŷr Ieuainc Cymru mewn modd arbennig a'i fod yn apelio at yr oed ddyfodol o Gymry ymhob man. Ei amcan yw cyfarwyddo, addysgu a chydgrynhoi bywyd ieuanc ein gwlad a rhoddi iddo gymeriad gwir genedlaethol. Y mae yn gobeithio gallu rhoddi dat-ganiad effeithiol i'w uchelgais, iawndrefnu ei alluoedd, a'i arwain yn y fath fodd ag i weithredu dylanwad ymarferol ac effeithiol yn ffafr achosion cymdeithasol Cymreig.[66]

Arwyddwyd y maniffesto gan bwyllgorau gwaith Cym-
deithasau Lerpwl a Manceinion, ac ar y tudalen olaf dyfynnwyd
llythyrau cefnogol o law Aelodau Seneddol Gogledd Cymru,
A. C. Humphreys-Owen, Lloyd George, Thomas Lewis, Samuel
Smith, J. H. Lewis, J. H. Roberts a William Jones (darpar ym-
geisydd Arfon).[67] Awgrymwyd sefydlu cynghrair tebyg saith
mlynedd yn gynharach, gan un o sylfaenwyr Cymru Fydd
Llundain, Iwan Jenkyn (FRAS), Bethesda, pan ysgrifennodd:
'Dylid ffurfio Cynghrair mawr Cymreig yng Nghymru – a ffurfio
canghennau iddo.'[68] Ond hwn oedd y tro cyntaf i gynllun gael ei
ddatgan.

Mewn cyfweliad yn y *Westminster Gazette*, gofynnwyd i Lloyd
George a oedd yn bwriadu sefydlu plaid annibynnol Gymreig?
Ei ateb oedd:

Certainly, that is our aspiration, or, perhaps, I should say, that of
the younger men among us – a Young Wales Party with national
motives. You will find it an accomplished fact after the next General
Election. The idea of nationality is a vigorous and growing one,
and, as a compact band, we shall get our wants promptly attended
to by the Liberal party, in addition to being able to squeeze the
Tories when in office.

Beth fyddai platfform y Blaid newydd? Datgysylltiad?

That question is the battleground on which our very existence as a
nation has been challenged. It must therefore be decided first. Then
Land Reform must come – a most pressing subject. Finally, Local
Veto, and Home Rule for Wales. All Liberal measures, you will see,
to none of which the party is, in the abstract, hostile.[69]

Y mis canlynol, ar Sadwrn 16 Mehefin, agorwyd cynhadledd
yng Nghaer, i sefydlu Cynghrair Cymru Fydd yn swyddogol.
Roedd 400 yn bresennol yn y cyfarfod, gyda chynrychiolwyr o
Ogledd Cymru a hefyd Cymry Lerpwl, Manceinion, Birmingham,
Crewe, Oldham, Nottingham ac Amwythig. Etholwyd J. Herbert
Lewis i'r gadair; cafwyd areithiau cadarnhaol gan Syr George
Osborne Morgan; Thomas Gee, John Morris-Jones, R. A. Griffith
a Lloyd George. Yn cynrychioli'r De roedd Frank Edwards a
llywydd y Ffederasiwn Deheuol, D. A. Thomas. Yr oedd y

pedwar gwrthryfelwr, felly, yn bresennol. Prif benderfyniad y
gynhadledd oedd sefydlu Cynghrair Cymru Fydd i uno'r cym-
deithasau. Datganodd D. A. Thomas: 'Nid oes lle yng ngwleid-
yddiaeth Cymru Fydd i eiddigedd annheilwng rhwng Gogledd a
De. Nid Gogleddbarth a Deheubarth sydd i fod mwyach, ond
Cymru Gyfan!'[70]

Mae'n amlwg bod sefydlu'r Gynghrair wedi dychryn yr asgell
dde yng Nghymru. Ymosodwyd yn ffyrnig arno yng nghylch-
grawn yr Eglwyswyr, Yr Haul, a ddisgrifiodd y Cymry alltud yn
sarcastig fel 'dynion cyfoethog sydd yn credu bod Cymru yn lle
da i ddod ohonno'.[71] Fis ar ôl cynhadledd Caer, sefydlwyd Cym-
deithas Cymru Fydd yn nhref bwysicaf de Cymu – Caerdydd. Y
llywydd oedd y Cynghorydd Edward Thomas (Cochfarf, 1853–
1912), saer o Faesteg a oedd yn ffigwr amlwg yn Rhyddfrydiaeth
Caerdydd. Pwysleisiodd Cochfarf nad ystyr Cymru Fydd oedd
'Cymru i'r Cymry' ond yn hytrach, roedd cenedlaetholdeb Gymreig
yn cynnwys 'holl drigolion Cymru'.[72] Sefydlwyd cymdeithas ym
Merthyr ar ddechrau Awst ac, ar 16 Awst, cynhaliwyd cynhad-
ledd Cymru Fydd yng Nghastell-nedd, i drefnu'r mudiad yn y
De.[73] Cadeirydd y cyfarfod oedd Wynford Philipps (AS Penfro)
ac roedd Alfred Thomas AS, a Llewelyn Williams yn bresennol.
Symudodd y Cynghorydd David Morgan (Dai Abernant) – un o
gynrychiolwyr y glowyr – y dylid cynnwys y term 'buddiannau
diwydiannol' yn y penderfyniad, a derbyniwyd y newid yn un-
frydol. Roedd y penderfyniad ar ddiwedd y gynhadledd yn
'cefnogi'n gryf sefydlu Cynghrair Cenedlaethol Cymru a fyddai'n
hybu buddiannau gwleidyddol, cymdeithasol, addysgol a diwyd-
iannol y Dywysogaeth'.[74] Penodwyd pwyllgor i gyfarfod â Chymru
Fydd y Gogledd yn Llandrindod yn ddiweddarach yn y mis.

Ar yr un diwrnod â chynhadledd Castell-nedd, cyhoeddodd
Llewelyn Williams bamffled eglurhaol: Cymru Fydd/The Young
Wales Movement.[75] Mae'n dechrau drwy ategu diffiniad Cochfarf,
nad 'Cymru i'r Cymry' oedd pwrpas y mudiad ond yn hytrach 'I
godi'r hen wlad yn ei hôl'. Roedd yn genedlaetholdeb ryddfrydol,
ond rhaid oedd cael cynghrair 'ymwthiol' a fyddai'n gafael ar y
dyn yn y stryd:

> Os yw'r ysbryd cenedlaethol hwn i fod yn allu yn y byd, rhaid
> rhoddi corff iddo: yn arbennig, rhaid iddo ei fynegi ei hun mewn
> deddfwriaeth, oherwydd mae a fynno hynny i raddau pell â bywyd

y genedl ac yn dylanwadu'n gryf arno. Os yw Cymru i ddatblygu yn ei ffordd ei hun ac yn ôl ei thueddiadau ei hun, rhaid ei llywodraethu yn unol â syniadau Cymreig. Y cam cyntaf yw sefydlu trefniant cenedlaethol a fydd yn mewndrwytho ein holl gyrff cyhoeddus â syniadau cenedlaethol.[76]

Cymerwyd y 'cam cyntaf' hwn yn Llandrindod ar 22 Awst, pan gyfarfu 200 o gynrychiolwyr yno o'r Gogledd a'r De i geisio cytuno ar 'amcanion' Cynghrair Cymru Fydd. Ysgrifennydd y Gogleddwyr oedd R. A. Griffith ac ysgrifennydd y Deheuwyr oedd Llewelyn Williams. Etholwyd Alfred Thomas AS yn gadeirydd. Cytunwyd ar ddeg amcan cyffredinol:

i　　Creu undod cenedlaethol;
ii　　Cefnogi diwygiadau gwleidyddol, cymdeithasol ac addysgol;
iii　　Cael deddfau yn cyfarfod ag anghenion Cymru;
iv　　Cefnogi trefn i gael Ymreolaeth i Gymru;
v　　Gwella cyflwr gweithwyr Cymru trwy gyfreithiau a.y.b.;
vi　　Cefnogi dewis seneddwyr o blaid pwrpasau'r Gynghrair;
vii　　Rhoi amlygrwydd i amcanion y Gynghrair mewn etholiadau lleol;
viii　　Cymorthwyo gyda rhestru'r etholwyr a.y.b;
ix　　Cadw, amddiffyn a datblygu'r Gymraeg;
x　　Meithrin llên, celf a cherdd yng Nghymru a sefydlu Llyfrgell ac Amgueddfa Genedlaethol.[77]

Yn yr un dref, drannoeth, mewn cyfarfod o Ffederasiwn y De, dywedodd D. A. Thomas o'r gadair ei fod yn llawenhau yn natblygiad Cymru Fydd.[78] Yn ôl *Baner ac Amserau Cymru*, roedd 'dyfodol Cymru i raddau pell yn gymhlethedig â llwydd y symudiad mawr cenedlaethol hwn'.[79]

Yn ôl Llewelyn Williams, mewn llythyr hir at John Edward Lloyd, roedd Cymru Fydd yn ymwneud â 'gwir wleidyddiaeth' – yn ystyr ehangaf y gair.[80] Y model oedd 'Iwerddon Ieuanc' y 1840au. Gofynnodd y cwestiwn, 'Beth fydd yn digwydd ar ôl Datgysylltiad?':

The long delay in granting it is paralysing political thought, and we want therefore an *educating* agency, not a new electioneering machine . . . The life of the nation is in Wales, and we can do quite as much – and more – by influencing local than by influencing parliamentary elections. Take, for instance, the question of utilising the Welsh language. For my own part, I look upon that as *the* most important question for Welshmen. On the right use of Welsh depends the future of Welsh education, and education is the great constructive power.[81]

Diddorol iawn yw sylwi ar y pwyslais ar asiantaeth addysgol. Aethpwyd ati i sefydlu canghennau o Gymru Fydd ym mhob cwr o Gymru. Yn y Gogledd sefydlwyd cangen ym Mrymbo gan Syr George Osborne Morgan, a oedd yn byw yn y dref,[82] ac ym Mangor, Llandudno a Threffynnon gan Lloyd George.[83] Yn ardal Llanberis, dan gadeiryddiaeth y Parch. G. Tecwyn Parry, roedd 222 o aelodau.[84] Yn y De sefydlwyd canghennau yn Llandysul (gan Lloyd George a J. Wynford Philipps),[85] Pontypridd, Hwlffordd, Cwmafan (700 aelod) ac Abertawe, lle'r oedd dros fil o aelodau.[86] Yn y cyfnod 1894–5, derbyniwyd dros ddeng mil o danysgrif-iadau tuag at y Gynghrair yn Ne Cymru.[87] Erbyn 1895, roedd canghennau o Gynghrair Cymru Fydd ledled y wlad. Yn ôl Llewelyn Williams (ysgrifennydd mygedol Cymru Fydd yn y De) roedd oddeutu hanner cant mewn bodolaeth trwy Gymru.[88]

Yn Hydref 1894, diwrnod ar ôl agor cangen Llanrwst, rhoddodd Lloyd George amlinelliad o'r athroniaeth y tu ôl i'r Gynghrair mewn araith yng nghyfarfod agoriadol Cymdeithas Cymru Fydd Caerdydd.[89] Dangosodd fod Cynghrair Hunanreolaeth Iwerddon wedi llwyddo trwy ddisgyblaeth a hunanaberth, er mwyn eu cenedl:

> This successful nationality is the only one out of the three Celtic nations which has organised the whole of her progressive force in city and hamlet into one compact league, inspired and propelled by the spirit of patriotism (Hear, hear). What makes this result all the more significant is the prejudice, racial and religious, which the Irish had to overcome. This was much stronger in their case than anything we have ever encountered. They had to beat down an antipathy which was positively savage in its intensity . . . This proves that it is altogether a matter of *the quantity of pressure* which can be brought to bear upon Parliaments and Ministries (Hear, hear and Applause).[90]

Pe bai'r Cymry am ennill 'diwygiadau cymdeithasol ac organaidd' byddai'n rhaid iddynt ffurfio Cynghrair tebyg a chynyddu'r pwysau: 'It is clear that the quantum of hydraulic pressure brought to bear by us upon the legislature is too insignificant to achieve any tangible results. We must increase it.'[91] Y mae'r ddelwedd o 'bwysau hydrawlig' yn berthnasol iawn i ddealltwriaeth o wleidyddiaeth Cymru Fydd. Hyd yn hyn, roedd gwelliannau wedi dod i Gymru trwy weithgareddau unigolion; strategaeth Cymru Fydd oedd ffurfio'r genedl ei hun yn un garfan bwyso enfawr – carfan bwyso genedlaethol.

Yr oedd Cynghrair Cymru Fydd yn awr mewn bodolaeth ac yn bodoli yn gyfochrog â'r Ffederasiynau Rhyddfrydol Cymreig yn y Gogledd a'r De. Yn ôl y Cymru Fyddwyr mwyaf blaengar, roedd hyn yn creu 'treuoliaeth' annymunol. Mynegwyd y farn hon ym Manceinion ar agoriad tymor Cymru Fydd yn y ddinas honno. Yn ôl y cadeirydd, D. A. Davies, gellid cymryd cam pellach yn awr tuag at undeb strwythurol rhwng y Cynghrair a'r Ffederasiynau Cymreig. Gosododd ei dad-yng-nghyfraith, Thomas Gee, y cwestiwn i'r cyfarfod yn ei ddull eglur, arferol: 'Y mae'r ddwy drefn yn ymgystadlu . . . Y cwestiwn yn awr ydyw, a ddylid uno'r ddwy ai peidio?'[92] Roedd Lloyd George wedi ateb y cwestiwn yn ei feddwl ei hun eisioes: nid oedd ond lle i un Cynghrair.

Dechreuwyd ar y gwaith o uno'r Gynghrair a'r Ffederasiynau yn y Gogledd mewn cyd-gyfarfod yng Nghaer (Tachwedd 1894) i ystyried cydweithrediad. Cafwyd nifer o argymhellion, yn cefnogi'r syniad o un system yn lle dwy gyda'r enw Cynghrair Cymru Fydd (Welsh National Federation) ac yn pasio penderfyniad yn galw am gyd-bwyllgor o'r tri chorff i wneud trefniadau pellach. Derbyniwyd yr argymhellion hyn gan bwyllgor Ffederasiwn y Gogledd ar 8 Rhagfyr, ac ychwanegodd y dylid cael cyd-bwyllgor o 18, 3 o Ffederasiwn y Gogledd, 6 o Ffederasiwn y De a 9 o Gymru Fydd.[93] Rhoddwyd ystyriaeth i gais am gyd-bwyllgor o'r fath mewn cyfarfod o bwyllgor Ffederasiwn y De ar 19 Rhagfyr. Wedi ychydig o ddadlau, penderfynwyd cyfarfod Cynghrair Cymru Fydd yn y flwyddyn newydd.[94]

Mae rhestr y rhai oedd yn bresennol yn y cyd-gyfarfod hwn, a gynhaliwyd ar 3 Ionawr yng Nghlwb y Dywysogaeth, Caerdydd, yn arwyddocaol o ran strwythur Cymru Fydd a Rhyddfrydiaeth Gymreig. Yn cynrychioli Aelodau Seneddol deheuol roedd J. Wynford Phillipps, D. A. Thomas ac Alfred Thomas; roedd prifathro Coleg Bedyddwyr Caerdydd, William Edwards, a Mrs Viriamu Jones yn cynrychioli Rhyddfrydiaeth academaidd; y

Parch. Towyn Jones a'r Parch. J. Morgan Jones, Caerdydd oedd yn cynrychioli Anghydffurfiaeth; R. N. Hall oedd ysgrifennydd Ffederasiwn Rhyddfrydol y De; roedd Llewelyn Williams a Beriah Gwynfe Evans yn newyddiadurwyr, golygyddion a Chymry Fyddwyr; ac yna, yn cynrychioli'r Cynghorau lleol oedd yr Henadur Aaron Davies a'r Cynghorydd Edward Thomas (Cochfarf). Cynrychiolwyd Rhyddfrydiaeth 'swyddogol' gan W. H. Brown, Casnewydd a Robert Bird, llywydd Cymdeithas Ryddfrydig Caerdydd. Yn ogystal, i ddyfynnu adroddiad y *South Wales Daily News*:

> One feature of the assembly was the large number of Labour representatives in attendance, including Mr Abraham MP (Mabon), Mr David Morgan, Mr Isaac Evans, Mr William Brace, Mr J. Thomas (Garw) and Mr William Evans. The prevailing tone of the conference was one of harmony and a desire for unity, the proceedings being throughout of the most amiable description.[95]

Ar awgrymiad D. A. Thomas, etholwyd J. Wynford Philipps i'r gadair. Cynigiodd y Prifathro Edwards y dylid 'cael un trefniant cenedlaethol yn lle dau' ac eiliwyd gan D. A. Thomas fel hyn:

> For the purpose of organisation quite apart from the question of policy, it was absolutely necessary not to have more than one body . . . as now the apparent objects of both were identical, all agreed that one organisation for purposes of policy was equally desirable.[96]

Siaradodd Llewelyn Williams ar ran Cymru Fydd a phasiwyd y penderfyniad uno yn unfrydol. Penderfynwyd mai'r enw gorau ar y drefn newydd fyddai Cynghrair Cenedlaethol Cymru Fydd ('Welsh National League') ac y dylid sefydlu Cyd-bwyllgor Gogledd–De o 18 i lunio cyfansoddiad newydd i ffurfio un gynghrair. Mae'n ymddangos, felly, bod y cyfarfod yn un llwydd-iannus dros ben. Pwysleisiwyd hyn gan Llewelyn Williams:

> The greatest harmony prevailed at the meeting which was representative of all sections of South Wales Liberals. It appeared as if all difficulties has been removed, and that an amalgamation of the two organisations had been secured.[97]

Ar 10 Ionawr, bu cynhadledd ogleddol yn y Rhyl i egluro'r sefyllfa, gyda Thomas Gee yn dweud ei fod yn llawen bod Ffederasiwn y De 'wedi derbyn y cynigion mor unfrydol'.[98] Credai fod uniad wedi ei sicrhau 'ond y byddai rhaid wrth gadarnhau ffurfiol yn ddiweddarach'. Dewiswyd dirprwyon i fynd i gyd-gyfarfod y cyd-bwyllgor ar gyfansoddiad newydd a oedd i'w gynnal yn yr Amwythig ar ddiwedd y mis.

Yn y cyfamser, cynhaliwyd Cynhadledd Brydeinig y Blaid Ryddfrydol yn Neuadd y Parc, Caerdydd ar 17–18 Ionawr 1895. Daeth y Prif Weinidog, Rosebery, i annerch y dirprwywyr.[99] Roedd Mesur Datgysylltiad 1894 wedi methu yng Ngorffennaf oherwydd diffyg amser. Gyda D. A. Thomas yn eistedd y tu ôl iddo ar y llwyfan, addawodd Rosebery y byddai Mesur Datgysylltiad newydd yn cael y lle cyntaf ar Raglen y Sesiwn yn 1895. Mae Llewelyn Williams yn adrodd yr hyn a ddigwyddodd wedyn:

> Although this was a confession of surrender to the Welsh revolters, the adroit orator turned round dramatically to D. A. Thomas and with a magnificent gesture exclaimed: 'I am glad to see my friend Mr D. A. Thomas on the platform. I enfold the returning prodigal in my arms!' No one enjoyed the jest or more admired the diplomacy of the great man than D. A. Thomas himself.[100]

Gellir disgrifio hyn fel cyfethol cyhoeddus – y sefydliad Seisnig yn croesawu'n ôl mab afradlon! Siaradodd Lloyd George yno hefyd, yn cefnogi hunanreolaeth, y 'llwyddiant mwyaf erioed' a gafodd yn ôl ef ei hun.[101] Roedd y ffaith i'r gynhadledd gael ei chynnal yng Nghymru yn dangos pwysigrwydd newydd y Blaid Seneddol Gymreig a'r Rhyddfrydwyr Cymreig. Dylid tanlinellu mai hon oedd y gynhadledd wleidyddol Brydeinig gyntaf erioed i gael ei chynnal yng Nghymru. Y cwestiwn oedd: 'nawr bod y Gynhadledd wedi dod a mynd – a fyddai undod Cymru Fydd yn parhau?

Roedd cyd-bwyllgor Amwythig ar y cyfansoddiad, ar 26 Ionawr, yn llwyddiant. Y 15 da eu gair a fynychodd y cyfarfod oedd: y Prifathro William Edwards, Coleg y Bedyddwyr, Caerdydd; Owen Owen, Croesoswallt; y Parch. J. Gwynoro Davies, Abermo; y Parch. G. Tecwyn Parry, Llanberis; A. Gomer James, Manceinion; William Evans, Lerpwl; J. W. Jones, y Rhyl; R. A. Griffith, Bangor;

David Morgan, Aberdâr (un o gynrychiolwyr y glowyr); W. Griffiths, Aberystwyth; y Parch. J. Towyn Jones, Cwmaman; Tom John, Llwynypia; Edward Thomas (Cochfarf), Caerdydd; W. Llewelyn Williams a Beriah Gwynfe Evans. Y cadeirydd oedd y Prifathro Edwards. Cytunwyd ar yr argymhellion cyfan-soddiadol y dylid eu cyflwyno i gonfensiwn cenedlaethol yn Aberystwyth yn Ebrill – cyfansoddiad yn seiliedig ar un cynghrair gydag un cyngor cenedlaethol. Gofynwyd i Beriah Evans weithredu fel ysgrifennydd a threfnydd cenedlaethol y cynghrair, ac felly ymddiswyddodd o Gwmni Papurau Cened-laethol Caernarfon.[102]

Yr oedd mudiad Cymru Fydd ar ei ben llanw yn Ionawr 1895. Yn y mis hwn y cyhoeddwyd rhifyn cyntaf *Young Wales*, cylchgrawn newydd dan olygyddiaeth J. Hugh Edwards[103] yn Aberystwyth. Roedd y 'Nawdegau Nwyfus' yn ddegawd da i gylchgronau *avant garde*. Yn 1895 dechreuwyd bythefnosolyn yn Llundain gan Thomas John Evans (1863–1922) dan y teitl *Celt Llundain*; parhaodd y cylchgrawn hyd 1915. Yn y cyfnod 1894–7 cyhoeddwyd y *Yellow Book* (lliw rhyddfrydiaeth), cylchgrawn llenyddol chwarterol a gyhoeddwyd yn Llundain gyda darluniau gan Aubrey Beardsley (1872–98) a chyfraniadau gan Oscar Wilde (1854–1900).[104] Y 1890au hefyd oedd cyfnod y Rainbow Circle, sef clwb 'Lib–Lab' a sefydlwyd yn Nhafarn yr Enfys, Stryd y Fflyd, Llundain, yn Hydref 1894. Y prif aelodau oedd Graham Wallas (1858–1932), Sidney Olivier (1859–1943), J. A. Hobson (1858–1940), Herbert Samuel (1870–1963) a Charles Trevelyan (1870–1958); yr ysgrifennydd oedd Ramsay MacDonald (1866–1937). Yng ngwanwyn 1895, awgrymodd MacDonald y dylai'r cylch gyhoeddi cylchgrawn: 'The idea would be to afford the progressive move-ment in all its aspects . . . a medium of expression such as the Whig movement had in the *Edinburgh Review*.'[105] Cyhoeddwyd y *Progressive Review* dan olygyddiaeth MacDonald yn 1896–7. Roedd gwleidyddiaeth Cylch yr Enfys yn debyg iawn i wleidyddiaeth Cymru Fydd: Rhyddfrydiaeth Newydd, gymdeithasol, wrth-imperialaidd.

Misolyn oedd *Young Wales*, a gyhoeddwyd ac a argraffwyd ar wasg y *Cambrian News* yn Aberystwyth. Yr is-deitl oedd: 'The Organ of the Cymru Fydd Movement'. Roedd *Young Wales* (dan olygyddiaeth frwdfrydig un o fywgraffiadwyr diweddaraf Lloyd George) yn gyfnodolyn o safon uchel a blaengar iawn. Yn ôl rhagarweiniad Hugh Edwards, pwrpas mudiad Cymru Fydd oedd: 'to reorganise our political forces and to federate existing political agencies.'[106] Pwrpas y cylchgrawn fyddai trafod gwleidyddiaeth Cymru Fydd. Roedd yr enw ar y cylchgrawn newydd wedi ei fodelu ar y cylchgronau *Giovine Italia* (1832) a *La Jeune Suisse* (1835), a'r cynnwys ar y *Nation* (1842), cylchgrawn Young Ireland: 'Our aims are to a great extent political, and for this reason we hope to fill a place in the periodical literature of Wales, which is at present unoccupied.'[107] Roedd y ffurf yn debyg i gylchgrawn *Cymru Fydd*, yn cynnwys:

    i   Sketches of Leading Young Welshmen (J. Hugh Edwards);
    ii The National Awakening in Wales;
    iii Welsh Politics;
    iv Women in Wales (Mrs Wynford Philipps);
    v   O Fôn i Fynwy (W. Llewelyn Williams);
    vi Wales in Parliament;
    vii Education (Edward Anwyl);
    viii Our Round Table Conference – leaders on leading topics;
    ix Wales in the colleges.

Yr oedd yn arwyddocaol mai llun Tom Ellis oedd ar flaenddalen cylchgrawn *Cymru Fydd* ond llun Lloyd George oedd y cyntaf i ymddangos yn *Young Wales*: '"The World is my Parish", said John Wesley as he journeyed throughout the length and breadth of the country, and Mr Lloyd George might with equal force describe the whole of Wales as his constituency.'[108]

Awgrymodd Llewelyn Williams y dylid gosod Senedd Gymreig, pan ddeuai, yn Abertawe – gan mai hon oedd y dref fwyaf canolog. Dyfynnodd draethawd un-frawddeg Talhaiarn ar gyfer Eisteddfod y Rhyl dan y testun 'Sut i gael Undod Cenedlaethol"; y frawddeg oedd: 'Adeiladwch reilffordd o'r Rhyl i Abertawe.'[109]

Cafwyd erthygl gan olygydd y *Cambrian News*, John Gibson, yn dangos mai ystyr yr ansoddair 'ieuanc' yn 'Young Wales' oedd, nid oedran ond agwedd: 'Mr Thomas Gee, who was eighty years of age the other day (24 Ionawr 1895), is the youngest politician in Wales.'[110] Cymru Fydd fyddai'r prif ffactor mewn gwleidyddiaeth Gymreig yn 1895 ac un o'r prif ffactorau yng ngwleidyddiaeth Prydain.[111] Ar ddechrau'r flwyddyn, roedd y Cynghrair newydd yn ysgubo popeth o'i flaen, ond roedd rhai cefnogwyr yn amheus o lwyddiant mor hawdd – megis Llewelyn Williams, er enghraifft:

> The Cymru Fydd League has met with startling and unexpected success. It has succeeded in capturing the two older Federations. The very rapidity and completeness with which the success was won makes me instinctively distrust its reality and its permanence.[112]

Ac yn wir, erbyn dechrau Mawrth, cododd cwmwl mor fach â dwrn dyn yn y De: dwrn D. A. Thomas. Erbyn cyfarfod pwyllgor gwaith Ffederasiwn y De ar 2 Mawrth, roedd y llywydd wedi ailfeddwl ei agwedd tuag at y Cynghrair.[113] Cyfarfu'r pwyllgor yng Nghaerdydd – yr un dref lle penderfynodd yr un pwyllgor o blaid undod â'r Cynghrair yn Ionawr. Yn awr, fodd bynnag, siaradodd D. A. Thomas yn erbyn undod. Dadleuodd yn erbyn 'ein diddymu ein hunain heb ymgynghori â'r sawl a'n creodd',[114] hynny yw, y ffederasiwn llawn. Cynigiodd ddau reswm am beidio 'newid ceffyl ynghanol afon': roeddent yng nghanol helynt Datgysylltiad ac roeddent ar drothwy etholiad cyffredinol.[115] Gwrthwynebwyd ef yn gryf gan y Cynghorydd Edward Thomas (Cochfarf) a atgoffodd y pwyllgor eu bod hyd yn hyn wedi cefnogi'r syniad o uniad â'r Cynghrair: 'nid yw diddymiad a chyfuniad yr un peth.'[116] Gohiriwyd y mater tan y cyfarfod nesaf ar 11 Mawrth. Nid oedd D. A. Thomas yn bresennol yn y cyfarfod hwn, ac yn ei absenoldeb, penderfynwyd y dylid cadw'r addewid a wnaed gan y cyd-bwyllgor yn Ionawr i gyfarfod yn Aberystwyth i dderbyn y cyfansoddiad newydd. Cytunwyd hefyd i gynnal cyfarfod blynyddol Ffederasiwn y De yn Aberystwyth yr un pryd.[117]

Mae'n amlwg felly bod rhwyg mewnol ym mhwyllgor gwaith Ffederasiwn y De. Aeth D. A. Thomas ati gyda chabál o Ryddfrydwyr ceidwadol i negyddu'r pendefyniad. Llwyddodd yn gyntaf i ohirio cyfarfod blynyddol y ffederasiwn yn Aberystwyth, gyda chydweithrediad yr ysgrifennydd, R. N. Hall.[118] Yn ail, ar 11 Ebrill, perswadiodd ef bwyllgor gwaith anghynrychioliadol i basio penderfyniad na fyddent bellach yn cydweithredu â Chynghrair Cymru Fydd.[119] Roedd y pwyllgor hwn wedi ei lenwi ag:

amryw nas gwelwyd erioed o'r blaen mewn cyfarfod o'r pwyllgor;
amryw eraill nas gwelwyd ers blynyddoedd; ac yr oedd cyfarfod
Cyngor Morgannwg yr un diwrnod, fel na allai llawer fod yno,
oherwydd eu bod yn aelodau o'r Cyngor hwnnw.[120]

Ymhellach, roedd ysgrifenyddion rhai Cymdeithasau Rhyddfrydol
wedi danfon am docynnau i'r cyfarfod pwyllgor, ond ni chyd-
nabuwyd eu llythyrau:

Nid oedd yn y pwyllgor neb o Sir Aberteifi, Sir Benfro, Sir Faesyfed,
Dwyrain a Gorllewin Sir Gaerfyrddin, na rhannau amaethyddol
Morgannwg a Mynwy, a dim ond un o Sir Frycheiniog. Eglura hyn
y penderfyniad.[121]

Pam roedd D. A. Thomas wedi newid ei feddwl? A pham oedd y
cabál ceidwadol ar bwyllgor gwaith y De yn barod i fynd mor
bell i sicrhau penderfyniad yn erbyn y Cynghrair? Gellir awgrymu
dau reswm: personol ac economaidd.

Yn gyntaf, ymddengys fod cyfarfod D. A. Thomas â Rosebery
yn Ionawr wedi cael effaith cyffelyb arno â chyfarfod Tom Ellis
â Rhodes yn 1891. Wedi ymweliad y Prif Weinidog â Chaerdydd
roedd gan Thomas lai o ddiddordeb mewn Hunanreolaeth i
Gymru. Cafodd ei swyno gan yr arglwydd imperialaidd a fu'n
aros gydag ef fel gwestai. Ers 1894, roedd D. A. Thomas wedi bod
yn brwydro yn erbyn mudiad am ddiwrnod wyth-awr i'r
glowyr.[122] Cefnogwyd yr wyth awr, yn naturiol, gan Mabon a
David Randell ond roedd 'Tsar y Rhondda' yn elyniaethus.
Cafwyd gwrthdrawiad agored rhwng Mabon a D. A. Thomas
yn Nhŷ'r Cyffredin, yn Awst 1894, dros Fesur Wyth Awr, a
llwyddodd Thomas i'w orchfygu, gyda chymorth Balfour a
Chamberlain.[123]

Fodd bynnag, nid aeth y syniad i ffwrdd, ac roedd D. A.
Thomas yn sylweddoli bod Cynghrair Cymru Fydd yn cefnogi
'hawliau'r glowyr'.[124] Wedi'r cyfan, roedd Mabon a Randell,
ynghyd ag arweinwyr undebol y glowyr, y tu cefn i Gymru
Fydd, ac roedd Lloyd George yn tanlinellu pwysigrwydd y
'cwestiwn cymdeithasol' i'r Cynghrair. Gwelodd D. A. Thomas
elfennau sosialaidd yn datblygu yng ngwleidyddiaeth Cymru
Fydd, ac erbyn gwanwyn 1895, roedd yn benderfynol o geisio
rhwystro Cynghrair a allai beryglu buddiannau y Cambrian

Collieries. Roedd cyfochredd annifyr i gyfalafwyr de-ddwyrain Cymru rhwng yr Undebaeth Newydd[125] a'r Rhyddfrydiaeth Newydd:

Yn y Blaid Ryddfrydol yr oedd dwy Ryddfrydiaeth yn gwrthdaro yn erbyn ei gilydd. . . . Fe welodd D. A. Thomas, ar ôl cellwair â Chymru Fydd, y golau coch; fe welodd mai gelyn mwyaf cyfalafiaeth Seisnig Deheudir Cymru oedd cenedlaetholdeb Cymreig Lloyd George.[126]

Roedd ffactor economaidd, felly, yng ngwrthwynebiad D. A. Thomas i Gynghrair Cymru Fydd.

Os oedd Rhyddfrydwyr ceidwadol y De-ddwyrain eisiau rhoi terfyn ar y mudiad hunanreolaeth, roedd rhaid iddynt weithredu oherwydd ei bod yn datblygu'n gyflym. Ar 29 Mawrth 1895 pasiodd yr Albanwr Henry Dalziel,[127] gyda chefnogaeth Lloyd George, benderfyniad yn cefnogi Hunanreolaeth I Bawb ('Home Rule All Round')[128] yn Nhŷ'r Cyffredin gyda mwyafrif o 26 (128 o blaid, 102 yn erbyn):

Fod y Tŷ hwn o'r farn, er rhoddi effaith mwy uniongyrchol a llawnach i ddymuniadau ac anghenion arbennig y gwahanol genhedloedd a gyfansoddent y Deyrnas Gyfunol, ac er chwanegu at effeithiolrwydd y Senedd, mai priodol fyddai trosglwyddo i Ddeddfwriaethau yn yr Iwerddon, yr Alban, Cymru a Lloegr, reoleiddiad a llywodraethiad eu hamgylchiadau cartrefol eu hunain.[129]

Cydweithiodd Lloyd George ag ysgrifennydd mygedol Cynghrair Cymru Fydd, Beriah Gwynfe Evans, yn erbyn cynlluniau D. A. Thomas: 'I am very busily engaged with Beriah – whom I got up to arrange a counterplot to D. A. Thomas' little plans in connection with Cymru Fydd.'[130] Cyhoeddodd Beriah Evans y byddai Confensiwn Cyfansoddiadol Aberystwyth yn mynd ymlaen, fel y trefnwyd, ar 18 Ebrill.[131]

Ar drothwy'r confensiwn, rhoddodd D. A. Thomas gyfweliad i'r *South Wales Daily News*, i egluro ei absenoldeb. Ceisiodd ddibrisio pwysigrwydd y gynhadledd a dywedodd y byddai unrhyw ddeheuwyr yn mynd i Aberystwyth fel unigolion ac nid fel cynrychiolwyr y Ffederasiwn.[132]

Yng Nghonfensiwn Aberystwyth (18 Ebrill 1895), cyfarfu Ffederasiwn Rhyddfrydol Gogledd Cymru, Cynghrair Cymru Fydd a chynrychiolwyr answyddogol Rhyddfrydiaeth y De. Er gwaethaf ymddiswyddiad Fred Llewelyn-Jones, ysgrifennydd Ffederasiwn y Gogledd a gwrthwynebiad Bryn Roberts (AS Eifion) a Dr Edward Jones, Dolgellau, cytunodd Ffederasiwn y Gogledd i ymuno â Chynghrair Cymru Fydd – yr enw ar y strwythur newydd fyddai Cynghrair Cenedlaethol Cymru Fydd ('Welsh National Federation').[133] Ymgorfforwyd Undeb Rhyddfrydol y Merched (gyda deng mil o aelodau) yn rhan o'r trefniant newydd, a phasiwyd penderfyniad Cochfarf (Caerdydd) i 'sicrhau yr un hawliau dinesig i ferched ag a ganiateir i ddynion'.[134] Yn ôl Cochfarf:

O blith y bobl y tarddodd mudiad Cymru Fydd, a chredai'r bobl ynddo. Heb elyniaeth yn y byd at gymdeithasau eraill, ymlynai ef wrth y mudiad am mai hwn oedd y nesaf at y bobl. Angen Cymru oedd chwaneg o wybodaeth gwleidyddol, a Chymru Fydd oedd y mudiad i'w cyfarfod.[135]

Dywedodd Gee, yn nodweddiadol: 'mai y casgliad a ddylid ei dynnu oddi wrth y ffaith nad anfonasai rhai o'r cymdeithasau ddim cynrychiolwyr i'r cyfarfod ydoedd, fod y cyfryw gymdeithasau yn cydfynd â'r cynigiadau oedd gerbron.'[136]

Ar ôl nodi bod gwreiddiau Cymru Fydd yng Ngholeg Aberystwyth, aeth Alfred Thomas AS yn ei flaen i ddatgan, i gymeradwyaeth: 'Y dylai Cynghrair Cymru Fydd fod yn debycach i'r Gynghrair Hunan Reolaeth Gwyddelig nag i'r National Liberal Federation Seisnig'.[137]

Roedd ail ddarlleniad yr ail Fesur Datgysylltiad[138] wedi pasio Tŷ'r Cyffredin ar 1 Ebrill (304 pleidlais i 260); galwodd Confensiwn Aberystwyth am genedlaetholi'r degwm a sefydlu Cyngor Cenedlaethol i weinyddu'r dadwaddoliad.[139] Roedd hyn yn esiampl arall o'r ffordd y ceisiodd Cymru Fydd genedlaetholi'r drafodaeth ar Ddatgysylltiad. Mewn cyfeiriad at absenoldeb swyddogol Ffederasiwn y De, honnodd Lloyd George fod teimlad y De, 'yn lleol', o blaid Cynghrair Cymru Fydd:

Wrth gwrs, pan ddygid unrhyw ddiwygiad ymlaen, roedd rhaid i ddyn gyfrif ar wrthwynebiad buddiannau personol . . . rhaid iddynt bob amser gyfrif ar wrthwynebiad eiddgar a diegwyddor yn fynych oddi wrth ddynion o freintiau arbennig ynglyn â'r sefydliadau presennol.[140]

Wythnos ar ôl y Confensiwn, myfyriodd Thomas Gee ar ei arwyddocâd hanesyddol:

Yng ngoleuni hanes, y mae yn syn mai yn Aberystwyth yr wythnos ddiweddaf, y gwnaed y cais ffurfiol cyntaf i uno Cymru, er pan beidiwyd ag ymladd am ei hawliau ag arfau dur, ac y dechreuwyd eu ceisio drwy rym ymresymiad.[141]

Deallai Lloyd George fod rhaid cynnal momentwm mudiad Cymru Fydd ac felly aeth yn syth i dde Cymru ar ôl Confensiwn Aberystwyth:

I am off now to a place called Pontlotyn (Gwent) to address a Cymru Fydd meeting in order to keep the ball rolling. We must smash up the remnants of this South Wales Federation and we shall do it . . . The *Western Mail* has a strong article in our favour today. It was written by a strong Nationalist who happens to be on the staff.[142]

Ceir tystiolaeth ddibynadwy am fwriadau Lloyd George o law ysgrifennydd y Cynghrair, Beriah Evans:

His plan was to 'capture' the orthodox Liberal Party Organization and to transform them into Nationalist Societies . . . Failing this capture, he was prepared, to use his own words, to 'smash' existing Liberal Associations, and reconstruct from the ruins a systematized Nationalist machine which would control all elections, Parliamentary and Municipal, in the Principality.[143]

O fis Mai ymlaen, cafwyd rhyfel cartref rhyddfrydol rhwng y Cynghrair a'r Ffederasiwn, dros y cymdeithasau deheuol. Yn ôl *Baner ac Amserau Cymru*, gosododd D. A. Thomas £5,000 o'r neilltu 'i ymladd y Cynghrair'.[144] O'r asgell chwith, cadwyd y pwysau gan gynrychiolwyr y gweithwyr, gyda'r Parch. O. Heulfryn Hughes, llywydd Cymdeithas Ryddfrydol a Llafur y Rhondda, yn galw am fwy fyth o bwyslais ar hawliau gweithwyr yn rhaglen Cynghrair Cymru Fydd.[145]

Ym Mai, cyhaliodd Pwyllgor Ffederasiwn y De gyfarfod cyhoeddus yn Ferndale, Rhondda, gyda 'nifer o foneddigion' i wrthwynebu'r Cynghrair Cenedlaethol a phleidio parhad Ffederasiwn y De:[146]

> Y mae'r ddau brif siaradwr yn arwyddocâol; Bryn Roberts yn cynrychioli'r hen Ryddfrydiaeth, Rhyddfrydiaeth 1868, a D. A Thomas yn cynrychioli Rhyddfrydiaeth gyfalafol Seisnig Deheudir Cymru.[147]

Ar yr union adeg pan ddarganfuwyd rhwygiadau yn Rhyddfrydiaeth Gymreig, dechreuodd y llywodraeth Ryddfrydol simsanu, ac nid cyd-ddigwyddiad oedd hyn. Nid oedd y llywodraeth yn gryf iawn i ddechrau: roedd mewn swydd yn hytrach nag mewn grym.[148] Yn awr cafodd ei siglo gan yr ymrafael dros Ddatgysylltiad. Roedd Lloyd George a Herbert Lewis yn ceisio gweithredu penderfyniadau Cynhadledd Aberystwyth y dylid cael cyngor etholedig i weinyddu'r Dadwaddoliad. Ni chawsant unrhyw gymorth oddi wrth Tom Ellis, fel y datgelodd Lloyd George wrth ei frawd: 'Tom has changed. I had a good illustration of it last in the desire he manifested to induce me not to press my amendment in favour of a National Council – his old pet idea. Gresyn'.[149] Aeth Lloyd George a Herbert Lewis ymlaen hebddo. Yn y pwyllgor seneddol ar y mesur ar 20 Mai, ceisiodd y ddau gael gwelliant i sefydlu Cyngor Cenedlaethol yn hytrach na Chomisiynwyr.[150] Dangosodd Lloyd George y gellid gwneud hyn dan gymal 81 Deddf Llywodraeth Leol 1888 ac eiliwyd ef gan Herbert Lewis. Ond y cwbl a addewai Asquith oedd y byddai'n trafod y cwestiwn ymhellach.

Ar 6 Mehefin, cynhaliwyd cyfarfod cyntaf y Cynghrair newydd Cymreig yn Llandrindod, pan etholwyd dau ddeheuwr i'r prif swyddi – Alfred Thomas AS yn llywydd a Beriah Evans yn ysgrifennydd cyflogedig. Erbyn y dyddiad hwnnw, roedd dwy etholaeth ddeheuol wedi ymuno â'r Cynghrair – Ceredigion[151] a Dwyrain Caerfyrddin[152] – heb ofyn am ganiatâd Ffederasiwn y De. Ymddengys fod hyn wedi brawychu Pwyllgor y Ffederasiwn i wahodd trafodaethau â'r Cynghrair ar ddiwedd Mehefin, yn Llandrindod.[153] Cynhaliwyd y cyd-gyfarfod hwn ar benwythnos 21–2 Mehefin. Roedd saith cynrychiolydd ar y naill ochr a'r llall. Y saith ar ran y Cynghrair oedd: Lloyd George, Alfred Thomas,

Thomas Gee, Parch. J. Towyn Jones (Caerfyrddin) y Cynghorydd Moses Walters (Sir Fynwy), Parch. Aaron Davies (Pontlotyn) a Beriah Gwynfe Evans. Y saith ar ran Ffederasiwn y De: D. A. Thomas (llywydd), R. D. Burnie (trysorydd), Thomas Williams (cadeirydd y pwyllgor gwaith), Morgan Thomas (ysgrifennydd), John Griffiths (Porth), William Brace ar ran y glowyr a W. H. Brown, ysgrifennydd Cymdeithas Ryddfrydol Casnewydd.

Roedd y ddwy ochr wedi gyrru eu cynrychiolwyr trymaf, felly, ac roedd y drafodaeth yn anodd.[154] Daeth y deheuwyr â chynllun newydd i sefydlu pedwar cynghrair yn lle un:

- Talaith y Gogledd – Môn, Arfon, Dinbych, Fflint a Meirionnydd
- Talaith y Canolbarth – Maldwyn, Maesyfed, a Brycheiniog
- Talaith y De-Orllewin – Ceredigion, Penfro a Chaerfyrddin
- Talaith y De-Ddwyrain – Morgannwg a Mynwy

Roedd pwrpas hyn yn amlwg:

> Gwelir yn eglur mai'r hyn a ofnai clîc bychan Rhyddfrydol y De oedd awdurdod 'Cynghrair Cenedlaethol Cymru Fydd', ac ystryw i ddiddymu hwnnw oedd y tu ôl i gynnig Mr Brown yn y Gynhadledd, canys yr oedd D. A. Thomas yn Llywydd Ffederasiwn Rhyddfrydol y De ac yn Gadeirydd Pwyllgor Deheubarth Sir Fynwy, ac felly byddai Talaith y De–Ddwyrain, sef Sir Forgannwg a Sir Fynwy, y Dalaith fwyaf ei phoblogaeth, yn erfyn yn ei law. Canlyniad hyn oll oedd dryswch ac anrhefn.[155]

Gwrthwynebwyd hyn ar ran y Cynghrair gan Gee a fynegodd y ffaith bod un Cynghrair yn well na phedwar ac os oedd dau ffederasiwn yn ormod, byddai pedwar yn waeth fyth. Cefnogwyd hyn gan William Brace – yr unig un o'r deheuwyr a oedd o blaid undod mewn un cynghrair, ac aeth ymlaen i roi'r ddadl wyth awr fel enghraifft o anghytundeb a allai gael ei datrys ar lefel genedlaethol. Mae ymateb cyflym D. A. Thomas yn dangos gwir ffynhonnell ofnau'r cyfalafwyr deheuol: 'Yr oedd cwestiynau diwydiannol yn effeithio ar Ddeheudir Cymru nad effeithient ar ardaloedd eraill, a dylid gadael i'r rhanbarthau hynny ymwneud â'r cwestiynau eu hunain.'[156] Wedi seibiant yn y trafodaethau, daeth y Cynghrair yn ôl gyda gwrth-gynnig gan Lloyd George – bod y cymdeithasau etholaethol yn ethol Dosbarthiadau Taleithiol (yn hytrach na Ffederasiynau Taleithiol) ond bod y rhai a etholid hefyd yn aelodau o'r Cyngor Cenedlaethol. Eiliwyd y cynnig gan Brace a'i basio yn unfrydol.[157] Dewiswyd is-bwyllgor o chwech i lunio cyfansoddiad ar sail y cyfaddawd hwn.

Fodd bynnag, ar y penwythnos pan oedd y trafodaethau uchod yn mynd ymlaen yn Llandrindod, syrthiodd y llywodraeth. Gorch-fygwyd y llywodraeth nos Wener 21 Mehefin mewn pleidlais ar fater cyflenwi 'Cordite' i'r fyddin: 132 yn erbyn y llywodraeth, 125 o blaid – mwyafrif o saith.[158] Beiwyd y Prif Chwip Ellis am hyn, gan mai dim ond pedwar Aelod Seneddol Cymreig oedd yn bresennol i bleidleisio – roedd pedwar ohonynt yn y cyfarfod yn Llandrindod. Roedd Rosebery wedi cael digon, ac ymddiswydd-odd.

'Ar Gymru, syrthiodd y newydd am ddymchweliad y llywod-raeth fel taranfollt.'[159] Roedd cwymp y llywodraeth yn destun llosg yng Nghymru am fisoedd. Cafwyd honiadau a gwrth-honiadau yn ceisio gosod y bai am y *débâcle*. Yn ôl *Y Goleuad*, papur dan fawd Bryn Roberts, roedd Lloyd George wedi 'ceisio gormod, colli'r cwbl',[160] cyfeiriad at weithgareddau'r Cymru Fyddwyr yn ystod y pwyllgor ar y Mesur Datgysylltiad. Ond roedd y gwir fai yn gorwedd gyda'r llywodraeth ei hun – roeddent wedi diflasu ar y sefyllfa. Daw agwedd flinedig Rosebery allan yn y nodyn byr a yrrodd at ei Brif Chwip Ellis ar ddiwrnod cyntaf Gorffennaf: 'How are you getting on, weary manipulator of mankind?'[161]

Roedd ymgyrch Etholiad Cyffredinol Gorffennaf 1895 yn dangos y Ceidwadwyr ar eu mwyaf trefnus a'r Rhyddfrydwyr ar eu mwyaf gwasgaredig. Talodd y Ceidwadwyr sylw arbennig i gofrestru.[162] Nid oedd arweinwyr y Rhyddfrydwyr yn gallu cytuno ar brif bwnc yr etholiad, ac yn ne Cymru roedd y Ffeder-asiwn Rhyddfrydol wedi cael ei wanhau gan y rhwygiadau dros Gymru Fydd. Roedd canlyniadau yr etholiad yn erchyll i'r Blaid Ryddfrydol: enillodd yr Uniolaethwyr 411 sedd, y Rhydd-frydwyr 177 (a'r Gwyddelod 82) – mwyafrif Ceidwadol o 152. Hwn oedd y canlyniad gwaethaf i'r Rhyddfrydwyr a'r gorau i'r Ceidwadwyr er 1832. Adlewyrchwyd hyn yng Nghymru lle'r enillodd yr Unoliaethwyr 9 sedd a'r Rhyddfrydwyr 25 – canlyniad gorau'r Ceidwadwyr yng Nghymru yn y bedwaredd ganrif ar bymtheg. Collwyd chwe sedd Rhyddfrydol, i gyd, yn arwydd-ocaol, yn y De: Caerdydd, Abertawe, De Morgannwg, Maesyfed, Bwrdeistrefi Caerfyrddin a Bwrdeistrefi Penfro. Roedd swyddogion

Ffederasiwn y De wedi bod mor brysur yn ymladd yn erbyn Cymru Fydd fel nad oeddent wedi bod yn gwneud eu gwaith arferol. Yn y Gogledd, cryfhawyd safle Cymru Fydd gydag etholiad William Jones yn Arfon i gymryd lle Rhyddfrydiaeth geidwadol William Rathbone.

Tabl 8.1

Yr Aelodau Seneddol Cymreig wedi Etholiad 1895

Etholaeth	Aelodau Seneddol	Plaid	Oed	Enwad	Cefndir
Abertawe (Rhanbarth)	D. Brynmor Jones	Rh.	43	Y.	Bargyfreithiwr
Abertawe (Tref)	Syr. J. T. Dillwyn-Llewelyn	C.	59	A.	Tirfeddiannwr
Arfon	Willam Jones	Rh.	38	Y.	Athro Ysgol
Brycheiniog	Charles Morley	Rh.	48	Y.	Masnachwr
Caerdydd	J. M. Maclean	C.	60	A.	Newydd-iadurwr
Caerfyrddin (Bwrd.)	Syr. J. J. Jenkins	C.	60	A.	Diwydiannwr
Caerfyrddin (Gn.)	J. Lloyd Morgan	Rh.	34	Y.	Bargyfreithiwr
Caerfyrddin (Dn.)	Abel Thomas	Rh.	49	Y.	Bargyfreithiwr
Caernarfon (Bwrd.)	D. Lloyd George	Rh.	32	Y.	Cyfreithiwr
Ceredigion	M. L. Vaughan Davies	Rh.	55	A.	Tirfeddiannwr
Dinbych (Dn.)	Syr G. Osborne Morgan	Rh.	61	A.	Bargyfreithiwr
Dinbych (Gn.)	J. Herbert Roberts	Rh.	32	Y.	Marchnadwr
Dinbych (Bwrd.)	W. T. Howell	C.	33	A.	Bargyfreithiwr
Eifion	J. Bryn Roberts	Rh.	52	Y.	Bargyfreithiwr
Fflint (Bwrd.)	J. Herbert Lewis	Rh.	36	Y.	Cyfreithiwr
Sir Fflint	Samuel Smith	Rh.	59	Y.	Brocer Cotwm
Maesyfed	Syr. P. C. J. Milbank	C.	43	A.	Tirfeddiannwr
Meirionnydd	T. E. Ellis	Rh.	36	Y.	Ysgrifennydd

(Parhad)

Etholaeth	Aelodau Seneddol	Plaid	Oed	Enwad	Cefndir
Merthyr Tudful	D. A. Thomas	Rh.	39	Y.	Perchennog Glo
Merthyr Tudful	W. Pritchard	Rh.	51	Y.	Cyfreithiwr
Môn	Ellis J. Griffith	Rh.		Y.	Bargyfreithiwr
Morgannwg (Ganol)	S. T. Evans	Rh.	36	Y.	Bargyfreithiwr
Morgannwg (De)	W. H. Wyndham-Quin	C.	38	A.	Tirfeddiannwr
Morgannwg (Dn.)	Alfred Thomas	Rh.	55	Y.	Gŵr Busnes
Morgannwg (Gn.)	David Randell	Rh.	43	Y.	Cyfreithiwr
Mynwy (De)	F. C. Morgan	C.	61	A.	Tirfeddiannwr
Mynwy (Gog.)	Reginald Mckenna	Rh.	32	Y.	Bargyfreithiwr
Mynwy (Gn.)	Syr Willam Harcourt	Rh.	68	A.	Bargyfreithiwr
Mynwy (Trefynwy)	Albert Spicer	Rh.	48	Y.	Diwydiannwr
Penfro	W. R. Davies	Rh.	31	Y.	Bargyfreithiwr
Penfro (Rhanbarth)	Cyrnol J. W. Laurie	C.	60	A.	Y Fyddin
Rhondda	William Abraham	Rh.	53	Y.	Undebwr
Trefaldwyn (Rhanbarth)	E. Pryce-Jones	C.	34	A.	Y Fyddin
Trefaldwyn	A. C. Humphreys-Owen	Rh.	59	A.	Tirfeddiannwr
Nodyn:	Rh			Rhyddfrydwr	
	C.			Ceidwadwr	
	Y.			Ymneilltuwr	
	A			Anglicanwr	

Tabl 8.2

Dadansoddiad o Aelodau Seneddol Rhyddfrydol Cymru, 1895

Cyfartaledd Oed	Ymneilltuwyr	Anglicanwyr	Diwydiant a Busnes	Y Gyfraith	Tirfeddianwyr
43	21	4	8	13	2

Tabl 8.3

Agweddau Gwleidyddol Aelodau Seneddol Rhyddfrydol Cymru, 1895

Cymru Fyddwyr	Rhyddfrydwyr Gladstonaidd	Rhyddfrydwyr Imperialaidd
Alfred Thomas	Abel Thomas	Tom Ellis
D. Lloyd George	M. L. V. Davies	Ellis J. Griffith
J. Herbert Lewis	J. Bryn Roberts	W. Pritchard Morgan
J. Herbert Roberts	Samuel Smith	Albert Spicer
William Jones	D. A. Thomas	
William Abraham	W. R. Davies	
David Randell	A. C. Humphreys-Owen	
D. Brynmor Jones	Reginald McKenna	
S. T. Evans	Syr William Harcourt	
	Syr G. O. Morgan	
	J. Lloyd Morgan	
	Charles Morley	

Collodd Syr William Harcourt ei sedd yn Derby a rhoddwyd sedd newydd iddo yng Ngorllewin Mynwy. Byddai Aelod Seneddol newydd Gogledd Mynwy, Reginald McKenna,163 yn ddefnyddiol iawn yn yr ymdrech am Ddatgysylltiad. Roedd etholiad Brynmor Jones164 dros Ranbarth Abertawe yn cryfhau Cymru Fydd yng Ngorllewin Morgannwg. Ailetholwyd Lloyd George yn gyfforddus ym Mwrdeistrefi Caernarfon. Dywedodd wrth ei etholwyr fod 'ton yr adweithiad Torïaidd wedi torri ar lethrau'r Wyddfa'.165

Nodiadau

1. Y tŷ hwn, yn awr, yw cartref swyddogol Ysgrifennydd Tramor Prydain. Yn 1890 roedd merch Rendel wedi priodi trydydd mab Gladstone.
2. Stuart Rendel at Thomas Gee, 22 Mawrth 1894 (LlGC, Papurau T. Gee, 1336D).
3. F. E. Hamer (gol.), *The Personal Papers of Lord Rendel* (LlGC), tt. 311–12.
4. *The Times*, 14 Medi 1892; *North Wales Observer*, 16 Medi 1892; *Herald Cymraeg*, 20 Medi 1892; gweler adroddiad Lloyd George o'r ymweliad yn ei *War Memoirs*, Cyfrol I (Llundain, 1933), tt. 3–5.
5. Stuart Rendel at Thomas Gee, 14 Rhagfyr 1892 (LlGC, Papurau T. Gee, 8308C, 277).

6 Gweler *Evidence*, Cyfrolau 1 a 2 (1894); Cyfrolau 3 a 4 (1895); Cyfrol 5, *Report, Appendices and Index of the Royal Commission on Land in Wales and Monmouthshire* (Llundain, 1896); O. M. Edwards, 'Adroddiad y Ddirprwyaeth Dir', *Y Llenor* (Ionawr 1897), 5.

7 Gweler O. M. Edwards, 'Yr Ymdrech am y Brifysgol', *Y Llenor* (Hydref 1897), 81–95.

8 Hansard, Parl. Debs. (cyfres 4) cyfrol 16, colofn 1441.

9 Henry Bruce (1815–95), Ysgrifennydd Cartref (1869–73).

10 J. Viriamu Jones, 'The University of Wales', *Wales* (Ionawr 1896), 6.

11 Hansard, Parl. Debs. (cyfres 4) cyfrol 11, colofn 277.

12 *The Herald of Peace (1889)*, t. 264; ib. (1892), t. 110. Gweler 'Inter-parliamentary Union', *The New Encyclopaedia of Social Reform* (Llundain, 1908), tt. 644–5. Daeth Samuel Evans i fod yn gyfreithiwr rhyngwladol o'r radd flaenaf yn yr ugeinfed ganrif. Gweler hefyd Anon., the *Inter-Parliamentary Union*, 1889–1939 (Lausanne, 1939).

13 David Lloyd George at Margaret Lloyd George, Awst–Medi 1892 (LlGC, Papurau D. Lloyd George).

14 *BAC*, 2 Tachwedd 1892.

15 Gweler uchod, pennod 2; yn yr un modd ag yr oedd Cymdeithas Cymru Fydd Llundain wedi deillio o Gymdeithas y Brythonwys.

16 *Liverpool Mercury*, 20 Ionawr 1893.

17 Ibid. Gweler hefyd *BAC*, 25 Ionawr 1893.

18 O. E. Roberts, 'Hanner Can Mlwyddiant Cymdeithas Cymru Fydd Lerpwl, 1893–1943', yn William George (gol.), *Cymru Fydd* (Lerpwl, 1945), t. 68.

19 Ibid., t. 69.

20 Gweler *Y Genedl*, 28 Chwefror, 18 Ebrill, 20 Mehefin 1893.

21 *British Weekly*, 2 Mawrth 1893.

22 Gweler y Parch. Edwin Jones, 'Yr Eglwys yng Nghymru a'r Deffroad Cenedlaethol', *Y Geninen* (Ionawr 1893).

23 'Llythyr Manceinion', *BAC*, 19 Gorffennaf 1893.

24 Syr David Saunders Davies (1852–1934); AS Dinbych (1918–22). Perchennog y *Faner* wedi marwolaeth Thomas Gee.

25 D. Morris, 'Sosialaeth i'r Cymry', *Llafur*, 4, rhif 2 (1985), 58–9. Gweler Cerdyn Aelodaeth a Rhaglen Cymdeithas Cymru Fydd Manceinion, 1894–5 (LlGC, Papurau T. E. Ellis, 4391).

26 *BAC*, 19 Gorffennaf 1893.

27 Cyhoeddwyd y llythyrau yn y *SWDN*, 16 Awst 1893. Rhoddwyd pwysau hefyd ar Ellis o'i etholaeth: Haydn Jones at Tom Ellis, 4 Awst 1893 (LlGC, Papurau T. E. Ellis, 1098).

28 *SWDN*, 15 Awst 1893.

29 *BAC*, 6 Medi 1893. Gweler hefyd adroddiad Vincent Evans yn y *SWDN*, 2 Medi 1893; a nodiadau J. Herbert Lewis (LlGC, Papurau J. H. Lewis).

30 Tom Ellis at D. R. Daniel, 3 Medi 1893 (LlGC, Papurau D. R. Daniel).

31 Beriah Gwynfe Evans, 'The Parish Councils Act', *Young Wales*, Ionawr 1895, 10. Etholwyd O. M. Edwards yn gynghorydd ar gyngor plwyf Llanuwchllyn.

[32] 'Mr Gladstone's Last Cabinet', *History Today* (Ionawr 1952).

[33] Stuart Rendel at T. E. Ellis, 2 Mawrth 1894 (LlGC, Papurau T. E. Ellis).

[34] R. K. G. Ensor, *England, 1870–1914* (Rhydychen, 1936), tt. 215–16.

[35] David Lloyd George at Margaret Lloyd George, 7 Medi 1893 (LlGC, Papurau D. Lloyd George).

[36] David Lloyd George at William George, 5 Mawrth 1894, W. R. P. George, *Lloyd George: Backbencher* (Llandysul, 1983), t. 142.

[37] Arthur Acland at Tom Ellis, 23 Rhagfyr 1893 (LlGC, Papurau T. E. Ellis, 38).

[38] Edward Grey at Tom Ellis, 17 Mawrth 1894 (LlGC, Papurau T. E. Ellis). Cf. Peter Stansky, *Ambitions and Strategies* (Rhydychen, 1964), t. 159: 'The party tacticians welcomed Ellis as some form of insurance against a possible Welsh revolt.' Roedd llun o Rosebery yn y parlwr yng Nghynlas: W. Llewelyn Williams, 'Tom Ellis', *Wales* (Mai 1913), 13.

[39] *Cambrian News*, 9–15 Mawrth 1894.

[40] T. Marchant Willaims, 'Thomas E. Ellis', *The Welsh Members of Parliament* (Caerdydd, 1894), t. 12.

[41] David Lloyd George at William George, 8 Mawrth 1893; dyfynnwyd yn W. R. P. George, *Lloyd George: Backbencher*, t. 143.

[42] *Caernarvon Herald*, 9 Mawrth 1894.

[43] Capten H. T. Fenwick, AS Rhyddfrydol Houghton-le-Spring (1892–5).

[44] David Lloyd George, llythyr adref, 6 Ebrill 1894 (LlGC, Papurau D. Lloyd George).

[45] Hansard, Parl. Debs. (cyfres 4) cyfrol 32, colofn 4.

[46] Hansard, Parl. Debs. (cyfres 4) cyfrol 32, colofn 32 (13 Mawrth 1894); *The Times*, 14 Mawrth 1894. Dywed Ensor am Rosebery: 'He could not silence his critics. Perhaps he did not deserve to.' R. Ensor, *England 1870–1914*, t. 216.

[47] G. Osborne Morgan, 'Dwy Flynedd ar Hugain yn Nhŷ'r Cyffredin', *Y Traethodydd* (Mai 1891). Ganwyd ef yn Gothenburg, Sweden. QC, 1869; Twrnai-Cyffredinol, 1880–5. Gweler J. W. Roberts, 'Syr George Osborne Morgan, 1826–97' (MA, Prifysgol Cymru, 1979).

[48] *North Wales Observer*, 23 Mawrth 1894.

[49] *The Times*, 13 Ebrill 1894; *Liverpool Daily Post*, 25 Ebrill 1894; *British Weekly*, 19–27 Ebrill 1894; *SWDN*, 14 Ebrill 1894; *North Wales Observer*, 20 Ebrill 1894; *BAC*, 18 Ebrill 1894.

[50] Cf. 'Y Tri', sef yr enw a roddwyd ar Saunders Lewis, D. J. Williams a Lewis Valentine yn 1936 pan garcharwyd hwynt am losgi'r Ysgol Fomio yn Llŷn.

[51] Mae adroddiadau am eu cyfarfodydd yn *SWDN*, 15–23 Mai; *Rhyl Record*, 18 Mai; *BAC*, 23–5 Mai; *Manchester Guardian*, 5 Mai 1894.

[52] Dyfynnwyd gan W. Llewelyn Williams, 'Political Life', yn Viscontess Rhondda (gol.), *D. A. Thomas, Viscount Rhondda* (London, 1921), t. 65.

[53] David Lloyd George, llythyr adref, 23 Ebrill 1894 (LlGC, Papurau D. Lloyd George). Cf. David Lloyd George at Alfred Thomas, Gwanwyn 1894 (Papurau Pontypridd, Archifdy Morgannwg, Caerdydd).

[54] Herbert Lewis at Tom Ellis, 'Nos Sul' 1894 (LlGC, Papurau T. E. Ellis, 1411).

55 Tom Ellis at D. R. Daniel, 30 Ebrill 1894 (LlGC, Papurau D. R. Daniel).

56 Ibid., 12 Mehefin 1894. Cf. D. R. Daniel at Tom Ellis, 13–19 Mehefin 1894 (LlGC, Papurau T. E. Ellis, 3297–98).

57 Hansard, Parl. Debs. (cyfres 4) cyfrol 23, colofn 1455. Fel yr ysgrifennodd E. H. Spender yn *Herbert Henry Asquith* (Llundain, 1915), t. 80: 'The Welsh Disestablishment Bill was introduced in 1894 rather to satisfy the Welsh Party, than with any real hope of carrying it into law'.

58 *Liverpool Daily Post*, 19 Mai 1894.

59 *SWDN*, 30 Mai 1894. Gweler hefyd lythyr Walter Owen at Tom Ellis, 22 Mai 1894 (LlGC, Papurau T. E. Ellis, 1621).

60 David Lloyd George, llythyr adref, 23 Mai 1894 (LlGC, Papurau D. Lloyd George).

61 *SWDN*, 26 Mai 1894. Tynnwyd Mesur Datgysylltiad 1894 yn ôl yng Ngorffennaf, oherwydd diffyg amser.

62 A. C. Humphreys-Owen at Stuart Rendel, 25 Mai 1894 (LlGC, Papurau Glansevern, 663). Ymddengys fod Rendel yn cytuno â Lloyd George: disgrifiodd S. T. Evans fel, 'a lawyer on the make', Stuart Rendel at A. C. Humphreys-Owen, 10 Rhagfyr 1895 (LlGC, Papurau Glansevern, 672).

63 'At Wŷr Ieuainc Cymru' / 'To Young Wales' (LlGC, Adran Llyfrau Printiedig, Bocs XJN 272–5). Cyhoeddwyd hefyd yn *BAC*, 23–30 Mai 1894.

64 'At Wŷr Ieuainc Cymru' / 'To Young Wales', t. 1.

65 Ibid., t. 2.

66 Ibid. Cf. Abraham Roberts (Llundain), 'Ein Pobl Ieuainc a Nodweddion yr Oes', *Y Traethodydd* (Mawrth 1894).

67 William Jones (1857–1915). Ganwyd yn Llangefni, Môn; addysgwyd, Coleg Normal Bangor (1873–5). Athro ysgol yn Llundain, lle'r oedd yn aelod o Gymru Fydd, a Rhydychen. Roedd ei ddewis fel darpar ymgeisydd Arfon yn 1894 yn fuddugoliaeth i garfan leol Cymru Fydd. Gweler Papurau Gwleidyddol Prifysgol Cymru, Bangor, 1124 (135–69). Roedd Willam Jones yn AS Arfon 1895–1915. Mae ei bapurau ym Mhrifysgol Cymru, Bangor.

68 *Y Celt*, 24 Mehefin 1887.

69 *Westminster Gazette*, 16 Mai 1894. Cf. cyfweliad David Lloyd George a Herbert Lewis yn y Rhyl gyda'r *Liverpool Daily Post*, 24–5 Mai, 1894.

70 *BAC*, 20 Mehefin 1894. Penodwyd pwyllgor i ymgynghori â Chymru Fydd De Cymru. Ysgrifennodd David Lloyd George at Herbert Lewis: 'It is only a question of getting a thoroughly good organizer.' (22 Mehefin 1894; LlGC, Papurau J. H. Lewis).

71 *Yr Haul*, Gorffennaf 1894.

72 *SWDN*, 27 Gorffennaf 1894.

73 'The meeting will be open to all – irrespective of race or language – who are in sympathy with the objects of the proposed league.' *SWDN*, 14 Awst 1894.

74 Ibid., 16 Awst 1894. Gweler y golygyddol cefnogol yn yr un rhifyn.

75 Cyhoeddwyd yng Nghaerdydd, 15 Awst 1894; seiliedig ar lythyr Llewelyn Williams yn y *SWDN*, 7 Awst 1894.

76 Ibid.

77 *BAC*, 29 Awst 1894. Gweler copi yn LlGC, Papurau D. Lloyd George, 20455E/2170.

78 Ibid.

79 Ibid.

80 W. Llewelyn Williams at J. E. Lloyd, 21 Medi 1894 (Prifysgol Cymru, Bangor, Papurau J. E. Lloyd, 314: 592).

81 Ibid.

82 *BAC*, 19 Medi 1894, t. 9.

83 Ibid., 26 Medi, 27 Hydref, 3 Tachwedd, 28 Tachwedd 1894.

84 Ibid., 7 Tachwedd 1894, t. 10.

85 Ibid., t. 6.

86 Ibid., t. 4

87 Llewelyn Williams, 'Political Life', t. 73.

88 Ibid.

89 *North Wales Observer*, 12 Hydref 1894.

90 *SWDN*, 5 Hydref 1894. Gweler hefyd H. Du Parq, *The Life of David Lloyd George* (Llundain, 1912), tt. 140–3.

91 *SWDN*, 5 Hydref 1894.

92 *BAC*, 24 Hydref 1894.

93 Ibid., 12–19 Rhagfyr 1894. Ysgrifennydd newydd Ffederasiwn y Gogledd oedd Fred Llewellyn-Jones, Dinbych, ysgrifennydd Pwyllgor Ymgyrch Dadsefydliad Cymreig.

94 *BAC*, 26 Rhagfyr 1894.

95 *SWDN*, 5 Ionawr 1895, dan y penawdau: 'Federation and Cymru Fydd. Amalgamation Decided. Promising Outlook. One Welsh National Organization.' Gweler hefyd cyfweliad â David Lloyd George yn *Western Mail*, 4 Ionawr 1895 ac adroddiad *British Weekly*, 10 Ionawr 1895.

96 Dyfynnwyd gan Llewelyn Williams yn 'Political Life', t. 74. Gweler hefyd *BAC*, 9 Ionawr 1895.

97 Llewelyn Williams, 'Political Life', t. 75.

98 *BAC*, 19 Ionawr 1895.

99 *The Times*, 19 Ionawr 1895; *SWDN*, 18–19 Ionawr 1895; *BAC*, 26 Ionawr 1895; *Proceedings of the Annual Meeting of the National Liberal Federation at Cardiff, January 1895* (Llundain, 1895).

100 Llewelyn Williams, 'Political Life', t. 67.

101 David Lloyd George, llythyr adref, 17 Ionawr 1895 (LlGC, Papurau D. Lloyd George).

102 *SWDN*, 27–31 Ionawr 1895. Gweler hefyd adroddiad *BAC*, 2–6 Chwefror 1895. Mae copi o'r 'Cyfansoddiad Drafft' yn LlGC, Papurau T. E. Ellis, 4508. Cf. O. M. Edwards, 'I Ble'r Ydym yn Mynd?', *Y Llenor* (Ionawr 1895).

103 John Hugh Edwards (1869–1945); ganwyd yn Aberystwyth; cynweinidog yr Annibynwyr yn Aberystwyth; golygydd *Young Wales* (1895–1904); AS Morgannwg Ganol (1910–22).

104 Gweler Holbrook Jackson, *The Nineteen Nineties* (Llundain, 1913).

105 John Bowle, *Viscount Samuel* (Llundain, 1957), tt. 34–5. Gweler hefyd Viscount Samuel, *Memoirs* (Llundain, 1945), tt. 24–6; B. Porter, *Critics of Empire* (Llundain, 1968), tt. 156–7 a D. A. Hamer, *Liberal Politics in the Age of Gladstone and Rosebury* (Llundain, 1972), t. 235.

[106] 'Salutatory', *Young Wales* (Ionawr 1895), 2.

[107] Ibid., Gellir cymharu'r cylchgrawn hefyd â *Young India* a sefydlwyd gan M. K. Gandhi yn 1919.

[108] J. Hugh Edwards, 'Sketches of Leading Young Welshmen', *Young Wales* (Ionawr 1895), 12–17.

[109] W. Llewelyn Williams, 'O Fôn i Fynwy', ibid., 20.

[110] John Gibson, 'Welsh Politicians', ibid. (Chwefror 1895), 28.

[111] 'Lord Rosebery's Message to Young Wales, January 1895', ibid., t. 36.

[112] W. Llewelyn Williams, 'O Fôn i Fynwy', *Young Wales*, Chwefror 1895, t. 49.

[113] *SWDN*, 4 Mawrth 1895.

[114] Ibid.

[115] Ibid.

[116] Ibid.

[117] *SWDN*, 12 Mawrth 1895.

[118] *BAC*, 10 Ebrill 1895.

[119] *SWDN*, 13 Ebrill 1895.

[120] T. Gwynn Jones, *Cofiant Thomas Gee*, Cyfrol 2 (Dinbych, 1913), t. 593.

[121] Ibid.

[122] Mabon, 'Hours of Labour', *SWDN*, 21 Gorffennaf 1894.

[123] 'Eight Hours Bill', *SWDN*, 13 Awst 1894; Hansard, Parl. Debs. (cyfres 4) cyfrol 28 (13 Awst 1894), colofnau 815–34; *SWDN*, 16 Awst 1894, t. 4.

[124] 'Wyth Awr y Glowyr', *BAC*, 15 Mai 1895.

[125] L. J. Williams, 'The New Unionism in South Wales, 1889–92', *WHR*, 1, Rhif 4 (1963), 428.

[126] D. Gwenallt Jones, yn D. M. Lloyd (gol.), *Seiliau Hanesyddol Cenedlaetholdeb Cymru* (Caerdydd, 1950), t. 124.

[127] Henry Dalziel (1868–1935); AS Bwrdeistrefi Kirkcaldy (1892–1921); perchennog papurau newydd.

[128] Hansard, Parl. Debs. (cyfres 4) cyfrol 32, colofnau 523–60.

[129] *BAC*, 3 Ebrill 1895.

[130] Lloyd George, llythyr adref, 8 Ebrill 1895 (LlGC, Papurau D. Lloyd George).

[131] 'National Convention', *SWDN*, 16 Ebrill 1895.

[132] *SWDN*, 17 Ebrill 1895. Gweler hefyd ymateb Beriah Evans *SWDN*, 18 Ebrill 1895.

[133] 'Y Gynhadledd Genedlaethol', *BAC*, 20–24 Ebrill 1895. Gweler llythyrau Fred Llewelyn-Jones at Tom Ellis, 7 Rhagfyr 1892 (LlGC, Papurau T. E. Ellis 4230–4304) a D. A. Thomas 5–21 Mehefin 1895, yn mynegi ei wrthwynebiad i'r Gynghrair (LlGC, Papurau D. A. Thomas).

[134] *BAC*, loc. cit.

[135] 'Cyfarfod Cymdeithasau Cymru Fydd', *BAC*, 24 Ebrill 1895, t. 12.

[136] *BAC*, 20 Ebrill, 1895, t. 5.

[137] Ibid. 24 Ebrill 1895. Gweler hefyd Emrys ap Iwan, 'Prif Ddinas i Gymru', *Geninen*, Ebrill 1895.

[138] Gweler John Owen, 'Araith Mr Asquith', *Y Geninen*, Ebrill, 1895.

[139] *SWDN*, 19 Ebrill 1895.

[140] *BAC*, loc. cit.

[141] 'Golygyddol', *BAC*, 27 Ebrill 1895.

[142] Lloyd George, llythyr adref o Gaerdydd, 20 Ebrill 1895 (LlGC, Papurau D. Lloyd George). Gweler hefyd *Western Mail*, 20 Ebrill, 1895.

[143] Beriah Evans, 'The Nationalist', *The Life Romance of Lloyd George* (Llundain, 1915), t. 43.

[144] 'Melldith Ymraniadau', *BAC*, 1 Mai 1895, t. 9; Llewelyn Williams, *Young Wales*, Mai 1895, t. 115–18.

[145] *SWDN*, 20 Mai 1895.

[146] *BAC*, 22 Mai 1895.

[147] D. Gwenallt Jones, yn *Seiliau Hanesyddol Cenedlaetholdeb Gymreig*, t. 123. Gweler Golygyddol, 'Let there be Peace', *SWDN*, 25 Mai 1895.

[148] Samuel Smith, *My Life Work* (Llundain 1903), t. 310: 'The Government of Lord Rosebery had a troubled time. It was in office rather than in power'.

[149] Lloyd George at William George, 4 Mai 1895; dyfynnwyd yn W. R. P. George, *Lloyd George: Backbencher*, t. 164. Gweler Welsh Disestablishment Campaign Committee: *Report with Reference to the Principles of a Welsh Disestablishment Bill*, Tachwedd 1892 (LlGC, Papurau T. Ellis, 4505).

[150] Hansard, Parl. Debs. (cyfres 4) cyfrol 33, colofnau 1615–43.

[151] Gweler *Llyfr Munudau* Cyngor Sir Ceredigion, 1895 (LlGC, Adran Llawysgrifau).

[152] Lloyd George, llythyr adref, 3 Mehefin 1895 (LlGC, Papurau D. Lloyd George).

[153] *BAC*, 15 Mehefin 1895.

[154] *BAC*, 29 Mehefin 1895.

[155] D. Gwenallt Jones, yn D. M. Lloyd (gol.), *Seiliau Hanesyddol Cenedlaetholdeb Cymru*, t. 123. Gweler hefyd T. Gwynn Jones, op. cit. t. 594.

[156] *BAC*, 29 Mehefin 1895.

[157] Ibid.

[158] *BAC*, 26 Mehefin 1895. Gweler Peter Stansky, 'The End', *Ambitions and Strategies*, tt. 158–173.

[159] *BAC*, 26 Mehefin 1895.

[160] *Goleuad*, 26 Mehefin 1895.

[161] Rosebery at Ellis, 1 Gorffennaf 1895 (LlGC, Papurau T. E. Ellis, 3724).

[162] *Young Wales*, Awst 1895, tt. 186–8. Gweler hefyd Emrys ap Iwan, 'Paham y Gorfu'r Undebwyr', *Geninen*, Hydref 1895, tt. 252–57 ac M. D. Jones, 'Nodion ar Rai Pynciau Cymreig', ibid., tt. 257–59.

[163] Reginald McKenna (1863–1943); Ysgrifennydd Cartref (1911–15); Canghellor y Trysorlys (1915–16).

[164] David Brynmor Jones (1852–1921); cyd-awdur, gyda John Rhys, *The Welsh People* (Llundain, 1900).

[165] Dyfynnwyd yn W. R. P. George, *Lloyd George: Backbencher*, t. 182.

9

Cawcws neu Cynghrair?

(1895–1896)

Pan aeth Lloyd George yn ôl i Dŷ'r Cyffredin yn Awst 1895, ethol-
wyd ef yn aelod o'r Pwyllgor Radicalaidd o Aelodau Seneddol
Rhyddfrydol.[1] Grŵp asgell-chwith oedd hwn ac roedd etholiad
Lloyd George yn tanlinellu mai rhyddfrydiaeth gymdeithasol
oedd ei Ryddfrydiaeth ef. Roedd y cwestiwn cymdeithasol yr un
mor bwysig yn ei feddwl â'r cwestiwn Cymreig. Dyma wahaniaeth
arall rhyngddo â D. A. Thomas, felly; ni fyddai Thomas byth yn
ymaelodi â'r Pwyllgor Radicalaidd; rhyddfrydwr unigolaidd
oedd ef, fel y dywed ei ferch: 'What actually happened was that
while other people's conception of Liberalism altered, his remained
what it was when he first knew it. Modern Liberalism is tinged
with socialism as Gladstonian Liberalism never was.'[2] Mae hyn
unwaith eto yn taflu goleuni ar agwedd economaidd y gynnen
rhwng D. A. Thomas a Lloyd George. Fodd bynnag, ymddangosai
fod canlyniad yr etholiad wedi cryfhau dadl Lloyd George am yr
angen am well trefniant ar Ryddfrydiaeth Gymreig.

Cyfarfu'r is-bwyllgor o chwech ar gyfansoddiad Cynghrair
Cymreig yn Llandrindod ar ôl yr Etholiad Cyffredinol, ar 25 Medi
1895, mewn awyrgylch chwerw. Roedd Thomas Gee, Towyn
Jones a Beriah G. Evans yn cynrychioli Cynghrair Cymru Fydd, a
W. H. Brown, William Brace a Morgan Thomas yn cynrychioli
Ffederasiwn y De. Etholwyd Gee i'r gadair a cheir adroddiad
verbatim o'r drafodaeth ymgecrus yn *Baner ac Amserau Cymru*.[3]
Mae'n amlwg bod Brown a Thomas wedi dod yno yn bender-
fynol o fod yn anodd: hwy oedd yn cynrychioli Rhyddfrydiaeth
swyddogol y de-ddwyrain. Daeth yn amlwg yn fuan fod rhain
am ailddehongli cymrodedd Mehefin. Y term roeddent am ei
ddefnyddio oedd Ffederasiynau Taleithiol. Nid semanteg yn

unig oedd hyn – roedd yn mynd at wraidd y mater, sef a oedd Cyngor y Cynghrair Cenedlaethol i fod yn oruchaf neu beidio. Dadleuodd y Cynghreirwyr yn galed dros gael cyfansoddiad Aberystwyth yn sail i'r trafodaethau. Unwaith eto, daeth y ffactor dosbarth i mewn i'r trafodaethau: pan awgrymodd Brace roi'r gair 'Llafur' ymysg y buddiannau roedd y cyd-bwyllgor yn ceisio eu hyrwyddo, dywedodd Brown 'mai mater i'r cynghrair taleithiol fyddai hynny'.[4] Tynnodd Gee sylw at y ffaith eu bod yn defnyddio'r gair 'cynghrair' yn anghywir i gyfeirio at y 'dosbarthiadau' taleithiol, ond gwrthododd Brown a Thomas ildio ar hyn ac felly cynigiodd Brace fod y ddau deitl yn cael eu gosod yn yr adroddiad: 'Ymrwymodd yr aelodau presennol i wneud eu gorau dros gael yr awdurdodau a gynrychiolent i dderbyn y cynllun.'[5] Yn y cyfamser, ysgrifennodd Lloyd George erthygl hir i *Young Wales* ar 'Hunan Reolaeth Genedlaethol i Gymru' yn galw am 'system Ffederalaidd ym Mhrydain'.[6] Yn yr un gyfrol, fodd bynnag, cyhoeddir llythyr oddi wrth D. A. Thomas ar yr un pwnc: 'I am in favour of Home Rule all round but I see no immediate prospect of securing this, and I regard Welsh Disestablishment as the more practicable measure at the present time.'[7] Fel yr ysgrifennodd Stuart Rendel, roedd D. A. Thomas erbyn hyn yn 'Tory in disguise'.[8]

I ddeallusion organaidd megis O. M. Edwards, yn edrych ar y ddadl yn wrthrychol, roedd 'natur ymdrech y dyfodol yn dod yn amlycach o hyd. Pa un ai un llywodraeth ganolog ymhob gwlad, ynte rhwyfaint o hunanlywodraeth yng ngwahanol ardaloedd gwlad . . . Dyma'r ymdrech ym Mhrydain, bron ymhob agwedd . . .'.[9] Cyfarfu pwyllgor gwaith Ffederasiwn Rhyddfrydol y De ar 5 Tachwedd i dderbyn adroddiad W. H. Brown am drafodaethau Llandrindod. Y mae tri newid pwysig yn y fersiwn a dderbyniwyd gan y pwyllgor hwn: yn gyntaf, nid oes unrhyw sôn am hawliau gweithwyr na merched fel roedd yng nghyfansoddiad gwreiddiol y Cynghrair; yn ail, roedd yr ysgrifennydd cenedlaethol i fod yn fygedol yn hytrach nag yn gyflogedig; ac yn drydydd, defnyddir y term 'Ffederasiynau Taleithiol' i ddisgrifio'r strwythur canolraddol newydd.[10] Mae'n amlwg y byddai'r tri newid hyn yn gwneud y Cynghrair Cenedlaethol bron yn ddiystyr. Roedd y Rhyddfrydwyr ceidwadol a reolai'r pwyllgor yn benderfynol o rwystro Cymru Fydd. Fodd bynnag, cyfarfod blynyddol Ffederasiwn llawn y De fyddai'n cael y gair olaf ar y mater; penderfynodd y pwyllgor gwaith gynnal y cyfarfod blynyddol yn Ionawr 1896 yng Nghasnewydd – y dref fwyaf Seisnigaidd yn y De.

Roedd hyn yn rhoi deufis i'r ddwy garfan baratoi. Roedd Lloyd George a D. A. Thomas yn symud tuag at wrthdrawiad: grym anorchfygol yn taro gwrthrych ansymudol. Lloyd George oedd cadfridog Cymru Fydd:

> We had a most successful conference at Shrewsbury yesterday and arranged for our South Wales campaign. Herbert Lewis and William Jones will take the lead. There is a distinct advantage in that. It will strip the movement bare of any sectarian appearance. The Baptists who are a mighty power in South Wales are with us. But I am anxious the Methodists should come in. The Independents, especially the younger sort, are also with us.[11]

Dewiswyd Lewis a Jones i fraenaru'r tir am eu bod yn Fethodistiaid ac roedd Lloyd George eisiau uno'r enwadau yn erbyn y Ffederasiwn. Sefydlwyd canghennau yng Nghaerfyrddin, Ferndale, Tredegar a Rhymni.[12] Roedd sefydlu'r gangen yn Ferndale, Rhondda yn dileu effaith cyfarfod cynharach D. A. Thomas a Bryn Roberts yno ym Mai. Siaradodd Lloyd George yn ogystal â'r bardd, Elfed, yn Ferndale o blaid Cymru Fydd.[13] Roedd y Rhondda yn frwdfrydig iawn dros y Cynghrair newydd – gyda channoedd o lowyr D. A. Thomas ei hun yn troi allan i floeddio eu cefnogaeth.[14] Fodd bynnag, yn Sir Fynwy, yn ôl Lloyd George, roedd gan y rhan fwyaf o'r boblogaeth fwy o ddiddordeb mewn 'ffwtbolyddiaeth morbid' na chenedlaetholdeb.[15] Gweithiodd Lloyd George yn galed i gael golygyddion y De ar ochr Cymru Fydd:

> This morning I walked over the hill from Landore to Morriston with Towyn Jones and the Rev. W. P. Williams of *Seren Gomer*. Williams has been won over completely on Welsh Home Rule. That will be a great advantage because his paper has a circulation of 7,000 amongst the leaders of the Baptist denomination . . . Tom John of the *Glamorgan Free Press* won over. Ap Ffarmwr who is editor of the *Merthyr Times* I've asked to meet me tonight.[16]

Perswadiodd ef Ap Ffarmwr (J. O. Jones) i gefnogi'r Cynghrair.[17] Yng nghanol Rhagfyr, roedd Lloyd George yn dal yn optimistaidd am yr ymgyrch yn ne Cymru.[18]

Fodd bynnag, ar ddiwrnod olaf 1895, lansiwyd Cyrch Jameson yn Ne Affrica yn erbyn Gweriniaeth y Boeriaid yn Transvaal.[19] Roedd Dr Leander Starr Jameson (1853–1917) yn ffrind agos i Cecil Rhodes ac yn rhannu ei imperialaeth. Cynllwyniodd y ddau i ymosod ar y Boeriaid a dechrau *coup* i ddisodli llywodraeth Paul Kruger. Roedd Rhodes a Jameson yn dal i drafod hyn pan gyrhaeddodd Tom Ellis (gydag Ellis Griffith, AS) ar ei ail ymweliad â De Affrica yn Hydref 1895. Unwaith eto, cafodd Ellis ginio gyda Rhodes ac unwaith eto cafodd ei hudo:

> I think now of Rhodes what I have always thought of him. He is the strongest man in Africa whose broad shoulders and wonderful intellect are happily able to bear the strain that fate and his own will have placed upon them many years past. Mr Rhodes has been justified by time – the great justifier of a sound policy.[20]

Yn ôl Rhodes, trafodwyd Cyrch Jameson yn syth ar ôl i'r ymwelydd adael ei gwmni;[21] dengys hyn naïfrwydd gwleidyddol Ellis. Erbyn 2 Ionawr 1896 gorfodwyd Jameson a'i Gyrchwyr o bum cant i ildio gan y Boeriaid yn Krugersdorp. Cododd y Cyrch trychinebus hwn storm o brotest trwy'r byd, ac yn ne Cymru, pryfociodd ymateb cymysglyd. Roedd y *Western Mail* er enghraifft, yn cyfeirio yn sarcastig at Rhodes fel 'Mr Ellis's ideal colonist',[22] ond, ar y llaw arall, yn cefnogi safbwynt yr Ysgrifennydd Trefedigaethol, Joseph Chamberlain a oedd, mae'n debyg, wedi rhoi ategiad tawel i'r cynllwyn. Gorfodwyd Rhodes i ymddiswyddo yn Ionawr fel Prif Weinidog y Penrhyn ond roedd llawer ym Mhrydain yn meddwl amdano ef a Jameson fel arwyr.[23] Ymfflamychwyd ymatebiadau imperialaidd gan y telegram a yrrodd y Kaiser at Kruger (3 Ionawr 1896) yn ei longyfarch ar ei 'fuddugoliaeth'.[24]

Tanlinellwyd naws imperialaidd diwylliant gwleidyddol y cyfnod ar Ddydd Calan 1896, pan gyhoeddwyd Rhestr Anrhydeddau'r Flwyddyn Newydd, yn cynnwys penodiad y jingo, Alfred Austin (1835–1913) yn Fardd Llawryfog a ysgrifennodd 'Awdl i Gyrch Jameson'. Cafodd ddyrchafiad Austin ei farnu'n hallt yn y wasg Gymreig; roedd disgwyliad mai'r bardd Cymreig, Lewis Morris (1833–1907) a fyddai'n cael yr anrhydedd. Nid oes amheuaeth ei fod yn well bardd nag Austin, ond roedd gan yr Arglwydd Salisbury a'r Frenhines fwy o ddiddordeb mewn imperialaeth na barddoniaeth.[25]

Yr oedd, felly, cwmwl imperialaidd dros gyfarfod Casnewydd a oedd i gael ei gynnal ar 16 Ionawr. Yn gynnar yn y flwyddyn newydd,[26] aeth Lloyd George i'r De i baratoi ar gyfer y gynhadledd dyngedfennol: 'Dyma fi eto yng nghanol y rhyfel.'[27] Sicrhawyd Elfed i symud penderfyniad am un Cynghrair yn lle pedwar yn y gynhadledd,[28] a dewiswyd Lloyd George yn ddirprwy dros Landŵr (ger Abertawe) fel y gallai fynychu'r gynhadledd yn swyddogol.[29] Amlinellwyd y tri chwestiwn canolog a fyddai o flaen y gynhadledd yn glir mewn golygyddol yn y *South Wales Daily News*: yn gyntaf, ai ysgrifennydd cyflogedig yntau mygedol oedd i fod i'r Cynghrair cenedlaethol? Yn ail, ai Ffederasiynau yntau Dosbarthiadau Taleithiol oedd i fod? Ac yn olaf, a fyddai'r gynhadledd yn fodlon i unrhyw anghytundebau fynd i gynhadledd genedlaethol i'w datrys?[30] Fodd bynnag, yn yr un rhifyn (13 Ionawr 1896) ceir adroddiad o'r anghytundeb parhaol ar gwestiwn 'Wyth Awr i'r Glowyr', rhwng D. A. Thomas a'r Henadur David Morgan (Aberdâr), yn ogystal â dyfyniad o lythyr oddi wrth Rosebery yn mynegi pryder am y 'sefyllfa tramor'.[31]

Y diwrnod cyn y gynhadledd, cyfarfu pwyllgor gwaith Ffederasiwn y De i wneud eu paratoadau munud olaf, a gosodwyd o'u blaen ymddeoliad tactegol eu llywydd, D. A. Thomas. Honnodd ef mai un o'r rhesymau am ei ymddiswyddiad oedd bod 'gelyniaeth Gogledd Cymru i Ffederasiwn y De yn bersonol iddo ef'.[32] Mae'n amlwg bod Thomas eisiau codi eiddigedd rhanbarthol; roedd yn gwybod y byddai'r ffederasiwn yn ei ailwahodd i fod yn llywydd. Ymddengys fod paratoadau swyddogion ceidwadol y pwyllgor gwaith wedi bod yn gudd yn ogystal ag yn agored. Ar fore'r gynhadledd, cyhoeddwyd llythyr o Arberth ym Mhenfro ac adroddiad o Dredegar yng Ngwent, nad oedd y Cymdeithasau Rhyddfrydol lleol wedi derbyn na gwahoddiad na thocynnau oddi wrth ysgrifennydd y ffederasiwn, Morgan Thomas.[33] Fel y gwelwn, roedd hyn yn wir am Gymdeithasau Rhyddfrydol eraill a oedd yn cefnogi Cynghrair Cymru Fydd.

Mae dydd Iau, 16 Ionawr 1896 yn un o'r dyddiadau pwysicaf yn hanes modern Cymru. Dyma foment hanesyddol pan oedd siawns o greu, drwy Gynghrair unedig, fudiad cenedlaethol ymwthiol, grymus. Cynhaliwyd cyfarfod blynyddol Ffederasiwn Rhyddfrydol De Cymru ym mhrif neuadd Casnewydd. Sut le oedd Casnewydd yn 1896?

Newport, whose population was only 2,346 in 1811 would have rocketed to 11,450 by 1901. Through this period of unprecedented industrial growth in Wales, Newport would rank as one of the most spectacular examples of a new urban presence. Men flocked to built its new docks, to service its ships, to work in its shops and to develop its thriving commercial life.[34]

Roedd y dref yn un o brif ganolfannau cyfalafiaeth yn y De. Roedd y neuadd yn orlawn o 'ddirprwywyr'; mae'r adroddiadau yn nodi presenoldeb nifer nad oedd erioed o'r blaen wedi mynychu cyfarfodydd Rhyddfrydol.[35] Cadeirydd y cyfarfod oedd Albert Spicer (1847–1934), Aelod Seneddol Bwrdeistrefi Mynwy. Sais o Brixton oedd Spicer, gŵr busnes a Rhyddfrydwr Imperialaidd a oedd yn aelod o'r British Empire Club.[36] Mae'n amlwg o'r ffordd y llywyddodd y gynhadledd ei fod yn wrth-wynebus i Gymru Fydd. Wedi darlleniad yr adroddiad blynyddol, pwysleisiodd y cadeirydd 'y ddyletswydd o beidio ag anghofio y Genedl Fwy a'r Ymerodraeth Fwy',[37] cyn gofyn a oedd sylwadau ar yr adroddiad. Cododd yr Henadur Freeman (Abertawe) ar ei draed i brotestio am hwyrder y gwahoddiadau swyddogol i'r gynhadledd, a oedd yn golygu absenoldeb y siroedd amaethyddol ac yn protestio bod ysgrifennydd y ffederasiwn wedi gwrthod tocynnau i nifer o gymdeithasau lleol. Er gwaethaf ymdrechion y cadeirydd i gau ei geg parhaodd i brotestio, a gorfodwyd D. A. Thomas i wadu yr honiadau a wyddai pawb eu bod yn wir.

Y pwynt nesaf ar yr agenda oedd ethol pwyllgor gwaith. Awgrymodd William Brace nad oedd angen ethol swyddogion, gan mai holl bwrpas y gynhadledd oedd uno â'r Cynghrair: 'it would from his point of view be a standing disgrace if the con-ference did not agree to one National Federation.'[38] Fodd bynnag, dyfarnodd y Cadeirydd y dylid ethol swyddogion, ac ailethol-wyd yr un pwyllgor ag o'r blaen gyda D. A. Thomas yn ffug-ddiolch i'r gynhadledd am ei 'ail-wahodd a'i ail-ethol'.[39]

Yn y prynhawn, daethpwyd i adroddiad W. H. Brown ar y cyfansoddiad newydd. Roedd dadl gyhoeddus rhwng Brown a Beriah Evans am gywirdeb yr adroddiad ar y cyfansoddiad cyn dod at y cwestiwn o'r ysgrifennydd cenedlaethol – mygedol neu daledig? Gwrthwynebwyd talu'r ysgrifennydd cenedlaethol gan y miliwnydd D. A. Thomas am mai 'plaid dlawd ydoedd y Blaid Ryddfrydol'.[40] Aeth Lloyd George i'r llwyfan a siaradodd yn gryf o blaid cael ysgrifennydd cyflogedig; cymerodd y siawns hefyd i alw am un Cynghrair gyda Chyngor Cenedlaethol effeithiol; dangosodd y byddai pedwar ffederasiwn yn costio mwy fyth:

> He thought the issue ought to be raised now – was it going to be a National Council which was to meet once or twice a year merely for show purposes and to pass resolutions, or was it going to be a National Council that would dominate in the country? (Hear, hear and Cheers). They had a sham National Council now – a paper National Council. They did not want any more paper councils (cheers) – but let them have a Council that would voice the opinion of the Welsh people.[41]

Aethpwyd yn syth i'r bleidlais ar ôl araith Lloyd George a dilëwyd y gair 'mygedol' o 96 pleidlais i 82 – roedd yr ysgrifennydd cenedlaethol i fod yn gyflogedig, ac roedd Cymru Fydd wedi ennill ar y cwestiwn cyntaf.

Yr ail gwestiwn oedd: a ddylid sefydlu pedwar ffederaswin fel rhan o'r strwythur newydd? Symudwyd gwelliant gan y Parch. Elfed Lewis (Llanelli) y dylid ffurfio un ffederasiwn cenedlaethol yn unig a dileu y syniad o bedwar ffederasiwn taleithiol. Ac yna daeth yr araith a achosodd storm o brotest. Daeth yr araith o enau un Robert Bird, UH, Henadur Seisnig o Fryste, gŵr busnes oedd ar bwyllgor Ffederasiwn Rhyddfrydol Lloegr ac yn llywydd Cymdeithas Ryddfrydol Caerdydd:

> He considered it was bold on the part of anyone who was not a Welshman to speak on an occasion like that. It was, however, no fault of his that he was not a Welshman; it might not be so in North Wales – but they had in South Wales, from Swansea to Newport, a population that was not altogether Welsh, and that would not – to use the words that Mr George had used that day – submit to the domination of Welsh ideas. (Loud uproar and general manifestations of dissent, intermingled with cries of 'Shame!')[42]

Ceisiodd nifer fynd i'r llwyfan ar yr un pryd; yn ôl y *Western Mail*, aeth yn 'Ardd-bleiddiaid Radicalaidd'.[43] Ond, er gwaethaf gosodiad hiliol Bird, ni farnwyd ef gan y cadeirydd o Sais:

Several of the delegates tried to address the Chair, but their voices did not reach the platform, and the Chairman sternly demanded that 'Everyone should sit down! Mr Bird has the Chair, and if he says anything which I think he ought not to say, I will pull him up'. Mr Bird, continuing, said he could not understand why a mere quotation from the lips of their eloquent friend Mr Lloyd George should have raised such a storm of opposition . . .

Er gwaethaf nifer o 'Bwyntion Trefn', gadawodd y Cadeirydd i Bird fynd yn ei flaen.

Mr Lloyd George had stated that he wanted a Council that should dominate throughout the whole of the Principality. Very well, in regard to that he [Mr Bird] made the statement which they seemed to object to. He gave them his opinion, and his opinion, of course, was only what it was worth. He said that throughout South Wales, from Swansea to Newport, there were thousands of Englishmen [*sic*] as true Liberals as they were, who would object to the idea and to the principle which Mr Lloyd George had enunciated. (Voice: 'He did not mean what you say; you are putting a wrong construction upon it!')[44]

Cododd Lloyd George i ymateb i hyn, ac roedd ond yn deg iddo gael gwneud hynny – byddai cadeirydd diduedd wedi rhoi'r siawns iddo. Ond erbyn hyn roedd nifer o Saeson lleol wedi dod i mewn i'r neuadd ac aeth yn weiddi a banllefau rhwng y ddwy garfan. Gofynnodd y cadeirydd i'r gynulleidfa a fynnent glywed Lloyd George? Cafwyd pleidlais, a'r canlyniad oedd 84 o blaid, 121 yn erbyn. Sylwer bod cyfanswm y pleidleiswyr yn 27 mwy nag ar y bleidlais gyntaf – 'O ba le y daethent? Yr ateb oedd fod tocynnau wedi eu danfon i ysgrifennyddion saith o Gymdeithasau i'w rhannu i'r neb a fynnent.'[45] Yr oedd y cyfarfod wedi cael ei 'bacio' ac roedd y bleidlais i 'beidio clywed' Lloyd George, yn dangos ofn swyddogion y Ffederasiwn. Fel mae Grigg wedi ysgrifennu: 'It was perhaps the greatest compliment ever paid to him as an orator, but it also showed that the South Wales bosses would defend their position, by fair means or foul'.[46] Aeth y Cynghorydd Morgan Walters (Pontllan-fraith) i'r llwyfan i ymateb i Bird ar ran Cynghrair Cymru Fydd:

Mr Walters said it seemed strange that a gentleman should come
here to tell them that they were not to be a nation. Are we to bow
the knee? We are here today to be united as a nation: and when we
come to be united as a nation the few Englishmen among us must
obey! . . . And to be dominated by any Englishmen, however great
– Welsh people will not endure it any longer! (Cheers.)[47]

Fodd bynnag, y tro hwn, gorchfygwyd gwelliant Elfed o 133
pleidlais i 70. Ar ben hyn, gwrthododd y gynhadledd roi'r gair
olaf i gonfensiwn cenedlaethol. Yna, mewn pum munud, pasiwyd
penderfyniadau o blaid Datgysylltiad Eglwys Loegr yng Nghymru
heb unrhyw wrthwynebiad.[48]

Aeth swyddogion y Ffederasiwn i ffwrdd i ddathlu eu 'budd-
ugoliaeth' mewn cinio a roddwyd iddynt gan D. A. Thomas.
Cynigiodd Robert Bird y llwncdestyn: 'Tŷ'r Cyffredin'.[49] Tra
oedd y rhain yn ciniawa roedd Lloyd George a 70 o ddirprwyon
Cymru Fydd yn cynnal cyfarfod protest dan gadeiryddiaeth yr
Henadur Freeman (Abertawe). Dangosodd Lloyd George fod y
gynhadledd wedi cael ei bacio i'r to gyda dirprwyon nad oedd
hawl ganddynt i fod yno; dim ond saith allan o ugain etholaeth a
gynrychiolwyd:

We have been told by Mr Robert Bird that in our country of Wales,
'Welsh ideas' must not be allowed to dominate . . . (Cries of
'Shame'.) In Mr Bird's opinion Wales must be dominated by a small
coterie of English capitalists who have come to Wales and made
their fortunes here. But, as Welshmen, we are not going to subscribe
to Mr Bird's preposterous theory. Wales belongs to the Welsh people,
and the Welsh people have as good a right to have their policy
directed in accordance with Welsh views as the English people have
to have England governed according to English principles or
Ireland controlled according to Irish ideas. (Applause.)[50]

Yn ôl *Baner ac Amserau Cymru*, gofynnodd y cwestiwn:

A yw lliaws y genedl Gymreig yn mynd i gymryd eu harglwydd-
iaethu gan glymblaid o gyfalafwyr Seisnig sydd yn dyfod i Gymru,
nid i ddyrchafu'r bobl, ond i wneud eu ffortiwn eu hunain? Yr wyf
yn gwrthod y fath syniad gyda dirmyg![51]

Ysgrifennodd Thomas Gee (Y Taranwr) yn urddasol:

> Traethwyd syniadau a'i gwnaeth yn beth amhosibl i unrhyw
> Gymro eu goddef heb ddatgan ei anghymeradwyaeth llwyraf . . .
> Buasai gwrando heb ddatgan anghymeradwyaeth yn gydnabydd-
> iaeth o waseiddiwch gwaradwyddus ar ran y personau oedd yno.[52]

Mae'n amlwg o'r holl dystiolaeth gyfoes fod llywydd Ffeder-
asiwn y De a'i gyd-deithwyr wedi cynllwynio i sicrhau na cheid
penderfyniad democrataidd yn y cyfarfod blynyddol. Roeddent
yn ofnus o lwyddiant ymgyrch Lloyd George yn y De – er enghraifft
yn y Rhondda – ac mae'n ddigon tebyg, petai holl gynrychiolwyr
y De wedi bod yn y cyfarfod, y byddai'r bleidlais wedi mynd o
blaid uno â Chymru Fydd ac y byddai hanes modern Cymru yn
wahanol o'r herwydd.

Mewn llythyr o westy'r Westgate, Casnewydd (man gwrth-
ryfel 1839) at Herbert Lewis, cyfaddefodd Lloyd George:

> Yr ydym wedi ein trechu heddiw. The meeting was disgracefully
> packed – with Newport Englishmen. The majority of those present
> today were Englishmen. East Carmarthen and West Monmouth
> had been refused tickets! Pembrokeshire and Cardiganshire received
> notice so late that they could not meet to elect delegates and con-
> sequently were not represented . . . We have decided to summon
> the A.G.M. of the W.N.F. at Swansea at once. Wales is with us – the
> Rhondda proved that. They shut me up on the second resolution.[53]

Ysgrifennodd Herbert Lewis yn ei Ddyddiadur: 'As we antici-
pated, a packed meeting. Lloyd George shut up. This will be the
end of the negotiations with them.'[54] Yn ei lythyr adref ymhelaeth-
odd Lloyd George ar hyn:

> The meeting of the Federation was a packed one. Associations
> supposed to be favourable to us were refused representation and
> men not elected at all received tickets. There were two points of
> dispute between us. By some oversight they allowed me to speak
> on one and we carried it . . . they went to the vote immediately after
> my speech and I can assure you the impression made could be felt.
> I simply danced upon them. So they refused to allow me to speak
> on the second point. The majority present were Englishmen from
> the Newport district. The next step is that we mean to summon a

> Conference of South Wales and to fight it out. I am in bellicose form and don't know when I can get home.[55]

Aeth Lloyd George ymlaen i Gaerdydd ac Abertawe:

> Welsh Wales is with us to the fore. We have simply got to stir it up. I went to Swansea today and saw a number of our friends. They are delighted we should have chosen Swansea. I told them we had asked the South Wales Federation to do so but that the Cardiff chaps were jealous of Swansea – there is a deadly rivalry as you know between the two towns. Just fel Bangor a Chaernarfon.[56]

Yn wythnos gyntaf Chwefror cynhaliwyd cyfarfod Cymru Fydd yn Abertawe:

> The object of the conference – which was carried on behind closed doors – was to take into consideration the present position of the Cymru Fyddites after the Newport Federation meeting. It was stated that the Newport meeting was in no way a representative gathering, and could not therefore represent the wishes of the Principality.[57]

Gorchfygwyd Cynghrair Cymru Fydd trwy ystryw annemocrat-aidd. Daliodd rhai cymdeithasau Cymru Fydd lleol ati hyd droad y ganrif[58] ond roedd y Cynghrair ar ben yn 1896. Ymsododd nifer o bapurau Cymreig ar y 'Taffia' bondigrybwyll yn y De-ddwyrain a datganodd Llewelyn Williams yn *Young Wales*: 'We shall become Nonconformists in our politics as well as in our religion!'[59]

Sylweddolodd Lloyd George erbyn diwedd Chwefror fod y Cynghrair ar ben, a cheisiodd berswadio'r Pwyllgor Radicalaidd yn Nhŷ'r Cyffredin i dderbyn hunanreolaeth ffederalaidd yn rhan o'u rhaglen. Blwyddyn ar ôl iddo ef a Dalziel basio penderfyniad o blaid hunanreolaeth ffederalaidd yn y Tŷ, ysgrifennodd Lloyd George gyfres o lythyrau adref yn olrhain ei ymdrechion i ber-swadio'r Radicaliaid:

> The Radical Committee today fixed Tuesday week for the general meeting of their members to consider my motion on Home Rule All Round. That is very important for me to carry and it will not be easy as it will change the policy of the Liberal Party. It would lift the question at once to the very front rank of the programme.[60]

Daeth amser y cyfarfod ar 24 Mawrth, gyda 56 aelod yn bresennol ac Albert Spicer yn llywydd eto. Cefnogwyd penderfyniad ffederalaidd Lloyd George gan John Dillon a Labouchere, ond gwrthwynebwyd ef gan dri Rhyddfrydwr Imperialaidd – Syr Charles Dilke, W. S. Robson QC ac R. B. Haldane QC. Penderfynwyd peidio â rhoi'r cwestiwn i'r bleidlais.[61] Roedd y *Zeitgeist* imperialaidd yn rhy gryf ar y pryd i berswadio'r Pwyllgor Radicalaidd i roi ffederalaeth ar eu rhaglen. Fel mae Alun Davies wedi sylwi: 'Mewn gwirionedd, gwrthgenedlaethol oedd gogwydd yr amserau erbyn diwedd y bedwaredd ganrif ar bymtheg a than y Rhyfel Byd Cyntaf.'[62]

O hynny ymlaen, penderfynodd Lloyd George ganolbwyntio ar nodau canolraddol, ond cadw amcan tymor-hir hunanreolaeth hefyd. Er enghraifft, yn Ebrill, dywedodd wrth y llywodraeth y dylent agor swyddfa i'r Cyllid Gwladol yng Nghymru, yn ogystal ag yn Llundain, Caeredin a Dulyn; ac aeth ymlaen i ddangos ei eangfrydedd trwy ddweud y byddai gogledd Cymru yn fodlon pe dewiswyd Caerdydd fel prifddinas. Sefydlodd Lloyd George grŵp byrhoedlog o 19 aelod seneddol, y 'Radical Manifesto Committee' ar 19 Mai a phasiodd benderfyniad ynddo y dylid 'diddymu Tŷ'r Arglwyddi a sefydlu system ffederalaidd yn y Deyrnas Unedig.'[63]

Roedd mwy o obaith o ddatganoli diwylliannol yn y cyfnod hwn. Ym Mai 1896, sefydlwyd Bwrdd Canolog Cymru i arolygu a chydgordio addysg yn ysgolion Cymru. Y llywydd cyntaf oedd A. C. Humphreys-Owen; yr is-lywydd oedd J. Viriamu Jones, yr arolygwr oedd Owen Owen, Croesoswallt, a'r clerc oedd Percy Watkins[64] – y tri olaf yn gefnogwyr brwd i Gymru Fydd. Roedd 81 ysgol ganolraddol erbyn 1897 a 95 erbyn 1903. Parhaodd y Bwrdd i wneud gwaith gwerthfawr hyd sefydlu Cyd-bwyllgor Addysg Cymru ganol yr ugeinfed ganrif.

Roedd ar Lloyd George angen gwyliau hir wedi ei holl ymdrechion dros hunanreolaeth, ac aeth ar fordaith i'r Ariannin yn haf 1896 gyda Henry Dalziel a Herbert Lewis. Yno, cyflwynwyd hwynt i'r Arlywydd Roca ac i fab ieuengaf Michael D. Jones, Dr Mihangel ab Iwan. Cyflwynwyd adroddiad swyddogol iddynt ar sefyllfa'r Wladfa ym Mhatagonia.[65]

Pan ddychwelodd Lloyd George i Gymru, gwahoddwyd ef i ddraddodi anerchiad agoriadol Cymdeithas Genedlaethol Gymreig myfyrwyr Coleg Aberystwyth ar ddechrau Rhagfyr 1896 – ddeng mlynedd yn union ar ôl araith Tom Ellis yn yr un coleg yn Rhagfyr 1886. Mae'n amlwg o'r anerchiad nad oedd Lloyd George wedi colli ei ffydd yng Nghymru Fydd na'i gred mewn hunanreolaeth:

> Mae cenedligrwydd Gymreig wedi goroesi dwy fil o flynyddoedd er gwaethaf pob ymgais i'w dileu. Ceisiodd rymoedd cryfaf y byd ei sathru, ei pherswadio a hyd yn oed ei *gweddïo* allan o fodolaeth . . . ac eto dyma ni: yn ffurfio cymdeithasau cenedlaethol Gymreig, yn sefydlu Prifysgol Gymreig, ac yn hawlio yr un mesur o hunan-reolaeth y bu i'n cyn-deidiau frwydro a marw drosto gannoedd o flynyddoedd yn ôl.[66]

Gwelir, hefyd, mewn araith ym Mangor a ddyfynwyd yn y *Times* yn ddiweddarach yn y mis, ei fod yn dal i weld y cysylltiad rhwng buddiannau'r dosbarth gweithiol a datganoli gwleid-yddol:

> The House of Commons has done nothing for the working classes. They have no right to obtrude their claims until their betters have been saved. The Unionist machine is a series of breakdowns. If they refuse the powers of discussing Bills to the Commons, they transfer the power to the Cabinet which means setting up an oligarchy. The only remedy is Home Rule, for the block in Parliament is attribut-able to the greater demand for legislation.[67]

Flwyddyn ar ôl cynhadledd Casnewydd, ar 27 Ionawr 1897, cynhaliwyd cyfarfod yn Chelsea o Gymdeithas Cymru Fydd Llundain, gyda Lloyd George yn siarad ar 'Cenedlaetholdeb Cymreig'. Dangosodd fod gwir genedlaetholdeb yn golygu rhyng-genedlaetholdeb:

> Nid oes cenedl mor barod i helpu eraill â'r hon sydd yn ffyddlon iddi ei hun.[68]

Yr oedd breuddwyd Cymru Fydd yn dal yn fyw.

Nodiadau

[1] David Lloyd George at Margaret Lloyd George, 16 Awst 1895 (LlGC, Papurau Lloyd George).

[2] Viscountess Rhondda, *D. A. Thomas, Viscount Rhondda* (London, 1921), t. 30.

[3] *BAC*, 2 Hydref 1895.

[4] Ibid.

[5] Ibid. Gweler llythyr David Lloyd George at Thomas Gee, 9 Hydref 1895 (LlGC, Papurau Thomas Gee, 8310E, 501).

[6] D. Lloyd George, 'National Self-Government for Wales', *Young Wales* (Hydref 1895), 231–5.

[7] 'Our Round Table Conference: Home Rule All Round', *Young Wales* (Hydref 1895), 238.

[8] Stuart Rendel at A. C. Humphreys-Owen, 10 Rhagfyr 1895 (LlGC, Papurau Glansevern, 672).

[9] O. M. Edwards, 'Gyrfa'r Byd', *Y Llenor* (Hydref 1895), 5. Gweler hefyd 'Norwy a Sweden', ibid., 67–86, sy'n cymharu'r berthynas rhwng y ddwy wlad hynny a'r berthynas rhwng Cymru a Lloegr.

[10] *SWDN*, 6 Tachwedd 1895.

[11] David Lloyd George, llythyr adref, 8 Tachwedd 1895 (LlGC, Papurau Lloyd George).

[12] Ceir adroddiadau ar y cyfarfodydd yn *BAC*, rhwng 13 Tachwedd 1895 a 18 Rhagfyr 1895.

[13] Gweler llythyr David Lloyd George adref, 12 Tachwedd 1895 (LlGC, Papurau Lloyd George). Am H. Elfed Lewis (1860–1953), gweinidog yr Annibynwyr yn Llanelli, gweler E. G. Jenkins, *Elfed* (Aberystwyth, 1957).

[14] David Lloyd George, llythyr adref, 21 Tachwedd 1895 (LlGC, Papurau Lloyd George).

[15] David Lloyd George, llythyr adref, 19 Tachwedd 1895 (LlGC, Papurau Lloyd George). Am 'ffwtbolyddiaeth' Casnewydd, gweler Gareth Williams a Dai Smith, *Fields of Praise* (Caerdydd, 1980), t. 65.

[16] David Lloyd George, llythyr adref o Landŵr, 22 Tachwedd 1895 (LlGC, Papurau Lloyd George); *Merthyr Times*, 28 Tachwedd 1895.

[17] J. O. Jones, 'The National Awakening in its Relation to the Press', *Young Wales* (Rhagfyr 1895), 280–4.

[18] David Lloyd George at Herbert Lewis, 13 Rhagfyr 1895 (LlGC, Papurau J. H. Lewis).

[19] Y llyfr gorau ar Gyrch Jameson yw Jeffrey Butler, *The Liberal Party and the Jameson Raid* (Rhydychen, 1968). Gweler y golygyddol 'The Fight for Markets', *SWDN*, 1 Ionawr 1896.

[20] Cyfweliad yn y *Westminster Gazette*, 7 Tachwedd 1895. Gweler hefyd lythyr Tom Ellis am Dde Africa, ibid., 8 Tachwedd 1895.

[21] Ibid., 9 Chwefror 1898; *Western Mail*, 10 Chwefror 1898.

22 *Western Mail*, 8 Ionawr 1896; cf. 'Chamberlain and Rhodes', *SWDN*, 2 Ionawr 1896.

23 'The Signs of the Times', *SWDN*, 7 Ionawr 1896.

24 *SWDN*, 4 Ionawr 1896; ac ateb 'diolchgar' Kruger, 6 Ionawr 1896.

25 Gweler *Y Cymro*, Ionawr 1896; *SWDN*, 2–3 Ionawr 1896; *Young Wales* (Ionawr 1896), 2. Gweler hefyd, 'Nodiadau Llenyddol, adolygiad o *A Vision of Saints* gan Lewis Morris,' *Y Traethodydd* (Mawrth 1891), 157–60. Roedd Morris yn Rhyddfrydwr ac yn Is-lywydd Coleg Prifysgol Cymru, Aberystwyth, 1896–1907.

26 Gweler erthygl gan ffrind Lloyd George (a golygydd y *Liverpool Daily Post*), Syr Edward Russell, 'The Liberal New Year', *Contemporary Review*, 69, Rhif 361 (Ionawr 1896).

27 David Lloyd George, llythyr adref, 12 Ionawr 1896 (LlGC, Papurau Lloyd George).

28 David Lloyd George at Herbert Lewis, 4 Ionawr 1896 (LlGC, Papurau J. H. Lewis).

29 David Lloyd George, llythyr at Margaret Lloyd George, 13 Ionawr 1896 (LlGC, Papurau Lloyd George).

30 Golygyddol, 'The Liberal Federation Meetings in Newport', *SWDN*, 13 Ionawr 1896.

31 Ibid.

32 *SWDN*, 16 Ionawr 1896.

33 Ibid. Gweler hefyd y llythyr oddi wrth ysgrifennydd y Cynghrair, Beriah G. Evans, ibid.

34 Smith a Williams, *Fields of Praise*, t. 65.

35 Ceir adroddiadau llawn yn *SWDN*, 17 Ionawr 1896; *Western Mail*, 17 Ionawr 1896; *BAC*, 25 Ionawr 1896; *Y Tyst a'r Dydd*, 24 Ionawr 1896.

36 Gweler T. Marchant Williams, 'Albert Spicer', *The Welsh Members of Parliament* (Caerdydd, 1894), tt. 55–6.

37 *SWDN*, loc. cit.

38 Ibid.

39 Ibid.

40 *SWDN*, 17 Ionawr 1896.

41 *SWDN*, ibid.

42 Ibid.

43 'A Radical Bear-garden; Outbreak of Anti-Welsh Feeling in Newport', *Western Mail*, 17 Ionawr 1896:

44 *SWDN*, 17 Ionawr 1896.

45 *BAC*, 25 Ionawr 1896.

46 John Grigg, *The Young Lloyd George*, (Llundain, 1973), t. 202.

47 *SWDN*, 17 Ionawr 1896.

48 Ibid.

49 Ibid.

50 *BAC*, 25 Ionawr 1896.

51 Ibid.

53 David Lloyd George at Herbert Lewis, 16 Ionawr 1896 (LlGC, Papurau J. H. Lewis). Ar y gwesty hwn yr ymosododd y Siartiaid, yn aflwyddiannus, yn 1839.

[54] Dyddiadur Herbert Lewis, 16 Ionawr 1896 (LlGC, Papurau J. H. Lewis).

[55] David Lloyd George at ei deulu, 16 Ionawr 1896 (LlGC, Papurau Lloyd George). Gweler hefyd J. Hugh Edwards, 'Political Organization in Wales', *Young Wales* (Ionawr 1896), t. 24 a Llewelyn Williams 'Through Welsh Spectacles', *Young Wales* (Chwefror 1896), 30–3.

[56] David Lloyd George at ei deulu, 18 Ionawr 1896 (LlGC, Papurau Lloyd George). Gweler hefyd y *SWDN*, 20 Ionawr 1896, t. 6.

[57] *SWDN*, 7 Chwefror 1896.

[58] Yn ninasoedd Lloegr, parhaodd Cymdeithasau Cymru Fydd tan y Rhyfel Byd Cyntaf.

[59] W. Llewelyn Williams, 'Through Welsh Spectacles', *Young Wales* (Chwefror 1896), 31.

[60] David Lloyd George at Margaret Lloyd George, 24 Mawrth 1896 (LlGC, Papurau Lloyd George). Gweler 'Political Notes', *The Times*, 24 a 25 Mawrth 1896; *Saturday Review*, 28 Mawrth 1896.

[61] Alun Davies, 'Cenedlaetholdeb yn Ewrop a Chymru yn y Bedwaredd Ganrif ar Bymtheg', *Efrydiau Athronyddol*, XXVII (1964), t. 21.

[62] Araith yn Nhŷ'r Cyffredin, 10 Ebrill 1896, Hansard, Parl. Debs. (cyfres 4) cyfrol 39, colofnau 703–9. Gweler *The Times*, 20 a 29 Mai 1896.

[63] Percy Watkins, *A Welshman Remembers* (Caerdydd, 1944). Gweler hefyd L. J. Roberts, HMI, 'List of Intermediate Schools in Wales', *Young Wales* (Ebrill 1897), 96, a J. Vyrnwy Morgan, *A Study in Nationality* (Llundain, 1911), t. 387.

[64] Gweler cyfweliad David Lloyd George yn y *Manchester Guardian*, 26 Hydref 1896.

[65] Dyfynnwyd yn H. Du Parcq, *The Life of David Lloyd George*, t. 146.

[66] *The Times*, 17 Rhagfyr 1896.

[67] *Celt Llundain*, 30 Ionawr 1897. Gweler hefyd D. Lloyd George, 'The Place of National Self-Government in the Next Liberal Programme', *Young Wales* (Ionawr 1897), 11–15.

10

Y Chwyldro Anorffenedig

Crisialwyd nifer o themâu hanes modern Cymru yn y degawd cynhyrfus rhwng 1886 a 1896. Rhain oedd y blynyddoedd pan ddaeth y dosbarth canol i rym yng Nghymru: hyn sydd y tu cefn i ynni'r cyfnod. Ar binacl Cymru Fydd yn Ionawr 1895, gallai O. M. Edwards adrodd bod:

> pobl dan ddeugain oed fedr gofio tri math o gynrychiolaeth ar Gymru – hen ysweiniaid yn eithafion pob Ceidwadaeth, Saeson cyfoethog Rhyddfrydig, Cymry ieuainc gwladgarol. Oddiwrth y tri math hwn, gwelwn gyflymder a chyfeiriad symudiadau gwleidyddiaeth Cymru.[1]

Ar ôl yr ymdrech i estyn yr etholfraint, daeth yr ymdrech am ddatganoli – 'am amrywiaeth mewn undeb'.[2] Blwyddyn ganolog chwyldro Cymru Fydd oedd 1889, pan gipiwyd y cynghorau sir mewn ymgyrch ysgubol. Disodlwyd yr ysweiniaid a gwthiwyd y tirfeddianwyr oddi ar eu meinciau gan y bwrgeiswyr: hwy oedd yr elît newydd. Yn hanfodol, roedd yn chwyldro lleol yn yr ystyr ei fod yn chwyldro sirol. Ymdrech carfan flaenaf Cymru Fydd ar ôl 1889 oedd ceisio gwthio'r chwyldro tu hwnt i'w ffiniau sirol a'i droi yn chwyldro cenedlaethol a fyddai'n sicrhau hunanreolaeth i Gymru. Y dull a ddewiswyd i gyflawni'r chwyldro oedd Cynghrair Cymru Fydd. Rhaid gofyn y cwestiwn yn awr, pam y methodd y Cynghrair? Mae'r rhesymau yn gymhleth, ond gellir eu rhannu yn ddau gategori: achosion allanol ac achosion mewnol. Dechreuwn gyda'r achosion allanol.

Erbyn 1886, roedd Imperialaeth Newydd wedi datblygu ym Mhrydain, gydag elfennau Cymreig yn cymryd rhan ymylol mewn cyd-imperialaeth. Mae ymerodraethau yn goroesi nid yn unig drwy rym oruchafiaeth filwrol ond hefyd drwy fewndynnu gwrthryfelwyr o'r tiriogaethau. Dyma dechneg glasurol y sefydliad Seisnig ac mae i'w weld yn glir yn hynt gyrfa radicaliaid Cymreig o Tom Ellis i Elis-Thomas (2006). Dechreuodd Ellis fel gwrthryfelwr Cymreig, yna daliodd haint imperialaeth yn Ne Affrica a bu farw'n Brif Chwip. Dechreuodd fel 'dyn y golau' a gorffennodd fel 'gwleidydd mecanyddol'. Ni ellir ond cytuno â chasgliad trist Gwenallt – y buasai Ellis, fel Rhyddfrydwr Imperialaidd, wedi cefnogi Rhyfel De Affrica (1899–1902), pe byddai wedi byw yn ddigon hir.[3] Gwnaeth O. M. Edwards gymhariaeth drawiadol yn 1895 rhwng 'Ymerodraeth ac Ymreolaeth'.[4] Efallai nad y cyfnod rhwng Jiwbili 1887 a Jiwbili 1897 oedd yr amser mwyaf llewyrchus i geisio ymreolaeth. Ar yr un diwrnod â chyfarfod Casnewydd, cyfeiriodd George Foster yn Nhŷ'r Cyffredin Canada at y sefyllfa ar ochr arall yr Iwerydd: 'in these somewhat troublesome days when the great Mother Empire stands splendidly isolated in Europe'.[5] Roedd y Cymru Fyddwyr yn rhwyfo yn erbyn y llif. Yr Ymerodraeth a orfu yng Nghasnewydd. Fel y mae A. P. Thornton wedi dweud: 'the emanations of jingoism at its worst . . . provide proper study for those who wish to understand group neurosis.'[6] Daw dryswch y Cymry ynghylch y frenhiniaeth allan yn eglur mewn llythyr gan Lloyd George yn disgrifio gwledd fawr yn y Mansion House yn 1892:

> Sam Evans under some sudden impulse declined to get up with the rest of the company when the toast of the Queen was being given. It was utterly unpremeditated on his part and why he did it no one knows. There was quite a scene raging round him, Lascalles Carr, the editor of the *Western Mail*, getting very excited and taking up a glass of wine to chuck it over Sam. He was stopped. One fellow threatened to chuck him out. The proper thing to be done was either not to go there at all or merely get up and not pledge the old lady by raising the glass. I adopt the latter course.[7]

Trwy gyd-imperialaeth, roedd y Cymry yn cymryd rhan yn eu gormes eu hunain. Roedd edmygedd anffodus deallusion Cymreig y cyfnod o athroniaeth niwlog, awdurdol Hegel yn cyfrannu at feddwl gwleidyddol anelwig: gosodent wladwriaeth, yn hytrach na gweriniaeth, fel y nod i'r bobl. Y canlyniad oedd cadarnhau statws israddol tywysogaeth.

Roedd rhesymau mewnol, hefyd, am orchfygiad Cynghrair Cymru Fydd. Roedd nifer o'r Aelodau Seneddol, er enghraifft, yn yrfawyr, gyda mwy o ddiddordeb yn eu gyrfaoedd eu hunain nag yng ngyrfa Cymru. Cenfigen a checru oedd yn nodweddu eu perthynas â'i gilydd, ac roeddent yn cael anhawster mawr cydweithio fel plaid. Yn cyd-fynd â hyn roedd math arall o hunanoldeb – cenfigen ranbarthol. Roedd y Cymry yn fwy sirgarol na gwladgarol – dangosent sirgarwch yn hytrach na gwladgarwch – gydag un ffederasiwn i'r 'gog' a ffederasiwn arall i'r 'hwntw'. Mae'n arwyddocaol bod ysgrifenyddion y ffederasiynau hyn – Fred Llywelyn-Jones yn y Gogledd a Morgan Thomas yn y De – ill dau yn gwrthwynebu'r Cynghrair: nid oeddent am golli eu safleoedd. Ym marn y Cynghorydd Moses Walters, Pontllan-fraith: 'the Welsh people are their own oppressors for the want of unity and organisation, and by allowing too many of our Welsh MPs to be our masters instead of being our servants'.[8]

Rhaid barnu'r Cynghrair ei hun, i raddau. Cenedlaetholdeb rhamantus oedd cenedlaetholdeb Cymru Fydd. Roedd dadansoddiad y bardd Gwenallt yn gyffredinol gywir pan ddywedodd nad oedd gan arweinwyr Cymru Fydd: 'ddiffiniad o genedlaetholdeb na disgrifiad o Ymreolaeth'. Gwelsom fod rhai wedi ceisio gweithio allan diffiniad a disgrifiad, ond nid oedd y mudiad fel mudiad yn glir am ei amcanion: 'Eu harwyddair oedd "I godi'r hen wlad yn ei hôl" ond ni ddywedasant yn ôl i ble. Nid oedd ganddynt bolisïau pendant i amaethyddiaeth a diwydiant.'[9] Y tu ôl i hyn roedd anwybodaeth o hanes Cymru Fu. Newydd ddechrau gweithio ar gefndir Cymru oedd ei haneswyr yn chwarter olaf y ganrif ac nid oedd eu darganfyddiadau wedi cael amser i dreiddio i ymwybyddiaeth y werin.

Ffactor mewnol arall oedd y dimensiwn economaidd. Roedd elfen gref o'r dosbarth gweithiol yn aelodau o Gynghrair Cymru Fydd, roedd ganddynt gefnogaeth yr undebwyr ac roedd agweddau sosialaidd i'w rhaglen. Cododd hyn ddychryn ar gyfalafwyr y de-ddwyrain a oedd yn barod yn poeni am gystadleuaeth ryngwladol o'r Almaen yn arbennig.[10] Dan arweiniad D. A. Thomas (y dyn mwyaf 'sinister' yng ngwleidyddiaeth Cymru),[11] penderfynodd Rhyddfrydwyr ceidwadol y de-ddwyrain ddinistrio'r Cynghrair, cyn i'r Cynghrair eu dinistrio hwy.

Daeth yr holl ffactorau mewnol ac allanol hyn at ei gilydd yng Nghasnewydd yn Ionawr 1896. Dim ond cyfuniad o ffactorau a all egluro yr hysteria a ddangoswyd yn y cyfarfod hwnnw. Ar wahân i aelodau a chefnogwyr Cynghrair Cymru Fydd roedd rhan helaeth o'r Cymry yn dangos y syndrom hwnnw a ddisgrifiwyd gan Erich Fromm fel 'ofn rhyddid'.[12] Roeddent wedi bod dan reolaeth allanol cyhyd ac wedi cael eu cyflyru mor ddwfn yn y 'Welsh Not', nes bod gan lawer ohonynt ofn cyfrifoldeb rhyddid. Fodd bynnag roedd buddugoliaeth y Rhyddfrydwyr ceidwadol yng Nghasnewydd yn fuddugoliaeth pyrrhig; ar ôl 1896, collodd Rhyddfrydiaeth Gymreig ei deinamig. Yr unig beth oedd yn cadw'r blaid i fynd yng Nghymru oedd Datgysylltiad; sicrhawyd hynny yn 1920. Roedd tair ffrwd i Gymru Fydd: y mudiad democrataidd-werinol, y mudiad ieuenctid a'r mudiad cenedlaethol. Etifeddwyd y cyntaf gan y Blaid Lafur (1906), yr ail gan Urdd Gobaith Cymru (1922) a'r drydedd gan Blaid Cymru (1925).

Ym mlwyddyn sefydlu Cymru Fydd, cyhoeddwyd stori enwog R. L. Stevenson, *Dr Jekyll a Mr Hyde* (1886), cynnyrch unigryw dychymyg Celtaidd. Roedd dwy ochr i seicoleg cenhedloedd Celtaidd y cyfnod hwn – yr ochr Jekylaidd, resymol, flaengar, oleuedig; a'r ochr Hydeaidd, gyntefig, adweithiol, imperialaidd. Y tristwch oedd mai Hyde a orfu dros Jekyll yn achos y tair cenedl. Mae'r rhwyg hon i'w gweld yn glir ym mhersonoliaeth Tom Ellis. O dan ddylanwad ffiaidd Cecil Rhodes, trodd Ellis oddi wrth oleuni gweledigaeth Luxor – a thuag at galon tywyllwch yr Ymerodraeth.[13] Fel i Mr Hyde ei hun, roedd hyn yn gyfystyr a hunanladdiad iddo a bu bron iddo arwain at ddifodiant llwyr y genedl Gymreig yn y Rhyfel Mawr (1914–18).

Roedd y Cymry yn dioddef o gymhlethdod israddoldeb cenedlaethol.[14] Roedd israddoldeb wedi cael ei sodro i mewn i'w hymwybyddiaeth gan y wladwriaeth Seisnig ac roedd hyn yn cael ei atgyfnerthu gan ei asiantwyr yn y system addysg – o'r *Llyfrau Gleision* i'r 'Welsh Not' – i geisio torri ysbryd y Cymry ieuainc cyn iddynt ddod i oed. Disgrifiodd Tomás Masaryk effeithiau dinistriol addysg Almaenaidd ar ddinasyddiaeth Bohemia, cyn ennill ohoni ei rhyddid yn Tsiecoslofacia:

Effaith y gyfundrefn addysg oedd lladd balchder ysbryd ac annibyniaeth cymeriad y plant. Amcan yr holl addysg oedd llwyddo mewn arholiadau, magu dyhead am ddyfod ymlaen yn y byd, tra'n meithrin llwfrdra dan yr wyneb. Oherwydd ysbryd gwrth-Fohemaidd yn yr ysgolion, codwyd to ar ôl to o blant llechwrus, yn ofni anturio, yn amddifad o ysbryd arwain, yn gall a gofalus am fywoliaeth, ond nid yn arweinwyr dynion nac yn ddewrion ac ymaberthol. Rhoddid llwyddiant a budd personol yn nod mewn bywyd, yn hytrach na gwasanaeth dros eu gwlad.[15]

Cafodd eraill eu prynu allan; lleiafrif a allai wrthwynebu'r fath gyflyriad a phropaganda goruchafol: roedd Cymru Fydd yn cynrychioli'r fath leiafrif.

Mae Holbrook Jackson wedi rhoi darlun gwych o naws nwyfus y 1890au:

ni ymddengys deffroad y nawdegau fel sylweddoliad pwrpas, ond fel sylweddoliad posibilrwydd . . . Roedd yn epoc o arbrofi, gyda pheth llwyddiant a pheth edifeirwch . . . Cychwynodd y degawd gyda rhuthr am fywyd, a gorffen gydag enciliad – ond nid gorchfygiad.[16]

Roedd y Chwyldro Cymreig yn anghyflawn – yn chwyldro anorffenedig. Gorchfygwyd y Cynghrair ond ni orchfygwyd Cymru Fydd: llifodd y mudiad ymlaen i sianeli newydd. Llwyddodd Cymru Fydd i adennill hunan-barch, os nad hunanreolaeth, i'r genedl Gymreig. Mae'r cwestiwn a godwyd ganddynt yn aros o flaen y Cymry heddiw: Ymerodraeth neu Ymreolaeth?

Nodiadau

1 O. M. Edwards, 'I Ble'r Ydym yn Mynd?', *Y Llenor* (Ionawr 1895), 14–19.
2 Ibid.
3 D. Gwenallt Jones, 'Tom Ellis', *Y Fflam* (Awst 1949), 5–6.
4 O. M. Edwards, 'I Ble'r Ydym yn Mynd?', op. cit., tt. 14–19.
5 'Splendid isolation', *The Times*, 22 Ionawr 1896. Gweler hefyd *Official Report of the Debates of the House of Commons of the Dominion of Canada*, cyf. 41, cofnod 16 Ionawr (1896). Dyma'r tro cyntaf i'r term 'splendid isolation' gael ei ddefnyddio.
6 A. P. Thornton, *The Imperial Idea and Its Enemies*, (Llundain, 1959), t. 68.
7 David Lloyd George llythyr adref, 30 Mai 1892 (LlGC, Papurau Lloyd George). Gweler John Jones, 'Y Frenhines yn y Bala', *Cymru Fydd* (Ionawr 1890), 60–4.
8 *Young Wales* (Rhagfyr 1895), 287.
9 D. Gwenallt Jones, in D. M. Lloyd (gol.) *Seiliau Hanesyddol Cenedlaetholdeb Cymru*, (Caerdydd, 1950), t. 125. Cf. T. Eynon Davies, 'Beyond Offa's Dyke', *Young Wales* (Mawrth 1896), 54: 'I would suggest for an improvement that the national watchword should be:– "I godi'r hen wlad I FYNY".'

[10] Gweler E. E. Williams, *Made in Germany* (Llundain, 1896) a D. A. Thomas, *Some Notes on the Coal Trade* (Caerdydd, 1896). Noder bod Thomas yn llywydd Siambr Masnach Caerdydd.

[11] Disgrifiad y *Western Mail*; dyfynnwyd yn K. O. Morgan, 'D. A. Thomas: Industrialist as Politician', *Glamorgan Historian* (1966), t. 44.

[12] Erich Fromm, *The Fear of Freedom* (Llundain, 1942). Gweler hefyd Edward Anwyl, 'Sais-addoliaeth', *Y Geninen* (Hydref 1890), 276–8.

[13] Teitl clasur symbolaidd arall y cyfnod gan Joseph Conrad, *The Heart of Darkness* (Llundain, 1899). Gweler Claire Harman, *Robert Louis Stevenson* (Llundain, 2005).

[14] Tomás G. Masaryk, 'Addysg yn Bohemia' (1930); dyfynnwyd yn Saunders Lewis, *Canlyn Arthur* (Caerdydd, 1938), t. 123. Cf. Paulo Freire, *Pedagogy of the Oppressed* (Llundain, 1996).

[15] Bathwyd y term 'inferiority complex' gan Alfred Adler, *Individual Psychology* (Llundain, 1925).

[16] Holbrook Jackson, *The Eighteen Nineties* (Hassocks, 1976), t. 14.

Llyfryddiaeth

A. Llawysgrifau ac Adroddiadau

1. Papurau Personol

D. R. Daniel (LlGC, Aberystwyth)
Watkin Davies (LlGC)
Thomas Edward Ellis (LlGC)
E. W. Evans, 'Frondirion' (LlGC)
Syr Samuel T. Evans (LlGC)
Syr Vincent Evans (LlGC)
Thomas Gee (LlGC)
W. E. Gladstone (Llyfrgell Sant Deiniol, Penarlâg)
Syr Ellis J. Griffith (LlGC)
D. R. Hughes (LlGC)
A. C. Humphreys-Owen, 'Glansevern' (LlGC)
William Jones (Prifysgol Cymru, Bangor)
Syr J. Herbert Lewis (LlGC)
Syr John Edward Lloyd (Prifysgol Cymru, Bangor)
David Lloyd George (LlGC)
W. J. Parry, 'Coetmor' (Prifysgol Cymru, Bangor)
Stuart Rendel (LlGC)
Henry Richard (LlGC)
J. Bryn Roberts (LlGC)
Syr Alfred Thomas, 'Pontypridd' (Archifdy Morgannwg)
D. A. Thomas (LlGC)
D. Lleufer Thomas (LlGC)
Edward Thomas, 'Cochfarf' (Llyfrgell Ganolog Caerdydd)
Syr H. H. Vivian (LlGC)

Arthur John Williams (LlGC)
W. Llewelyn Williams, Dyddiadur (LlGC)

2. Papurau Swyddogol/Adroddiadau

Adroddiadau Blynyddol Ffederasiwn Rhyddfrydol De Cymru,
1887–96 (LlGC).
Adroddiadau Blynyddol Ffederasiwn Rhyddfrydol Gogledd Cymru,
1887–95 (LlGC).
Census of England and Wales, 1891.
*Evidence, Report and Appendices of the Royal Commission on Land in
Wales and Monmouthshire*, Cyfrolau I–V, H.C. (1894–6).
Hansard's Parliamentary Debates, Cyfres 3 a Chyfres 4.
Liberal Central Association, *Chief Organizations of the Liberal Party
and List of Correspondents*, 1895 (LlGC, Papurau T. E. Ellis, 3192).
Liberal Year Book (1887–9).
Munudau y Gymdeithas Rhyddhad/Minutes of the Liberation
Society 1868–1914 (Meicroffilm, Abertawe).
Munudau Ffederasiwn Rhyddfrydol Gogledd Cymru, 1887–92
(LlGC).
Munudau Pwyllgor Aelodau Seneddol Rhyddfrydol Cymreig,
1886–9 (Llyfrgell Casnewydd).
Parliament: H.C. Welsh Liberal Members' Committee Minute Book,
1886–9 (Casgliad Hanes Lleol Mynwy, Llyfrgell Casnewydd,
MO (328)).

B. Cylchgronau/Papurau Newydd

1. Cymraeg

Baner ac Amserau Cymru
Y Cymreigydd
Y Cymro
Cymru
Cymru Fydd
Y Chwarelwr
Y Goleuad
Y Genedl Gymreig
Y Geninen

Yr Haul
Yr Herald Cymraeg
Y Llenor
Tarian y Gweithiwr
Traddodion Anrhydeddus Gymdeithas y Cymmrodorion
Y Traethodydd
Y Tyst
Udgorn Rhyddid
Y Werin

2. Saesneg

Aberdare Times
British Weekly
Cambria Daily Leader
Cambrian News
Cardiff Times
Caernarfon and Denbigh Herald
Carmarthen Times
Contemporary Review
Glamorgan Free Press
Liberal Magazine
Liverpool Daily Post
Manchester Guardian
Methodist Times
Morning Post
Nineteenth Century
North Wales Observer and Express
The Observer
South Wales Daily News
South Wales Star
The Times
Transactions of the Honourable Society of Cymmrodorion
Wales
Welsh History Review
Welsh Review
Western Mail
Westminster Gazette
Young Wales

C. Gweithiau Cyfeiriadol

Aitchison, J. W. a Carter, H. *Atlas Ieithyddol Cymru/Linguistic Atlas of Wales* (Caerdydd, 1986).

Allgood, H. G. C., *Statistics Bearing Upon Welsh Liberal Organisation* (Drafft, Coleg y Brifysgol Abertawe 1896; pamffled, Caerdydd, 1897).

Cook, C. a Keith, B., *British Historical Facts, 1830–1900* (Llundain, 1975).

Craig, F. W. S., *British Parliamentary Election Results, 1885–1918* (Llundain, 1974).

Hanham, J. H. (gol.), *Bibliography of British History, 1851–1914* (Rhydychen, 1976).

Hanham, H. J. *The Reformed Electoral System in Great Britain, 1832–1914* (Llundain, 1968).

James, A. J. a Thomas, J. E., *Wales at Westminster* (Llandysul, 1981).

Jenkins, R. T. (gol.), *Bibliography of the History of Wales* (Caerdydd, 1962).

Kinnear, M., *The British Voter: An Atlas and Survey since 1885* (Llundain, 1965).

Martin, G. H. a McIntyre, Sylvia (gol.), *A Bibliography of British and Irish Municipal History* (Caerlŷr, 1972).

Owen, Owen, *Welsh Disestablishment: Some Phase of the Numerical Argument* (Llundain, 1895).

Pelling, Henry, *Social Geography of British Elections* (Llundain, 1967).

Southall, J. E., *The Welsh Language Census of 1891* (Caerdydd, 1894).

Thomas, J. A., *The House of Commons, 1832–1901* (Caerdydd, 1939).

Williams, John, *Crynhoad o Ystadegau Hanesyddol Cymru/Digest of Welsh Historical Statistics* (Caerdydd, 1985).

Williams, W. R., *Parliamentary History of Wales* (Aberhonddu, 1895).

CH. Bywgraffiadau a Hunan-Fywgraffiadau

Atherley-Jones, Llewelyn, *Looking Back* (Llundain, 1925).

Appleton, Lewis, *Henry Richard* (Llundain, 1889).

Armytage, W. H. G., *A. J. Mundella, 1825–1897: The Liberal Background to the Labour Movement* (Llundain, 1957).

Bywgraffiadur Cymreig (Llundain, 1953).

Dictionary of Welsh Biography (Llundain, 1959).

Davies, Watkin, *Lloyd George, 1863–1914* (Llundain, 1939).

Du Parcq, Herbert, *The Life of Lloyd George, I* (Llundain, 1912).

Ellis, T. I., *Thomas Edward Ellis,* 2 Gyf. (Lerpwl, 1944, 1948).

Evans, B. G., *The Life Romance of Lloyd George* (Llundain, 1915).

Evans, Eric Wyn, *Mabon* (Caerdydd, 1959).

George, W. R. P., *The Making of Lloyd George* (Llundain, 1976).

——*Lloyd George: Backbencher* (Llandysul, 1983).

Gilbert, Bentley G., *David Lloyd George, A Political Life, 1863–1912,* Cyfrol I (Llundain, 1987).

Griffith Wyn, *Thomas Edward Ellis* (Llandybïe, 1959).

Grigg, John, *The Young Lloyd George* (Llundain, 1973).

Gruffydd, W. J., *O. M. Edwards* (Caerdydd, 1936).

Hetherington, H., *Life and Letters of Sir Henry Jones* (Llundain, 1924).

Howe, J. M., *Thomas Davis* (Llundain, 1934).

Humphreys, E. M. *Gwŷr Enwog Gynt,* 2 Gyf. (Aberystwyth, 1950, 1953).

Jones, E. P. *Oes a Gwaith Michael Daniel Jones* (Bala, 1903).

Jones, Henry, *Old Memories* (Llundain, 1923).

Jones, John Owen (Ap Ffarmwr), *Gladstone* (Caernarfon, 1898).

Jones, K. Idwal, *Syr Herbert Lewis, 1858–1933* (Aberystwyth, 1958).

Jones, T. M., *Roger Edwards* (Wrecsam, 1908).

Jones, Thomas, *Lloyd George* (Llundain, 1949).

Jones, T. Gwynn, *Emrys ap Iwan* (Caernarfon, 1912).

——*Thomas Gee* (Dinbych, 1913).

Masterman, Neville, *J. Viriamu Jones* (Llandybïe, 1958).

——*The Forerunner* (Llandybïe, 1972).

Miall, C. S., *Henry Richard* (Llundain, 1889).

Morgan, J. V. (gol.), *Welsh Political and Educational Leaders in the Nineteenth Century* (Llundain, 1908).

Morgan, K. W., *Lloyd George: Family Letters, 1885–1936* (Caerdydd, 1972).

Parry, Thomas, *John Morris-Jones, 1864–1929* (Caerdydd, 1972).

Parry-Williams, T. H., *John Rhŷs, 1840–1915* (Caerdydd, 1954).

Pierce, Gwynedd (gol.), *Triwyr Penllyn* (Caerdydd, 1956).

Rhondda, Viscountess (gol.), *D. A. Thomas, Viscount Rhondda* (Llundain, 1921).

Roberts, Eleazer, *Bywyd a Gwaith Henry Richard* (Wrecsam, 1902).

Roberts, T. R., *Self-Made Welshmen* (Llundain, 1907).

——*A Dictionary of Eminent Welshmen* (Caerdydd, 1908).

Rowland, Peter, *Lloyd George* (Llundain, 1975).

Stenton, Michael (gol.), *Who's Who of British Members of Parliament*, Volume II, *1885–1914* (Hassocks, 1978).

Sheehy-Skeffington, F., *Life of Davitt* (Llundain, 1908).

Smith, Samuel, *My Life Work* (Llundain, 1902).

Williams, David, *Thomas Francis Roberts, 1860–1919* (Caerdydd, 1961).

D. Erthyglau/Traethodau Ymchwil

Atherley-Jones, Llewelyn, 'The New Liberalism', *Nineteenth Century*, rhif 150, Awst 1889, 186–93.

Cambell, Lewis, 'On some Liberal Movements of the Last Half-Century', *Fortnightly Review* (Mawrth 1900).

Cunningham, M., 'Y Gymdeithas Amaethyddol yn Nyffryn Clwyd, 1880–1900' (Traethawd MA, Prifysgol Cymru, 1977).

Evans, Neil, 'The Welsh Victorian City: Civic and National Consciousness in Cardiff, 1880–1914', *Welsh History Review*, (Mehefin 1985), 350–87.

Gross, R. H., 'Factors and Variations in Liberal and Radical Opinion on Foreign Policy, 1885–1899' (Traethawd D. Phil., Prifysgol Rhydychen, 1950).

Guttsman, W. L., 'The Changing Social Structure of the British Political Elite, 1886–1935', *British Journal of Sociology*, (Mehefin 1951), 122–34.

Hamer, D. A. 'The Irish Question and Liberal Politics, 1886–94', *Historical Journal*, 12 (1969).

Harcourt, Syr William, 'The Church in Wales and the Welsh Tithe Question', *Liberator* (Tachwedd 1889).

Jenkins, R. T., 'The Development of Nationalism in Wales', *Sociological Review*, xxvii (1935).

Jones, D. Gwenallt, 'Tom Ellis', *Y Fflam* (Awst 1949).

Lloyd, Morgan, 'Datgysylltiad yn y Trefedigaethau Prydeinig a'i Ganlyniadau', *Y Geninen* (Hydref 1890), 238–40.

Morgan, K. O., 'The New Liberalism and the Challenge of Labour: The Welsh Experience, 1885–1929', *Welsh History Review* (Mehefin 1973).

Massingham, H. W., 'The Debacle – and after', *Contemporary Review*, lxviii (Awst 1895), 299–304.

——'The Old Premier and the New', *Contemporary Review*, lxi (Ebrill 1894), 457–65.

McCarry, T., 'Lloyd George and Ireland, 1886–1914' (Traethawd M.Litt., Prifysgol Bryste, 1976).

Nicholls, David, 'Positive Liberty, 1880–1914', *American Political Science Review*, lvi (1962), 114–28.

Price, R. Emrys, 'Lloyd George's Pre-Parliamentary Political Career' (Traethawd MA, Prifysgol Cymru, Bangor, 1974)

Ravenstein, E. G., 'On the Celtic Languages of the British Isles: A Statistical Survey', *Journal of the Royal Statistical Society*, 42 (1879).

Rowland Hughes, Dewi, 'Cymru Fydd a Strwythur Rhyddfrydiaeth Gymreig, 1886–96' (Traethawd MA, Prifysgol Cymru, Aberystwyth, 1987).

——'Y Chwyldro Bwrgeisiol Cymreig: 1889', *Y Traethodydd* (Ionawr 1990), 32–43.

——'Y Coch a'r Gwyrdd: Cymru Fydd a'r Mudiad Llafur Cymreig' (1886–1896)', *Llafur*, 6, rhif 4, (1995).

Stone, Lawrence, 'Prosopography', *Daedalus*, 100, 1971, tt. 46–73.

Thomas, R. R., 'The Influence of the Irish Question on Welsh Politics' (Traethawd MA, Prifysgol Cymru, 1973).

Williams, E. W., 'The Politics of Welsh Home Rule, 1886–1929' (Traethawd Ph.D., Prifysgol Cymru, Aberystwyth, 1986).

Williams, Glanmor, 'The Idea of Nationality in Wales', *Cambridge Jnl.*, vii, 1953.

Williams, G. A., 'The Concept of "Egemonia" in the thought of Antonio Gramsci', *Journal of the History of Ideas*, xxi, 4 (1960), 586–99.

——'Marcsydd a Sardinwr ac Argyfwng Cymru', *Efrydiau Athronyddol*, XLVII, (1984), 16–77.

Williams, S. E., 'Astudiaeth o Fywyd a Phrydyddiaeth R. J. Derfel', (Traethawd MA, Prifysgol Cymru, 1975).

DD. Pamffledi a Llyfrau

Anon., *Welsh Political Pamphlets* (Casgliad Celtaidd, Llyfrgell Hugh Owen, Coleg Prifysgol Cymru, Aberystwyth, JN1151A2 W4C.R.).

Barker, Michael, *Gladstone and Radicalism* (1975).

Bebb, E. D., *Nonconformity and Social and Economic Life, 1660–1880* (Llundain, 1935).

Bebbington, D. W., *The Nonconformist Conscience: Chapel and Politics, 1870–1914* (Llundain, 1982).

Beer, S. W., *Modern British Politics: A Study of Politics and Pressure Groups* (Llundain, 1965).

Bell, P. M. E., *Disestablishment in Ireland and Wales* (Llundain, 1969).

Bonsall, Henry, *Tynged Cymru* (Aberystwyth, 1891).

—— *Undeb* (Aberystwyth, 1893).

Balyder, F. A., *The Disestablishment and Disendowment of the Church in Wales* (Bedford, 1895).

Breese, C. E., *Welsh Religious Equality* (Porthmadog, 1892).

—— *Welsh Nationality* (Caernarfon, 1895).

Bullock, A. a Shock, M., (gol.), *The Liberal Tradition* (Llundain, 1956).

Bruce, H. A. (Arglwydd Aberdâr), *Lectures and Addresses* (Llundain, 1896).

Butler, Jeffrey, *The Liberal Party and the Jameson Raid* (Llundain, 1968).

'Celt', *Cymru Fydd: Cymru Rydd* (Caernarfon, 1895).

Chamberlain, Joseph et. al., *The Radical Programme (1885)* Hamer, D. A., (gol.) (Hassocks, 1971).

Clarke, P. F., *Liberals and Social Democrats* (Caergrawnt, 1978).

Darlington, Thomas, *Welsh Nationality and its Critics* (Wrecsam, 1895)

David, Evan, *Ymreolaeth i Gymru* (Ystalyfera, 1890).

Derry, J. W., *The Radical Tradition* (Llundain, 1967).

Dunbabin, J. P. D., *Rural Discontent in Nineteenth Century Britain* (Llundain, 1974).

Edwards, O. M., *O'r Bala i Geneva* (Bala, 1889).

—— *Wales* (Llundain, 1901).

Emy, H. V., *Liberals, Radicals and Social Politics, 1892–1914* (Caergrawnt, 1973).

Foot, M. R. D., *Gladstone and Liberalism* (Llundain, 1952).

Freeden, Michael, *The New Liberalism* (Rhydychen, 1978).

Gee, Thomas, *Rhyddfrydiaeth a Thoriaeth* (Llundain, 1881).

George, William, *Cymru Fydd* (Lerpwl, 1945).

Gerth, H. H. a Mills, C. W., (gol.), *From Max Weber: Essays in Sociology* (Rhydychen, 1946).

Gladstone, W. F., *The Irish Question* (Llundain, 1886).

Glyndwr, Edward, *Wales Awake! A Call to Young Wales* (Nottingham, 1887).

'Griffith', *The Welsh Question* (Llundain, 1887).

Hamer, D. A., *Liberal Politics in the Age of Gladstone and Rosebery* (Llundain, 1972).

Hanham, H. J., *Elections and Party Management* (Llundain, 1959).

Havard, Griffith, *Yr Iwerddon* (Rhymni, 1888).

Howell, David W., *Land and People in Nineteenth Century Wales* (Llundain, 1977).

Hughes, T. J. (Adfyfyr), *Neglected Wales* (Caerdydd, 1887)

——*The Welsh Magistracy* (Caerdydd, 1887).

Jephson, H., *The Platform, Its Rise and Progress* (Llundain, 1892).

Jones, A. G., *Press, Politics and Society* (Caerdydd, 1993).

Jones, D., *The Welsh Church and Welsh Nationality* (Llundain, 1873).

Jones, D. G., *Detholiad o Ryddiaeth Gymraeg R. J. Derfel*, 2 Gyf. (Llandysul, 1945).

Jones, E., *Cynrychiolaeth Cymru yn y Senedd* (Rhuthun, 1866).

Jones, Evan, *Plaid Gymreig a Deddfwriaeth i Gymru* (Machynlleth, 1886).

Jones, T. M., *Llenyddiaeth Fy Ngwlad* (Treffynnon, 1893).

Llewelyn-Williams, Alun, *Y Nos, y Niwl a'r Ynys* (Caerdydd, 1960).

Lloyd, D. Myrddin (gol.) *Seiliau Hanesyddol Cenedlaetholdeb Cymru/ Historical Basis of Welsh Nationalism* (Caerdydd, 1950).

Mainwaring, T., *Glimpses of Welsh Politics* (Llanelli, 1881).

Matthew, H. C. G., *The Liberal Imperialists* (Llundain, 1973).

Mill, J. S., *Considerations on Representative Government* (Llundain, 1861).

Morgan, G. O., *The Italian Revolution of 1860* (Llundain, 1861).

——*The Church of England and the People of Wales* (Llundain, 1895).

Morgan, H. A., *Church and Dissent in Wales* (Caergrawnt, 1895).

Morgan, J. Vyrnwy, *A Study in Nationality* (Llundain, 1912).

Morgan, K. O., *Wales in British Politics* (Caerdydd, 1980).

——*The Rebirth of a Nation: Wales, 1880–1980*, (Caerdydd, 1981).

Morley, John, *A Free Church in a Free State* (Llundain, 1891).

Ostrogorski, Moisei, *Democracy and the Organisation of Political Parties*, Vol. 1 (Llundain, 1902).

Popper, Karl, *The Open Society and Its Enemies*, Cyf. 2 (Llundain, 1945).

Porter, B., *Critics of Empire* (Llundain, 1968).

Randall, D., Lloyd George, D. a Parry, W. J., *Home Rule Bill for Wales* (Caernarfon, 1890).

Richard, Henry, Yr Eglwys Sefydliedig ac Anghydffurfiaeth yng Nghymru (Llundain, 1882).

Richard, Henry, *Disestablishment of the Church in Wales* (Llundain, 1883).

Richard, Henry a Williams, J. Carvell, *Disestablishment* (Llundain, 1886).

Roberts, Edward C., *Cyfalaf a Llafur* (Blaenau Ffestiniog, 1890).

Thornton, A. P. *The Imperial Idea and Its Enemies* (Llundain, 1959).

Vincent, John, *The Formation of the British Liberal Party* (Hassocks, 1976).

Wemde, Ben, *T. H. Green's Theory of Positive Freedom* (Llundain, 2005).

Williams, Glyn (gol.), *Crisis of Economy and Ideology: Essays on Welsh Society 1840–1980* (Llundain, 1983).

Williams, Howard, *Kant's Political Philosophy* (Rhydychen, 1983).

Williams, T. M., *Home Rule for Wales* (Aberdâr, 1888).

Williams, W. Llewelyn, *Cymru Fydd/Young Wales* (Caerdydd, 1894).

Mynegai